Вениамин Каверин

СЧАСТЬЕ ТАЛАНТА

Воспоминания и встречи, портреты и размышления

МОСКВА
«СОВРЕМЕННИК»
1989

ББК 83.3Р7
К12

К $\frac{4603010102-178}{М106(03)-89}$ 207—89

ISBN 5-270-00610-3

ПЕРВЫЙ УРОК

1

Готовясь к экзамену по логике, я впервые прочел краткое изложение неевклидовой геометрии Лобачевского и был поражен смелостью ума, вообразившего, что параллельные линии сходятся в пространстве, и на основании этой странной мысли построившего новое учение, столь же точное, как учение Евклида.

Профессор гонял меня сорок минут. Усталый, но веселый, я возвращался домой и на Бассейной улице увидел афишу, которая угадала мои самые затаенные мысли. Дом литераторов предлагал всем желающим принять участие в конкурсе для начинающих писателей. Назначались пять премий: первая — пять тысяч рублей, вторая — четыре тысячи и три третьих по три тысячи рублей.

От Дома литераторов до Греческого переулка, где я жил, было едва ли больше десяти минут ходу. Пожалуй, не будет преувеличением сказать, что эти десять минут определили многое в моей жизни. Еще не дойдя до дому, я решил навсегда оставить стихи, которые я ежедневно писал в течение нескольких лет, перейти на прозу и принять участие в конкурсе.

Наконец — это было самое важное — я успел обдумать свой первый рассказ и даже назвать его: «Одиннадцатая аксиома». Как известно, Лобачевский не согласился именно с одиннадцатой аксиомой Евклида. Таким образом, мысль, которая легла в основание моего первого рассказа, имела прямое отношение к экзамену по логике: я был тогда студентом первого курса Петроградского университета.

Лобачевский свел в пространстве параллельные линии. Что же мешает мне свести — не только в пространстве, но и во времени — два параллельных сюжета?

Нужно только, чтобы независимо от места и времени действия между героями была внутренняя логическая связь.

Придя домой, я взял линейку и расчертил лист бумаги вдоль на два равных столбца. В левом я стал писать историю монаха, который теряет веру в бога, рубит иконы и бежит из монастыря. В правом — историю студента, проигрывающего в карты свое последнее достояние. Действие первого рассказа происходило в середине века. Действие второго — накануне революции. В конце третьей страницы — это был очень короткий рассказ — две «параллельные» истории сходились. Студент и монах встречались на берегу Невы. Разговаривать им было не о чем, и автор обращался к природе и Петербургу, пытаясь с помощью Медного всадника изобразить всю глубину падения своих героев.

Этот рассказ я написал в течение трех дней и под многозначительным девизом «Искусство должно строиться на формулах точных наук» послал на конкурс.

Ответ пришел не скоро. Но еще до получения ответа случай помог мне узнать, что рассказ отмечен жюри. Я жил тогда в «Юртынкоммуне» — так называлось содружество, объединившееся в квартире Юрия Николаевича Тынянова, в ту пору историка литературы. Занимаясь, я вдруг услышал через полуоткрытую дверь чей-то мягкий, незнакомый голос, который рассказывал — я не ослышался — содержание моего рассказа.

— Написано еще очень по-детски,— говорил этот голос,— но, по-моему, заслуживает премии. Хотя бы за странное воображение!

Разумеется, я сразу догадался, что гость Тынянова — один из членов жюри. Но я не стал расспрашивать Юрия Николаевича. Он любил подшучивать над моими стихами, и я не решился рассказать ему, что, увидев афишу Дома литераторов, внезапно перешел на прозу.

Прошло три или четыре месяца, и премия была присуждена,— правда, не первая, не вторая и даже не третья. Но и третья «б» премия для девятнадцатилетнего студента была потрясающим событием. Первый рассказ — и премия! Я написал его в три дня! Что же произойдет, если над следующим рассказом я стану работать три недели?

Забегая вперед, должен сказать, что ничего не произошло. Вслед за «Одиннадцатой аксиомой» я написал девять рассказов, и ни один из них не имел успеха.

В бухгалтерии Дома литераторов мне вручили три тысячи рублей. Это было в 1920 году, и пока жюри обсуждало представленные рассказы, деньги сильно упали в цене. Возвращаясь домой, я купил в ларьке на Бассейной шесть ирисок по пятьсот рублей за штуку. Это был мой первый литературный гонорар, и я помню, с каким торжеством, вернувшись домой, я угостил ими всех членов «Юртынкоммуны».

Так я начал писать. Это еще не было выбором профессии: и в те годы, и значительно позже я продолжал думать о научной деятельности. Но это было прикосновением к миру литературных страстей, волнений, честолюбивых мечтаний.

Мысль о том, что это мир труда, впервые внушил мне Горький.

2

В двадцатых годах интерес к подлинному, невыдуманному ничуть не уступал нашему времени. Но мне кажется, что это был совсем другой интерес. В мемуарной литературе двадцатых годов прямая информация была как бы слегка затушевана, и не самый факт, а отношение к нему было характерной чертой. Документализм еще не притворялся искусством.

В сохранившихся записях моего семинара[1] мемуарной литературе отдано много страниц. «Мои университеты» и «Дневник» Горького поразили читателя неисчерпаемостью впечатлений, не вошедших в литературу и все-таки ставших литературой, казалось бы даже вопреки желанию автора. Странным образом в этой книге почувствовалось освобождение от непреклонности, от упорства, набирающего силу с годами, от напряжения, которое почти неизбежно присутствует в работе художника — все равно, музыка ли это, живопись или литература.

В двадцать первом году, когда Горький впервые пригласил к себе Серапионов, он, рассказывая нам о том, что такое литературный труд, привел в пример Эмиля

---

[1] Семинар по современной прозе, который я вел в 1925—1929 гг. в Институте истории искусств.

Золя, который, работая, привязывал себя к креслу. В «Моих университетах» и «Дневниках» нет этой борьбы с собой.

«Горький — один из тех писателей, личность которых сама по себе — литературное явление; легенда, окружающая его личность,— это та же литература, но только ненаписанная, горьковский фольклор,— писал Ю. Н. Тынянов.— Своими мемуарами он как бы реализует этот фольклор» («Литературное сегодня»).

Рядом с тяжелой, редкой по выразительности, пастозной живописью («Пожары») — легкость пробежавшего мимо, но оставившего неизгладимый след. Рядом с удивительной определенностью психологического контура — тень того, что больше не повторилось, ушло навсегда и все-таки осталось в памяти. Надолго ли? Оказывается, что надолго. Может быть — навсегда.

В рассказах «Палач» и «Ветеринар» лица схвачены, как при свете магния, с точностью фотоснимка, напоминающего, что фотография еще сравнительно недавно казалась настоящим чудом. Скромный, тихий, сдержанный учитель чистописания оставляет у квартирной хозяйки тетрадь, в которую он записывает свои размышления. Виньетки, тщательные выписки, строгая законченность, ни единой помарки. Разнообразнейшие почерки — славянская вязь, готический ромб — и, наконец, собственный почерк учителя,— мелкий, круглый, неторопливый. Им написан эпиграф, предваряющий книгу: «Скоро оказалось, что христиан много,— так всегда бывает, когда начинают заниматься исследованием какого-нибудь преступления». Из письма Плиния Императору Траяну».

Великолепным ромбом учитель воспользовался, чтобы выразить как бы весьма обыкновенную и все-таки несколько странную мысль: «Мышление есть долг всякого грамотного человека». Славянская вязь соединяет эту мысль с каким-то происшествием, ворвавшимся в душевную жизнь учителя: «Я никогда не позволю себе забыть насмешек над собой». Возвращение к собственному круглому почерку развивает идею тайного убийства: «Внезапность не исключает предварительного и точного изучения условий жизни намеченного лица. Особенно важно — время и место прогулок. Часы возвращения из гимназии с уроков. Ночью из клуба».

И в дальнейшем все, что касается идеи тайного убийства, написано не славянской вязью и не ромбом, а именно этим мелким, круглым, аккуратным почерком. Среди виньеток, рисунков, подробных записей, отражающих скучную жизнь маленького городка, идея внезапного тайного убийства вырастает, определяется, превращается в план: «Внезапность действия — гарантия успеха. Извозчика нанять старика, по возможности со слабым зрением. Соскочить — схватило живот. Проходным двором идти прямо на него, но — не здороваться, чтобы он растерялся» и т. д.

Учитель чистописания не участвует в рассказе. Его нет, он давно умер. Мы не знаем кого он хочет убить. Может быть, это месть? Нет. Он обдумывает убийство не какого-то определенного лица. Это — торжество полноценности, доказательство своего превосходства, своего «вознесения» над жалкой, унизительно-однообразной жизнью. Недаром учитель чистописания ставит рядом две идеи — убийства и искусства: «Так называемое искусство питается преимущественно изображением и описанием всякого рода преступлений, и я замечаю, что чем преступление подлее, тем более читается книга и знаменита картина, ему посвященная. Собственно говоря, интерес к искусству есть интерес к преступному...»

В рассказе — пять страниц.

Заметка «Люди наедине с собой» еще короче — четыре с половиной. Чехов, сидя у себя в саду, ловит шляпой солнечный луч и пытается надеть его на голову вместе со шляпой. Толстой тихонько спрашивает ящерицу:

— Хорошо тебе, а?

И, осторожно оглянувшись вокруг, признается:

— А мне нехорошо.

В фойе театра красивая дама-брюнетка, поправляя перед зеркалом прическу, спрашивает себя:

— И — надо умереть?

Блок, стоя на лестнице, пишет что-то на полях книги и вдруг, прижавшись к перилам, почтительно уступает дорогу. Лестница пуста, и все-таки кто-то бесшумно и незримо прошел мимо него, потому что иначе он не проводил бы его улыбающимся взглядом.

«Мои университеты» и «Заметки из дневника» нарушили привычное представление о мемуарах — именно поэтому они сразу же стали предметом горячих, долго продолжавшихся споров.

Рассказывая о себе, Горький почти никогда не остается наедине с собой. Его дневники и воспоминания основаны на высшей объективности, на свидетельстве очевидца. Возникшие как бы за пределами литературы, они наметили контуры нового жанра. В сущности, это — мемуары без мемуариста. Центральный, поражающий разнообразием смысл его «Университетов» — интерес к людям, многократно перевешивающий его интерес к самому себе. «Говорить о себе — тонкое искусство, я не обладаю им»,— сказал он в разговоре с Блоком.

3

Когда Свифт умирал, он попросил, чтобы ему прочитали «Сказку о бочке» — одну из его первых книг,— и заплакал от радости, от счастливого сознания, что некогда он так превосходно писал.

Едва ли кто-нибудь из нас может рассчитывать на такое прощанье со своей молодостью,— хотя первая книга остается подчас единственной и лучшей. Но вот уже много лет читатели справедливо жалуются, что время в нашей стране обгоняет литературу — книги стареют быстрее, чем авторы, долго ходящие в «молодых».

В 1924 году я послал Горькому свою первую книгу — «Мастера и подмастерья». Она писалась в течение трех лет, и вслед за появлением чуть ли не каждого из рассказов, составивших этот сборник, я получал от Горького письма, содержавшие строгую, но добрую критику и советы, причем не только литературные, но и житейские.

С гордостью и изумлением перечитываю я теперь эти письма. С гордостью — потому, что это письма Горького, а с изумлением — потому, что многие из этих писем обращены к начинающему писателю, еще ничего не сделавшему для нашей литературы.

Он учил меня — и делал это со всей щедростью великого человека. Но ему казалось, что это совсем не так. «Милый друг, вы должны чувствовать, что я пишу вам не как «учитель», эта роль всегда была противна мне, и я никогда никого не учил, кроме себя, но, к сожалению, делал это «вслух». Пишу я вам, как товарищ, как литератор, органически заинтересованный в том, чтоб вы нашли вашему таланту форму и выражение вполне достойные его» (13/XII 1923 г.).

И все-таки Горький учил, и прежде всего тому, о чем он почти не упоминал в своих письмах,— вдохновенному, бескорыстному, чистому отношению к самому делу литературы. Он подсказывал темы, направлял мысль, предостерегал — и все это осторожно, деликатно, не задевая самолюбия. Но в каждой строке звучало суровое напоминание о том, что мы работаем в великой литературе и, стало быть, не имеем права превращать ее ни в игру словами, ни в средство собственного благополучия и славы. «Здесь, в Европе, наблюдается истощение, анемия литературного творчества, здесь — общая и грозная усталость. Здесь очень процветает словесное фокусничество, а у людей серьезно чувствующих возникает все более острый интерес к русской литературе. Посему: «Не посрамим земли русской!» Надобно работать. Вам новым, это особенно необходимо» (13/XII 1923 г.).

Надобно работать! Но как? Разумеется, так, чтобы совершить нечто новое в литературе. Но что значит новое? Разве мало было писателей, искренне убежденных в том, что их «новое» двигает нашу литературу вперед,— и быстро, бесповоротно забытых?

4

Итак, я послал Горькому «Мастера и подмастерья» и с волнением стал ожидать ответа. Можно было не сомневаться в том, что рассказы понравятся Горькому,— разве не писал он, что «целая книга сразу покажет читателю оригинальность Вашего таланта, своеобразие и свежесть фантазии Вашей».

Вот письмо, которое надолго отрезвило меня:

«Я получил Вашу книжку — спасибо!— внимательно прочитал ее, но — похвалить не могу. Не сердитесь на меня и верьте, что мое отношение к Вам совершенно ограждает Вас от излишней придирчивости старого литератора, не чуждого, вероятно, известной доли консерватизма. Не сердитесь и спокойно выслушайте следующее. Несмотря на определенно ощутимую талантливость автора, несмотря на его острое воображение и даже — порою — изящество выдумки — вся книжка оставляет впечатление детских упражнений в литературе, впечатлений чего-то несерьезного. Может быть это потому, что Вы отчаянно молоды и, так сказать, «играете в куклы» с Вашей выдумкой, что, в сущности, было бы не плохо, обладай Вы более выработанным и богатым лексиконом. Но — языка у Вас мало, он сероват, тускл и часто почти губит всю Вашу игру. Вам совершенно необходимо озаботиться выработкой своего стиля, обогатить язык, иначе Ваша, бесспорно интересная, фантастика будет иметь внешний вид неудачной юмористики. Ваши темы требуют более серьезного и вдумчивого отношения к ним. Возьмем пример: четверо людей играют в карты; между ними — вне игры — драматическая коллизия, играя, они скрывают друг от друга свои подлинные отношения, но фигурам карт эти отношения известны, и короли, дамы, валеты вмешиваются в отношения людей, сочувственно, иронически, враждебно обнажают, вскрывают истинные отношения людей друг к другу, в картах тоже создается ряд комико-драматических коллизий и вместо четырех существ — уже восемь увлечены борьбою против закона, случая, против друг друга, забава игры превращается в трагикомедию,— две фигуры карт спорят друг с другом и против людей.

У Вас содержание этого рассказа[1] не ясно, запутано, не понимаешь — зачем все это написано? И так почти везде, по всей книге.

Я не повторяю достаточно истрепанного указания на Вашу зависимость от Гофмана, я очень уверен, что Вы — писатель, у которого есть очень много данных для того, чтобы стать независимым, оригинальным. Но для этого надо работать, Вы же, кажется, работаете мало,— в книге не чувствуешь «восхождения к более совершенному» ни в языке, ни в архитектуре рассказов.

Затем: мне кажется, что Вам пора бы перенести Ваше внимание из областей и стран неведомых в русский, современный, достаточно фантастический быт. Он подсказывает превосходные темы, например: о черте, который сломал себе ногу,— помните: «тут сам черт ногу сломит!», о человеке, который открыл лавочку и продает в ней мелочи прошлого,— человек этот может быть антикваром, которого нанял Сатана для соблазна людей, для возбуждения в них бесплодной тоски о вчерашнем дне...» (1924).

Не выдумка ради выдумки, не затейливая, но, в сущности, бесцельная игра воображения, а фантастика, раскрывающая сущность социальных отношений,— вот смысл этого характерного для Горького «подсказа». Не выходя за пределы жанра, свойственного, как ему казалось, начинающему писателю, он вкладывает в его «детские упражнения» современное, политическое содержание. Антиквар, наемник Сатаны, продающий мелочи

[1] «Щиты и свечи».

прошлого,— фигура, не потерявшая своей остроты и в наше время.

Только в одном ошибался Алексей Максимович — я работал много.

Это письмо произвело на меня глубокое впечатление — теперь я не мог не остановиться перед пропастью между серьезной темой и ничтожными средствами для ее воплощения. В каждой строке Горький требовал, чтобы я относился к своей работе с полной, глубокой серьезностью... Как тут было не задуматься над «выработкой стиля»?

Это были годы, когда сложный, унаследованный от символистов, так называемый «орнаментальный» стиль мешал развитию нашей литературы. Теперь уже не имеет значения, на что он претендовал — на поэтичность или афористичность. Важно, что он был более или менее верным способом прикрывать душевную пустоту, отсутствие мысли.

Нужно было влияние Горького, чтобы во весь рост был поставлен вопрос о простоте стиля, о его народности.

«У всех вас неладно с языком»,— писал он мне в январе 1923 года, приводя многочисленные примеры стилевых погрешностей, неудачных сочетаний и утверждая, что одному писателю за его плохой роман «следовало бы скушать бутерброд с английскими булавками...». «И вообще, с русским языком обращаются зверски» (там же). Через год, в другом письме, он возвращается к задачам стиля:

«Говоря о «быте», я был очень далек от мысли конфирмировать литературу Пильняка и К^0, хотя сам и являюсь «бытовиком». Но я, ведь, хорошо и всюду вижу, что эта школа, во всех ее разветвлениях, сделала свое дело и давно уже не способна она питать как духовные запросы художника, так равно — я надеюсь — и духовные интересы читателя. Должна отмереть и «словотворческая» литература Ремизова, тоже сыгравшая свою, очень значительную роль, обогатив русский словарь, сделав язык наш более гибким, живым» (15/I 1924 г.).

На еженедельных собраниях «ордена Серапионовых братьев» мы с Львом Лунцем неизменно нападали на «бытовиков» — Федина, Иванова, Никитина. Я не согласился с Горьким, который осторожно посоветовал мне перенести «внимание из областей и стран неведомых в русский, современный, достаточно фантастический быт».

«Этот совет — простите — не нов,— ответил я ему,— уже два года официальная литература проходит под этим знаменем, вокруг «Петроградской правды» недавно объединились питерские писатели. Быт — это как раз та соломинка, на которой держится современная литература — Пильняк, Никитин, Иванов — и которая своими корнями исходит от — будем говорить правду — отживших литературных форм Ремизова и Белого... Мне кажется, что в литературу легко входит только быт отстоявшийся, а не разметенный в куски... Ведь самая лучшая в русской литературе бытовая вещь «Война и мир» написана по документам...»[1]

Любопытно, что этот спор возник в связи с рассказом «Щиты и свечи», в котором я намеренно попытался столкнуть фантастический мир с реальным. В упомянутом письме Горького прекрасно изложено содержание рассказа.

Горький справедливо утверждал, что оно «неясно, запутанно». Немудрено, что от него ускользнула и полемическая сторона его, выраженная столь же приблизительно и по-детски неясно. Но полемичность была, и относилась она к поискам новой формы, которые я защищал в своем письме.

В спорах с Серапионовыми братьями я старался укрепить свою позицию не только на теоретической, но и на исторической основе. Можно ли упрекнуть в книжности Лермонтова, у поэзии которого было так много повивальных бабок? Он сам написал об этом: «Когда я начал марать стихи в 1828 году (в пансионе), я как бы по инстинкту переписывал и прибирал их... Ныне я прочел в жизни Байрона, что он делал то же,— это меня поразило». Разве не показал Б. М. Эйхенбаум, в чем заключалось это «переписыванье и прибиранье», указав на текстуальное сходство между Лермонтовым и Дмитриевым, Батюшковым, Козловым, Марлинским, Пушкиным и даже Ломоносовым? «Он не просто подражает избранному «любимому» поэту, как это обычно бывает в школьные годы, а берет с разных сторон готовые отрывки и образует из них новое произведение» (Эйхенбаум Б. Лермонтов. Л., 1924).

Современники видели больше, чем исследователи нашего времени. «Вам слышатся попеременно звуки то Жуковского, то Пушкина, то Кирши Данилова, то Бенедиктова...

---

[1] Лит. наследство. М., 1963. Т. 70. С. 178—180.

иногда мелькают обороты Баратынского, Дениса Давыдова; иногда видна манера поэтов иностранных — и сквозь все это постороннее влияние трудно нам доискаться того, что, собственно, принадлежит новому поэту и где предстоит он самим собой» (Шевырев С. П. Москвитянин. 1841. Ч.2. № 4. С. 527).

Приводил я в наших спорах и другие, не менее убедительные, примеры.

Разумеется, мне тогда не приходило в голову, что часы, которые я провел в Библиотеке имени Салтыкова-Щедрина и в моей маленькой, заваленной книгами комнатке на Петроградской стороне, вся моя книжная жизнь со временем будет «открыта» мною как жизненный, а не книжный материал. Однако и этого «самооткрытия», определившего мой путь к реалистической прозе, не произошло бы, если бы постепенно, с годами, не выработалось то, что можно назвать «опытом чтения».

Несколько позже, в начале тридцатых годов, Горький привлек общее внимание к вопросам литературного языка, и с тех пор пушкинский принцип: «Точность и краткость — вот первые достоинства прозы. Она требует мыслей и мыслей; блестящие выражения ни к чему не служат» — становится идеалом, к которому начинает сознательно стремиться наша литература. Конечно, этот принцип по-разному понимался разными направлениями, но, во всяком случае, с прозой «изысканной» было покончено — и нужно надеяться — навсегда.

5

Юношу девятнадцати лет, едва взявшего в руки перо, Горький встретил как старший друг, и с тех пор я неизменно чувствовал, что могу опираться на его руку. «Наша цель — внушить молодежи любовь и веру в жизнь,— писал он впоследствии Ромену Роллану,— мы хотим научить людей героизму». Не я один, десятки начинающих писателей без конца перечитывали его письма.

Сравните их — и с первого взгляда станет ясно, что для каждого «молодого» у него был свой, особенный ключ. Чем меньше мы походили друг на друга, тем больше он ждал от каждого из нас. Он ценил несходство, оригинальность, новизну.

«Ругают Вас или хвалят — это должно быть совершенно безразлично для Вас,— писал он, незаслуженно высоко оценивая мои первые, слабые рассказы.—... У Вас есть главное, что необходимо писателю: талант и оригинальное воображение, этого совершенно достаточно, для того, чтоб чувствовать себя независимым от учителей, хулителей и чтоб свободно отдать все силы духа Вашему творчеству. Наперекор всем и всему оставайтесь таким, каков Вы есть, и — будьте уверены!— станут хвалить, если Вы этого хотите. Станут!» (25/XI 1923 г.)

Эти строки вовсе не были продиктованы стремлением внушить мне равнодушие к критике — иначе Алексей Максимович не тратил бы так много сил на тщательный критический разбор первых слабых произведений. Он вооружал меня против критики легковесной, случайной, против бессодержательной «хулы и похвалы, которые ничему не учат». Он опасался, что под влиянием этой критики молодой писатель — это относилось, конечно, не только ко мне — откажется от своей особливости, от своего права на новое слово в литературе. Он умел восхищаться,— черта, все реже, к сожалению, встречающаяся в нашей литературной жизни.

Без сомнения, он прекрасно понимал, что под моими теоретическими нападками на «быт» как литературный материал таилось полное незнание жизни. Но с какою же чуткостью, стараясь ничего не опрокинуть в хрупком здании моей детской прозы, внушал он мне мысль о том, что «бытовое», то есть происходящее ежедневно, не мешает, а помогает подлинному искусству!

«Я думаю, что «быт» нужно рассматривать, как фон, на котором Вы пишете картину и, отчасти, как материал, с которым Вы обращаетесь совершенно свободно. Нужно также помнить, что быт становится все более быстро текучим, что быт XIX века уже не существует для художника, если он не пишет исторический роман. Для художника вообще не существует каких-либо устойчивых форм, и художник не ищет «истин», он их сам создает. Ведь и у Вас игра в ландскнехт — черта бытовая. Но, вообразите, что карты тоже играют людьми, играющими в карты и Вы тотчас же вышли за черту реального быта, вообразите человека, который реально — вполне одинок и одиночество понуждает его создать себе сложную «бытовую» обстановку силою только фантазии своей. Создал и — верит реальности создания своего — понимаете?

Этот человек — Вы, это — художник. Это очень хороший «герой», в то же время. Все, что написал Л. Толстой, он написал о *себе*, так же, как Пушкин, Шекспир, так же, как Гете.

Вам особенно не следует бояться быта и нет нужды отрицать его, ибо у Вас есть все задатки для того, чтоб легко превратить тяжелое «бытовое» в прекрасную фантазию. В конце концов — все великолепные храмы наши создаются нами из грязной земли.

В заключение: я думаю, что пришла пора немножко и дружески посмеяться над людьми и над хаосом, устроенным ими на том месте, где давно бы пора играть легкой и веселой жизни. Мы достаточно умны для того, чтоб жить лучше, чем живем, и достаточно много страдали, чтоб иметь право смеяться над собой.

Мне все кажется, что Вы — из тех, кто должен хорошо понимать это. Несмотря на Вашу молодость, которая, впрочем, никогда не порок» (15/I 1924 г.).

6

Справедливо ли мнение, что приток «новых» невелик и с каждым годом становится меньше и меньше? Думаю, что нет и что, если бы развитие литературы определялось количеством писателей, по этому поводу не стоило бы волноваться. Дело не в том, что у нас мало талантов. Мало хороших книг — вот о чем нужно думать и думать.

Когда-то, в начале тридцатых годов, мне казалось, что, для того чтобы изобразить то необычайное время, в которое мы живем, и изобразить так, чтобы читатель понял и принял книгу, нужно отказаться от задач чисто литературных, потому что непосредственное знание жизни само подскажет то или другое решение литературной задачи. Я часто цитировал известные строки Толстого: «Вронский... не мог себе представить то, что можно было вовсе не знать, какие есть роды живописи, и вдохновляться непосредственно тем, что есть в душе, не заботясь, будет ли то, что он напишет, принадлежать какому-нибудь известному «роду».

Теперь я вижу, что был не прав и что эта мысль, глубоко верная, например, относительно выбора жанра, совсем не предполагает «свободу от техники»,— стоит только вспомнить ту школу самоизучения, которую создал для себя Толстой, прежде чем была написана первая строка «Детства».

Оставим писателей, пришедших после войны, тем

более что иные из них принесли нашей литературе пользу и своей единственной книгой. Вспомним о самых молодых — о тех, кто появился вчера или должен появиться завтра, о тех, кто призван, постепенно заменяя старшее поколение, вести литературу вперед.

Мы много думаем о нашей смене. Мы заботимся о ней, на первый взгляд — тщательно и умело. Сотни людей читают рукописи начинающих писателей в редакциях издательств и журналов. И тем не менее, на мой взгляд, коэффициент полезности этой большой, добросовестной работы далеко не соответствует тем надеждам, которые мы на нее возлагаем.

Не берусь дать анализ этого несоответствия. Скажу только, что уничтожить его не удастся до тех пор, пока старшее поколение не развернет перед «молодыми» правдивую картину писательского труда — так же как некогда развернул ее перед нами Горький.

Загляните в черновые рукописи Пушкина, Некрасова, Достоевского — и вы увидите, что пафос преодоления трудностей осенял три четверти того, что было создано этими гениями нашей литературы. Я уж не говорю о трудностях нелитературных, об усталости, инерции, горечи обид, наконец, просто лени. «Не пишется» — как часто приходится слышать эти слова от товарищей по работе! «Первое желание, когда подходишь к письменному столу,— бежать от него»,— сказал мне однажды один известный писатель. Но многие превосходные книги не были бы написаны, если бы создатели их прислушивались к подобным желаниям. Впрочем, это относится и не только к молодым. Писатели, доказавшие своими первыми книгами, что у них есть о чем рассказать народу, не имеют права не работать.

Необходимо дать «молодым» ясное представление о том объеме труда, который вкладывается в законченное произведение.

Н. В. Берг в своих воспоминаниях рассказывает о том, какой способ работы считал наилучшим Гоголь: «Сначала нужно набросать *все* как придется, хотя бы плохо, водянисто, но решительно *все* и забыть об этой тетради. Потом, через месяц, через два, иногда более (это скажется само собою) достать написанное и перечитать: вы увидите, что многое не так, много лишнего, а кое-чего и недостает. Сделайте поправки и заметки на полях — и снова забросьте тетрадь. При новом пересмотре ее новые заметки на полях, и где не хватит места — взять отдельный клочок и приклеить сбоку. Когда все будет таким образом исписано, возьмите и перепишите тетрадь собственноручно. Тут сами собой явятся новые озарения, урезы, добавки, очищения слога. Между прежних вскочат слова, которые необходимо там должны быть, но которые почему-то никак не являются сразу. И опять положите тетрадку. Путешествуйте, развлекайтесь, не делайте ничего или хоть пишите другое. Придет час — вспомнится заброшенная тетрадь: возьмите, перечитайте, поправьте тем же способом, и когда снова она будет измарана, перепишите ее собственноручно... Так надо делать, по моему, *восемь раз*»[1]

Разумеется, этот способ работы нельзя считать единственным или обязательным. Манера работать бесконечно разнообразна. Известно, с какой быстротой писал в некоторые периоды своей жизни Достоевский, Стендаль в течение двух месяцев продиктовал «Пармский монастырь». Однако не сделает ошибки тот, кто скажет, что в основе литературного искусства лежит труд неустанный и ежедневный, помноженный на профессиональное умение, поглощающий все силы ума и сердца.

Надо отлично знать ту литературу, которой ты намерен посвятить свою жизнь.

Лишь очень наивные люди могут думать, что в нашей литературе нет ни концов, ни начал и что ее можно «продолжать», не имея представления о том, как она началась и развивалась. Важен и самостоятельный общий взгляд на развитие литературы.

Вскоре после войны я получил письмо от одной русской девушки, прожившей всю свою жизнь в Праге. После освобождения Чехословакии нашими войсками она впервые принялась за чтение советской литературы и прочла подряд — редкий случай — все чем-либо замечательные произведения. Вот что она мне написала: «Изумление перед возможностями, которые открывает в себе человек,— вот, по-моему, главная тема вашей литературы. И одна только эта особенность ставит ее выше себялюбивой литературы Запада».

Стоит задуматься над этим письмом. Многие из нас (это относится в полной мере и к старшему поколению) не обладают, к сожалению, простой, но очень важной

[1] Гоголь в воспоминаниях современников. ГИХЛ, 1952. С. 506.

способностью — читать книги своих «товарищей по оружию». Они читают только свои книги, а чужие едва перелистывают, как будто несколько боясь собственного мнения.

Напомню поучительную для литературной молодежи историю горьковских чтений в детские и юношеские годы. Он сумел найти свое даже в Рокамболе: «Рокамболь учил меня быть стойким, не поддаваться силе обстоятельств, герои Дюма внушали желание отдать себя какому-то важному, великому делу».

Всю свою жизнь Горький очень много читал и русскую литературу, в частности, знал лучше многих профессиональных ученых.

В 1929 году я послал ему свою книгу «Барон Брамбеус. История Осипа Сенковского, журналиста, редактора «Библиотеки для чтения». Он ответил письмом, которое поразило меня не только тонкими замечаниями, относящимися к самому жанру — историко-литературной монографии, но превосходным знанием и пониманием Сенковского — писателя, забытого уже в шестидесятых годах прошлого века. Многие ли профессиональные литературоведы могут похвастать таким знанием истории русской литературы?

7

Из русских писателей XX века никто так много не читал, никто не был так влюблен в чтение, как Горький. Об этом талантливо написал в своей известной книге И. Груздев. Мне уже случалось упоминать, как однажды в разговоре со мной Горький шутливо назвал себя «великим читателем земли русской». Жажда чтения — черта, без сомнения, автобиографическая — близка у многих его героев к такой же физиологической потребности, как еда или сон. Стоит лишь вспомнить маленький рассказ «Книга». В другом рассказе — «Коновалов» — чтение врывается в жизнь взрослого человека, как шаровая молния, опасная, ослепляющая, проникшая в самые темные уголки сознания.

В этом рассказе книга подана как явление из ряда вон выходящее, близкое к чуду. Два взгляда одновременно устремлены на нее — детский взгляд героя и зоркий, наблюдающий, все запоминающий взгляд автора. В точке скрещения отчетливо показана психологическая структура чтения. Нужна была страстная, пронизывающая всю жизнь, ежедневная и ежечасная любовь к книге, чтобы сделать это в «Коновалове» почти мимоходом.

Перечитывая этот рассказ, я задумался о лице читателя, о том месте, которое оно занимает в творческом сознании, еще когда на бумаге не появилось ни слова. Конечно, это в большей степени чувство, чем образ, точка зрения воображаемого читателя почти неощутима, но она существует даже в пору обдумыванья, не говоря уже о самой работе, когда писатель волей-неволей превращается в читателя собственного произведения. Нельзя забывать о том, что интересно читать только то, что интересно писать, так же как полезно иногда вспоминать о том, что нечитающий читатель может научить бо́льшему, чем легкий успех.

Важна истина деталей — читатель не прощает ошибок. В «Двух капитанах» я воспользовался неразборчивым факсимиле письма лейтенанта Брусилова к матери, и дотошный школьник не только добрался до источника, но доказал, что два слова были прочитаны неверно. Истина деталей — сама по себе деталь в той общей картине достоверности, без которой не может существовать искусство. «Два обязательства возлагаются на всякого, кто избирает литературную профессию: быть верным факту и трактовать его с добрым намерением»,— писал Стивенсон. Читатель — отделившееся, существующее само по себе отражение писателя, требующее, чтобы эти две задачи были решены по совести, без скидок на обстоятельства времени и места. Это возможно только при одном условии: надо переключить себя, свой замысел и его выполнение на того, кто будет читать твои книги. Открыть читателя можно, только опираясь на собственные чувства и размышления. Каждая книга — поступок, и чтобы он мог совершиться, другой человек, читатель, должен сидеть по ту сторону письменного стола, напоминая о том, что «бесценные вещи и бесценные области реального бытия проходят мимо наших ушей и наших глаз, если не подготовлены уши, чтобы слышать, и не подготовлены глаза, чтобы видеть...» — как пишет А. А. Ухтомский в «Письмах».

Читатель безмолвно, но настоятельно доказывает, что эти бесценные вещи можно увидеть только строго направленным взглядом, потому что «плясуны перестали бы глупо веселиться, если бы реально почувствовали, что вот сейчас, в этот самый момент, умирают люди... и самоубийца остановился бы, если бы реально почувствовал, что сейчас, в этот самый момент, совершается бесконечно интересная и неведомая еще для него жизнь: стаи угрей влекутся неведомым устремлением от берегов Европы через океан к Азорским островам ради великого труда — нереста, стаи чаек сейчас носятся над Амазонкой, а еще далее сейчас совершается еще более важная и бесконечно неведомая тайна — жизнь другого человека». Этот другой человек — читатель, и раскрыть его тайну можно, только вглядываясь в себя и одновременно видя на своем месте многоликого Коновалова, который или закроет книгу на первой же странице, или внимательно прочтет ее до конца.

8

Перелистайте черновики рукописей Толстого, Чехова, Достоевского — и вы увидите, какое важное место занимают в них биографии тех людей, о которых они написали. Тургенев знал о своих героях гораздо больше, чем он рассказал читателю. В его планах можно найти такие подробности их жизни, которые, казалось бы, даже и не могли ему пригодиться. Он должен был знать о них больше, чем читатель, чтобы то, что он хотел рассказать, имело под собою глубокое основание. Ключ к жизни героя — вот та сокровенная сущность, не поняв которой писатель не в силах нарисовать, оживить его образ.

Немногие люди видят себя со стороны, могут беспристрастно оценить и понять смысл и развитие собственной жизни. Для писателя это одно из необходимых условий.

Собирая материал для литературного произведения, он ежеминутно проводит аналогии между собой и своими героями. Думая о них, он волей-неволей думает о себе, представляя себя в тех обстоятельствах, в которых находятся его герои. Понимание собственной жизненной задачи помогает ему понять и объяснить эту задачу в жизни тех, о ком он пишет.

Стремление передать живую речь почти всегда лежит в основе работы над стилем. Известна поразительная способность Гоголя перевоплощаться в тех людей, которых он изображал в своих произведениях. Графу А. П. Толстому приходилось слышать, как Гоголь писал свои «Мертвые души». Проходя мимо дверей, ведущих в его комнату, он «не раз слышал, как Гоголь один, в запертой горнице, будто бы с кем-то разговаривал, иногда самым неестественным голосом... Каждый разговор переделывался Гоголем по нескольку раз. Зато как живо, верно и естественно говорят все его действующие лица»[1]. Та же особенность была присуща Чарльзу Диккенсу и многим другим.

Интонация живой речи вызывает представление о движениях, о походке, подчас даже о внешности человека; манера говорить почти всегда характерна. И если писателю удается отчетливо воспроизвести ее, это помогает читателю столь же отчетливо вообразить героя художественного произведения.

Возможно, что эти «заповеди» покажутся скучноватыми молодому литератору, заглядевшемуся на блистательную карьеру другого молодого литератора и серьезно думающему, что в трудной, сложной, самоотверженной профессии писателя главное — удача. В литературе удача не случается, а происходит.

9

Студия Ленинградского телевидения обратилась ко мне с просьбой рассказать десятиклассникам о знакомстве с Горьким.

— Вы не представляете себе, в какой броне рисуется он перед ними на уроках литературы,— сказал мне редактор.

Я согласился. Но, рассказывая, и я почувствовал, что невольно отступаю перед лавиной всех слов, прежде сказанных о Горьком, всех похвал и признаний, в которых он не нуждался (кстати, в своем выступлении на Первом съезде писателей он очень просил не произносить имени Горького с добавлением измерительных эпитетов: великий, высокий, длинный и т. д.).

Для меня знакомство с ним было окрашено с самого начала чувством исключительности. Почему с такой серь-

[1] Гоголь в воспоминаниях современников. ГИХЛ, 1952. С. 549.

езностью откликнулся он на мои детские видения, рассказанные почти без языка, искренне, но неясно? Откуда взялось это обязывающее доверие, которое было оказано мальчику, едва взявшему в руки перо?

Я рассказал десятиклассникам о встрече в 1921 году, когда Горький впервые пригласил к себе Серапионовых братьев. Картина вдохновения, а не ложной старательности, естественности, а не мнимого правдоподобия встала тогда перед нами в тревогах неустанного труда.

Но я ничего не рассказал о его любви к необыкновенным историям, о его сложных отношениях с собственной славой. О его лихости, вдруг прорывавшей толщу неслыханной начитанности и артистического самовоспитания.

— Украсть!— сверкнув глазами, однажды сказал он при мне, когда речь зашла о драгоценных пушкинских бумагах, увезенных некогда в Париж. Владелец упорно отказывался продать их Советскому Союзу.

Не рассказал я и о наших последних встречах. Едва вернувшись в Советский Союз, он пригласил к себе Серапионовых братьев. Оживленная, недавно опубликованная (не полностью) переписка с нами объясняет эту поспешность: ему хотелось поскорее узнать о тревогах литературы, ее заботах и надеждах.

Я спорил в ту пору с Б. Л. Пастернаком (в письмах), защищая абстрактное искусство, которое я называл «метафорическим лаконизмом», и встречая с его стороны возражения, казавшиеся мне старомодными. Опираясь на самые общие черты искусства, присущие всем временам и народам, я настаивал на праве художника положить их в основу новой, независимой от повседневности живописи, архитектуры, литературы. Пастернак с его невообразимой образованностью возражал, кажется, только по своей столь же невообразимой доброте. Он был против абстракций, по меньшей мере в литературе. Для него было ясно, что мой «метафорический лаконизм» — естественное следствие молодого стремления высказать себя как можно скорее. Абстракция, с его точки зрения, не только ничем не напоминала лаконизм, но была ему прямо противоположна. Для его понимания литературы был важен вкус и запах времени, а взаимопроникновение поэзии и прозы (с ее обыденностью) далеко не абстрактно оплодотворяло ту и другую.

Помню, что, идя к Горькому, я был полон этой перепиской. Как в первые серапионовские годы, мне хотелось поскорее рассказать о ней и Горькому и «серапионам». Но разговор сразу же ушел в сторону. Вслед за нами явился Леонов, подаривший Алексею Максимовичу только что вышедшую новую книгу. Потом Горький, не помню, по какому поводу, заговорил об эмигрантской литературе. Картина жизни русских писателей, оказавшихся за границей, была почти неизвестна мне. Он тонко и беспристрастно рассказал о них, выделив тех, кто сумел издалека оценить богатое десятилетие советского искусства. Кто-то поразился его начитанности, и он в ответ неожиданно пожалел, что у нас не выходит «Энциклопедия весельчака», которой он некогда увлекся. Из присутствующих только я знал о ней, да и то потому лишь, что в моей библиотеке был один из многочисленных томов этой энциклопедии, представлявший собою собрание исторических анекдотов. Впоследствии я послал этот том Алексею Максимовичу.

Потом вместе с А. Б. Халатовым, директором Госиздата, пришли незнакомые мне московские писатели, и разговор уже за столом стал напоминать статью некогда знаменитого О. И. Сенковского (Барона Брамбеуса): «Искусство образованной или изящной беседы состоит в том, чтобы каждый говорил о себе, но так, чтобы другие этого не примечали».

Не знаю, чем я был расстроен, уходя от Горького и прощаясь с провожавшей меня прелестной, приветливой Надеждой Алексеевной Пешковой,— неужели тем, что так и не сказал за весь вечер ни слова? Или невидимой, но прочной завесой, которая отделила Горького от ленинградцев, чувствовавших себя не очень уверенно в атмосфере вечера, не похожего на прежние скромные встречи?

1951

ВСТРЕЧИ С МЕЙЕРХОЛЬДОМ

Героям Гоголя снятся сны. «Этот молодой человек принадлежал к тому классу, который составляет у нас довольно странное явление и столько же принадлежит к гражданам Петербурга, сколько лицо, являющееся нам в сновидении, принадлежит к существенному миру» («Невский проспект»). Для художника Пискарева сама жизнь состоит из сновидений. В «По́ртрете» сон переходит в сон, и этот сон во сне предсказывает роковую судьбу героя. Знаменитый сон городничего в «Ревизоре» значителен самой своей незначительностью — не к добру приснились ему две черные крысы, которые «понюхали и пошли прочь». И Катерина из «Страшной мести», и Левко из «Майской ночи» видят сны, скрестившиеся с действительностью. Майор Ковалев, по-видимому, принимает за сон случившееся с ним «пренеприятное происшествие», хотя автор в этом далеко не уверен.

Сны легко входят в прозу Гоголя, потому что все, что он пишет, в сущности, фантасмагорично. «Значительное лицо» в «Шинели» не нуждается в имени и фамилии, потому что весь Петербург, вся Россия состоит из «значительных» и «незначительных» лиц. Жизнь, рассказанная в «Петербургских повестях», в «Мертвых душах», страшна. «Ревизор» на две трети состоит из лицемерия, невежества, глупого тщеславия, тайной или явной ненависти, перемешанной с почти звериным эгоизмом. Но самое страшное, без сомнения, заключается в том, что никто этого не замечает или, если замечает, не придает этому никакого значения. Гоголевские герои живут рядом с предательством, гипнотическим беззаконием, ноздревским хамством, и никто (кроме сумасшедшего Поприщина) не жалуется, что ему «льют на голову холодную воду».

Именно в этом, мне кажется, и заключается один из источников гоголевского реализма. Невероятность «Носа» приобретает социальный характер, если оценить содержание повести в свете невозможности прямого нападения на «существенный мир». Если жизнь такова, что не только полезно, но похвально не замечать ее унизительности,— возможно все, в том числе и встреча майора Ковалева в Гостином дворе с собственным носом.

Мне кажется, что подобные соображения могли прийти в голову Всеволоду Эмильевичу Мейерхольду, когда он ставил «Ревизора». Я видел спектакль, и он запомнился мне как событие в жизни,— это относится, впрочем, ко всем постановкам великого режиссера, которые мне посчастливилось видеть.

В самом театральном представлении заключается нечто странное, неестественное, редко задевающее машинальное сознание взрослых, но подчас остро поражающее детей. Стоит только вспомнить толстовскую «Сказку о том, как другая девочка Варенька скоро выросла большая».

«— Смотрите же сюда, дети, вот где сцена,— сказала мамаша, указывая вниз, в одну сторону.

Дети посмотрели туда, и им не понравилось. Там сидели музыканты, а повыше были нехорошие, простые доски, как в деревне, пол, и на полу ходили люди в рубашках и красных колпаках и махали руками. А одна девочка без панталон, в коротенькой юбочке стояла на самом кончике носка, а другую ногу выше головы подняла кверху. Это было нехорошо, и детям стало жалко этой девочки».

Детское восприятие театра осталось у Толстого на всю жизнь. К чувству неестественности присоединялся иногда оттенок отвращения. Оно заметно, например, в знаменитой сцене «Войны и мира», когда Наташа впервые встречается с Курагиным на опере с участием Дюпора.

Когда я увидел «Ревизора» в постановке Мейерхольда, мне показалось, что на меня обрушилась вся громада выдуманности, невероятности театра как явления. Подобно тому, как Гоголь раскрыл мир лжи, лицемерия, подлости, холодного безразличия, сделав невозможное — возможным, невероятное — вероятным, Мейерхольд в «Ревизоре» поставил, сделал театральным представлением *самое это открытие*. Орудие театра было использовано для того, чтобы показать гоголевский «существенный мир» без покрова.

Передать впечатление от спектакля — трудно. Лучшая из попыток принадлежит, мне кажется, Э. Каплану, одному из учеников Мейерхольда, архитектору, знатоку музыки. За обедом после генеральной репетиции «Ревизора» Э. Каплан рассказал о музыкальном ключе спектакля. (Музыку к спектаклю написал М. Ф. Гнесин. Мейерхольд воспользовался также произведениями Глазунова, Даргомыжского, Варламова и Гурилева.) Вот этот, очень понравившийся Мейерхольду музыкальный ключ:

«...В центре сцены широко и бесшумно сами собой раскрываются массивные ворота, и вперед, на зрителя, медленно движется площадка. На площадке стол, несколько кресел, стульев. Горят свечи. Сидят чиновники... Красная мебель, красные двери, стены, зеленые мундиры и зеленые абажуры на висячих лампах — сочетание двух цветов бюрократических департаментов... Дымят трубки... Длиннейшие мундштуки «перечеркивают» освещенные живым пламенем свеч лица чиновников. Все они в тумане, в дымке, и лишь тени мундштуков качаются, и музыка, тоже как-то покачиваясь, уносит их от нас все дальше и дальше... И потом голос: «Я пригласил вас, господа, с тем, чтобы сообщить пренеприятное известие...» («Встреча с Мейерхольдом»). Слово «ревизор», повторенное в различных музыкальных интонациях, мгновенно взрывает сонную неподвижность сцены.

Э. Каплан упоминает о площадке, на которой происходит интродукция. Именно так, на блюдечках-площадках то в правом, то в левом углу сцены, «подавались» многие явления. Это была острая и неожиданная находка, потому что зритель смутно различал за пределами городка, в котором происходит действие, беспредельное, загадочное пространство России. Гарин, игравший Хлестакова, явился именно из этого пространства. Мог явиться и кое-кто похуже.

Развернутое соединение всех тем, форм, мотивов, сценических деталей, пантомим находит свое полное выражение в знаменитом финале. Он рельефно запомнился мне, потому что тут уж становилось ослепительно ясно, что комедия Гоголя поставлена как трагедия — и что недаром она кончается похоронным звоном колоколов и появлением смотрителя, который приносит для городничего рубашку для буйнопомешанных с непомерно длинными рукавами.

«Во всю ширину портала сцены под музыку похоронного звона подымается снизу огромная белая завеса — плакат. На ней надпись: «Приехавший по именному повелению из Петербурга ревизор требует чиновников к себе». И тишина. Безмолвие. Беззвучная coda к финалу. Последняя воображаемая музыка... Завеса ушла ввысь, в портал. На сцене — чучела всех персонажей комедии... в невероятных позах, застывших наконец навсегда...»

О Гоголе я заговорил не случайно. Многие из моих слушателей были начинающими писателями. Я интересовался их работой, они интересовались моей, и, когда на одном из собраний семинара я упомянул, что написал рассказ, связанный с впечатлениями от мейерхольдовского «Ревизора», они попросили меня прочитать его.

Мне плохо запомнилась эта встреча — может быть, потому, что месяца за три до нее я читал этот рассказ (который, кстати сказать, тоже называется «Ревизор») Б. М. Эйхенбауму и Ю. Н. Тынянову и первое обсуждение, более содержательное, заслонило в памяти второе. Эпиграф к рассказу был пушкинский: «Не то, чтоб разумом моим я дорожил», а рассказ — гоголевский в том смысле, что невероятная история, случившаяся с бухгалтером Чучугиным, сбежавшим из сумасшедшего дома, была написана в подчеркнуто бытовой манере.

Хлестаков неслыханно выигрывает оттого, что его принимают за ревизора. Чучугин лишается даже сомнительного благополучия психиатрической больницы. Случайно обменявшись в бане с инспектором Галаевым одеждой, он вынужден принять на себя и все, что связано с жизнью этого Галаева, запутанной, ничтожной и пошлой. Конец рассказа переходит в начало, давая понятие о том, что все случившееся — круговой бред, состоящий из бесконечно повторяющихся происшествий.

Уже несколько лет я писал фантастические рассказы, «Ревизор» казался мне лучшим из них, и на «встрече» не произошло ничего, что заставило бы отказаться от этого жанра. Я мечтал о другом: мне смертельно хотелось, чтобы этот рассказ прочитал Мейерхольд. Легко представить себе, как я был изумлен и обрадован, когда через несколько дней после моего публичного чтения Мейерхольд позвонил мне и попросил зайти к нему, в Большой драматический театр, где гастролировала его труппа.

Разумеется, мне сразу же пришло в голову, что он услышал от кого-нибудь о моем рассказе и хочет познакомиться с автором. «Ревизор» был тогда уже напечатан в журнале «Звезда». После долгих колебаний я все-таки захватил с собой оттиск.

Меня ждали у подъезда и тотчас же провели к Мейерхольду.

Много раз видевший его портреты, я удивился их несходству с оригиналом. Но удивляться было нечему: не только лицо, он весь менялся ежеминутно. Локти резко упирались в ручки кресла, в носатом лице была деспотическая энергия и одновременно глубокая усталость.

С первого слова он предложил мне написать текст для инсценировки «Треста Д. Е.»

— Я просил Эренбурга, он не захотел, написали другие, мы играем, но текст плохой. Александр Леонидович Слонимский — ведь вы его знаете, историк литературы,— сказал, что вы можете написать хороший.

Боже мой, что поднялось, когда я отказался! Сперва он, казалось, не понял меня. Потом сказал тихо:

— Невозможно работать.

Потом вскочил и закричал, что никто не хочет ему помогать, все отлынивают. Когда он ставил «Балаганчик», приходил Сапунов, и они сговаривались в десять минут. Слонимский сказал, что я могу написать хороший текст. Спектакль станет лучше, а я получу деньги. Зачем же отказываться?

Для меня это была неожиданная честь — и звонок Мейерхольда, и предложение работать для его театра. Я был потрясен его изобретательностью, его презрением к обыкновенному, скучному порядку вещей. Наконец, за те пятнадцать минут, что он кричал на меня, я успел влюбиться в него, в него невозможно было не влюбиться.

И все-таки я снова отказался, и он снова вспылил. Как пророк, он воздымал и тряс над головой худыми руками. Клок взвивался и падал. «Когда я в Александринке ставил Лермонтова, приходил Головин...»

В эту минуту вошла Зинаида Николаевна Райх. Я встречал в моей жизни немного красавиц. Чехов пишет, что, увидев красавицу, он «понял это с первого взгляда, как понимают молнию» («Красавицы»). Именно это произошло со мной. Все в комнате мгновенно изменилось. Мейерхольд перестал кричать, а я, державшийся до тех пор уверенно и твердо, оробел и притих.

— Вот, Зина, я прошу, а он не хочет.

Зинаида Николаевна промолчала в ответ на еще громкие, но уже жалкие сетования. Проходя через комнату, она приостановилась подле столика, на котором лежал оттиск моего «Ревизора», и спросила с презрением:

— А это что?

У Мейерхольда вдруг стало доброе лицо. Как будто защищая от нее мой рассказ, он прикрыл его худыми руками.

— Что ж такого, он принес книгу, он пишет, Слонимский говорит, что интересно, пускай оставит, я прочту.

Райх, белокурая, с широко расставленными глазами, соотнесенная сперва с собой, а уже потом со всем остальным человечеством, полноватая, но легкая, исчезла за портьерой. Мейерхольд вздохнул и встал.

— А может быть, все-таки напишете?— уже почти просительно сказал он...

Прошло два-три года, и мы встретились снова в Москве, должно быть, летом 1930 года. Недели за две до моей поездки я послал Юрию Олеше мою книгу «Черновик человека». Он жил тогда почему-то в квартире Мейерхольда. Мы были почти незнакомы. Это не помешало Юрию Карловичу начать разговор с неожиданного, слегка смутившего меня поворота.

— Каверин, зачем вам писать?— лениво и серьезно спросил Олеша.— Ведь вы уже научились.

Я шел к нему, чтобы рассказать, как Тынянов сказал мне (после вечера Юрия Карловича в Ленинграде): «Ты мог бы писать, как Олеша». Мне хотелось откровенно сознаться, что я позавидовал его «Зависти», хотя мне совсем несвойственно это чувство. Что банальность темы «Трех толстяков» бесследно исчезает потому, что они написаны ослепительно, с блеском, что он заставил даже искушенного читателя смотреть на солнечный свет не мигая.

Я хотел поздравить Олешу с блестящим началом — и поздравил вопреки неожиданному вопросу, с которого начался разговор.

Он легонько присвистнул. В нем было что-то одновременно и прямоугольное, и шарообразное — большая голова, широкие, полные плечи. Но даже если бы он был Калибаном, вы забыли бы об этом после десятиминутного разговора — с таким изяществом, оригинальностью, неожиданной меткостью он встречал каждую вашу фразу. Слушая своего собеседника вполуха, он был при этом добродушен, благожелателен и небрежно-ленив.

Присвистнул он, слушая меня, далеко не случайно.

— Так вы думаете, что это — начало?— спросил он.— А я стараюсь убедить себя в том, что это еще не конец.

Он открыл «Черновик человека» и процитировал несколько строк:

— Все это — станция назначения,— сказал он.— А в прозе каждая строка должна быть станцией отправления. Но все равно, вы научились. А как вы теперь будете писать?

Я с досадой ответил, что теперь откажусь от всего, чему научился, и стану писать так: «Иван Петрович вернулся домой и попросил у жены чашку чая».

Послышался шум в передней, быстрые шаги, в комнату стремительно ворвался Мейерхольд — грязный, запыленный, в макинтоше, в измятой шляпе, с чемоданом в руках. Мы поздоровались, он исчез в других комнатах, но через несколько минут снова ворвался.

И наш разговор стал похож на любую сцену из чеховских пьес, когда каждый говорит о своем.

Мейерхольд вернулся из гастрольной поездки по Советскому Союзу. Он принял ванну, переоделся, побрился, но, занимаясь всеми этими делами, старался ничего не упустить из нашей беседы. То он влетал, вытираясь махровым полотенцем, с мокрыми, взъерошенными волосами. То в пижамных штанах, в белой рубашке с незастегнутыми рукавами, которыми он размахивал, как крыльями,— худой, загорелый, носатый, какой-то планиметрический, точно он явился из царства теней. Но он явился не из царства теней, а из вещественного, осязаемого мира — и был так переполнен впечатлениями от этого изумившего его мира, что ни о чем другом не хотел говорить. Поездка прошла с неслыханным успехом, и, по-видимому, этот успех, точно губкой с грифельной доски, стер какие-то мучившие его сомнения.

Он торжествовал и страстно, настойчиво требовал, чтобы мы с Олешей тоже торжествовали. «Черновик человека» он не читал и тем не менее с первого слова заявил, что писать надо иначе. Может быть, ему не понравилась обложка Н. П. Акимова, первоклассная, с моей точки зрения. «Писать надо, не забывая о движении людей в пространстве — движении в направлении к созданию нового мира,— сказал он.— А вы работаете в комнатном пространстве и разобщены, причем сознательно разобщены, потому что вам просто не хочется читать друг другу. Мы тоже разобщены, мне, например, легче добраться до Гордона Крэга, который живет в Италии, чем до Станиславского, который живет в Москве».

Он носился вокруг Олеши, взмывая как птица вокруг квадратной, добродушной горы.

— Но мы — и я в этом лично убедился — добились того, что громадная масса людей как будто молчаливо условилась, глядя на сцену, одновременно плакать и смеяться. В жизни Листа был случай, когда чуть ли не пять тысяч человек слушали его затаив дыхание. Это — власть,— с гордостью сказал он,— и мы этого достигли.

Таким — счастливо-усталым, торжествующим, нападающим, веселым, в рубашке, расстегнутой на груди, с болтающимися подтяжками — запомнился мне этот удивительный человек. Завязывая перед зеркалом галстук, он как-то лихо закинул его на плечо.

Не знаю, как Олеша, а я не мог перевести дыханья от волнения, от восхищения.

1969—1972 гг.

ГРИН И ЕГО «КРЫСОЛОВ»

Жизнь писателя — что бы там о ней ни говорили — беспокойна, пестра и однообразна, несмотря на свою пестроту. С записной книжкой в руках он бродит по стране, по своему и чужим городам. Он всегда настороже — а ну встретится с интересным человеком, услышит необычайную историю, прислушается и запишет полузабытое, но выразительное слово! Он «собирает материал», заранее стараясь избежать упрека в незнании жизни, часто справедливого. Он даже не пытается доказать, что нужны годы труда и незаурядное упорство, чтобы научиться находить в «материале» хотя бы приблизительное выражение жизни.

А потом — письменный стол:

Мой письменный верный стол!
Спасибо за то, что шел
Со мною по всем путям.
Меня охранял — как шрам.

Мой письменный вьючный мул!
Спасибо, что ног не гнул
Под ношей, поклажу грез —
Спасибо — что нес и нес.
. . . .
Так будь же благословен
Лбом, локтем, узлом колен
Испытанный,— как пила
В грудь въевшийся — край стола.

(Марина Цветаева. Стол)

Но представьте себе писателя, который ставит ни во что подлинность места действия, характера, детали. Писателя, который свободен от этой подлинности, понимая ее по-своему, шагая через «узнаванье» читателем самого себя и стремясь к обратному — к «неузнаванью».

...Доклад назывался «Кризис сюжетной прозы», и кризис был не только установлен, но теоретически обоснован. Но поскольку для всех было ясно, что никакого кризиса нет, заговорили о А. Толстом, М. Булгакове, Б. Лавреневе, И. Эренбурге.

— Самая остроумная теория сюжетосложения,— сказал докладчик,— еще не объяснила нам, откуда берется волшебство занимательности. По-видимому, ее природа связана с искусством неожиданности, полета над обыденностью или вообще удивления — и в этом смысле несколько напоминает цирковое искусство. Но какова бы она ни была — в художественной литературе она должна не мешать, а помогать психологической глубине. Но равна ли мера этой требовательности той мере, которую мы предъявляем, скажем, к реалистической прозе?

Спор кончился тем, что меня попросили рассказать об Александре Грине.

...Я мало знал Грина, хотя раза два заходил к нему в двадцать первом году, когда он, так же как Шкловский, Ходасевич, Форш, жил в Доме искусств. Острота и необычайность жизни тех лет лишь однажды привлекла внимание Грина. В одном из своих лучших рассказов, «Крысолове», он показал фантастичность геометрически-пустого Петрограда, с его оглохшими, саботирующими учреждениями, заваленными канцелярской бумагой. Но это был тот сравнительно редкий случай, когда Грин наткнулся на «материал», который с *такой* непреложностью принадлежал ему, что освободиться от него было уже невозможно.

Он описал себя в этом рассказе: «Теперь, может быть, уместно будет привести кое-что из своей наружности, пользуясь для этого отрывком из письма моего друга Репина к журналисту Фингалу. «...Он смугл,— пишет Репин,— с неохотным ко всему выражением правильного лица, стрижет коротко волосы, говорит медленно и с трудом». Это правда, но моя манера так говорить была не следствием болезни — она происходила от печального ощущения, редко даже сознаваемого нами, что внутренний мир наш интересен немногим. Однако я сам пристально интересовался всякой другой душой, почему мало высказывался, а более слушал. Поэтому, когда собиралось несколько человек, оживленно стремящихся как можно чаще перебить друг друга, чтобы привлечь как можно более внимания к себе,— я обыкновенно сидел в стороне».

Это, без сомнения, автопортрет, а не цитата из письма неведомого Репина к неведомому журналисту Фингалу.

Ссылка на имена будто бы широко известных людей характерна для Грина. Это почти беспечное отмахиванье или, в лучшем случае, подачка тем, кто ищет подлинности во что бы то ни стало.

В ленинградском литературном кругу Грин был одинокой, оригинальной фигурой. Высокий, худощавый, немного горбившийся, молчаливый, он отличался от других обитателей Дома искусств уже тем, что все они куда-то стремились, к чему-то рвались. Он никуда не рвался. О нем говорили, что он не подписывает договора. Редактор одного еженедельника рассказывал мне, что однажды Грин положил на его стол рукопись, назвал сумму и сказал:

— С условием: не читая.

Редактор согласился — и не проиграл. Рассказ оказался превосходным.

Возможно, что это анекдот, но он характерен для Грина.

...Он щедро пользуется бессмертным реквизитом романтики — и часто потрепанным, дешевым реквизитом. Вдруг начинает казаться, что его рассказы написаны на полях когда-то прочитанных книг. Воспоминание о чем-то полузабытом возникает в сознании. Но это обманчивое впечатление. Грин относится к своим предшественникам,— среди них и Стивенсон, и Эдгар По, и Джек Лондон, и Леонид Андреев — с такой же свободой, как и к самой действительности. Больше всего он дорожит внутренней свободой. Предшественников он не ищет, отзвуки их творений сами собой возникают в его воображении, а что касается действительности, то он предпочитает построить собственные города Лисс, Зурбаган, Гель-Гью и населить их людьми неизвестной национальности, с выдуманными именами. Изобретательность Грина в его стремлении представить себе земной шар не разделенным пограничными зонами — трогательна и говорит о глубине его человечности. Он не хочет видеть ни сети национальной ограниченности, ни кровавых доказательств мнимого превосходства одной нации над другой. Его интересует другое: чувство и время.

Время — только для себя. Часы истории почти всегда стоят в произведениях Грина, хотя в целом действие его произведений ограничено XIX и XX веками. Время для него — вглядыванье в собственное прошлое, самопознание, перечень неосуществленных замыслов. Недаром многие рассказы Грина написаны от имени автора, задумавшегося над промелькнувшим воспоминанием.

Впрочем, подчас он называет время — год, месяц, даже день,— но часы идут верно только на первых пяти-шести страницах, а потом он не обращает на них никакого внимания.

Чувство... О, ради чувства Грин взял в руки перо! Подчас начинает казаться, что его книги написаны упрямым, сдержанным, погруженным в себя подростком, который скрывает от взрослых свою страсть к сочинительству, любовь к загадкам и тайнам, который стесняется своего благородства. Шиллеру было шестнадцать лет, когда он написал «Разбойников». Рыцарство, отнюдь не рассчитанное на психологическую глубину, рыцарство подростков, стало нравственным законом для Грина.

Почти всегда замысел его артистичен, изящен. Он смело ссылается на выдуманные источники, на изречения никогда не существовавших философов, художников. Он цитирует Шатобриана, Свифта,— но напрасно вы стали бы искать у них эти цитаты.

В рассказе «Капитан Дюк» моряки поют:

> Позвольте вам сказать, сказать,
> Позвольте рассказать,
> Как в бурю паруса вязать,
> Как паруса вязать!
>
> Позвольте вас на саллинг взять,
> Ах, вас на саллинг взять,
> И в руки мокрый шкот вам дать,
> Вам мокрый шкотик дать.

Таких стихов много у Грина, и принадлежат они нищему поэту Берганцу, или Джону Манишке, или Стеббсу из «Блистающего мира», о котором Грин написал, что поэзия в его душе «лежала ничком, ибо негде ей было повернуться».

Но как беспомощен Грин, когда пишет реальную действительность, лишая ее возможности внезапного преображения. Он пытался даже теоретически обосновать свое отвращение к «литературе фактов»: «Литература фактов вообще самый фантастический из всех существующих рисунков действительности... Достаточно вспомнить то хладнокровное внимание, с каким просматриваем мы газету, не помня на другой день, что читали сегодня, а между тем держали в руках не что иное, как трепет, борьбу и жизнь всего мира» («Блистающий мир»).

В этой «пустоте действительности» Грин неуклюж, неловок, неизящен. В рассказе «История одного убийства» солдаты говорят: «...энта», «чичас», «страсть похож», «патрет» и т. д. Зато как начинает блестеть и искриться жизнь, когда в нее врывается чудо.

«Крысолов» начинается, как реалистический рассказ: «Весной 1920 года, именно в марте, именно 22 числа,— дадим эти жертвы точности, чтобы заплатить за вход в лоно присяжных документалистов...» Но точность нехотя отступает с той минуты, когда герой рассказа попадает в опустевший банк, заваленный бумагой, которая «взмывается у стен», висит на подоконниках, струится по паркету, «образуя взрыхленные поля и барьеры». Это картина, еще закрепленная временем,—1920 год, Петроград. Но вот герой рассказа натыкается на шкаф, битком набитый провизией,— и хотя здесь еще нет ничего невозможного, мелодия чуда уже начинает отдаленно звенеть в пустыне мертвого банка, где двести шестьдесят комнат «стоят, как вода в пруде», тихие и пустые.

Она приближается, когда герой по бездействующему аппарату звонит в «никуда», в пространство, пересеченное спутанными проводами, и телефонистка отвечает ему. Он неточно называет номер, усталый голос поправляет его, и вымысел начинает приобретать все черты последовательности, неизбежности — только потому, что откуда-то все громче доносится мелодия чуда. В опустевшем банке господствуют крысы, они стремятся уничтожить человека, который бессознательно перешел границу дозволенного в понимании их загадочного существования. Это крысы-оборотни, стремящиеся уничтожить своего смертельного врага Великого Крысолова. Вы уже давно забыли мгновенье, когда точная дата отметила начало этой странной истории. Так же, как отозвался бездействующий телефонный аппарат, вы начинаете слышать звон сказочных часов. Независимо от мирового календаря, стрелки их движутся согласно тому, что происходит в рассказе.

Не думайте, однако, что Грин готов согласиться с тем, что он написал сказку, фантастическую историю. Великий Крысолов существует, он живет в Петрограде — указывается его адрес. Существуют и загадочные крысы. Некий Эртус написал о них, оказывается, целую книгу, и Грин цитирует из нее несколько строк, стилизованных в духе перевода:

«Коварное и мрачное существо это владеет силами человеческого ума. Оно также обладает тайнами подземелий... В его власти изменять свой вид, являясь как человек, с руками и ногами, в одежде, имея лицо, глаза и движения, подобные и даже не уступающие человеку. Им благоприятствуют мор, голод, война, наводнение... Они крадут и продают с пользой, удивительной для честного труженика, и обманывают блеском своих одежд и мягкостью речи. Они убивают и жгут, мошенничают и убивают...»

И читатель закрывает книгу с чувством догадки, что крысы-оборотни живут в человеческом обществе и делают все, что им вздумается, потому, что никому не удается разглядеть их подлинную крысиную сущность.

Впрочем, из русских писателей это приходило в голову не только Грину. В одном из рассказов А. К. Толстого герой так отвечает на незначительный вопрос:

— Нет, я никого не ищу. Мне только кажется странным, что сегодня на балу я вижу упырей.

А. Грин и А. Платонов — писатели, о которых можно сказать, что они полярно противоположны друг другу. Именно поэтому заслуживает внимания статья Платонова, посвященная Грину[1].

Платонов — воплощенье первоначального реального опыта жизни. Грин — воплощенье опыта литературного, обусловленного книжным сознанием. Платонов стирает привычные представления, Грин строит из них свои фантастические истории. Героев Платонова не с руки даже и называть героями — этот примелькавшийся термин не идет к лицам, действующим в его «прекрасном и яростном мире». Для людей, о которых пишет Платонов, самый факт их существования является фактом нравственным, в то время как Грину необходимо, чтобы его люди жили в «специальной» стране, омываемой вечным океаном, потому что автор, обремененный заботами о характеристике своих оригинальных героев, должен освободить их от всякой

---

[1] См.: Платонов А. Размышления читателя. М.: Сов. писатель, 1970.

скверны конкретности окружающего мира» — так пишет о нем Платонов.

«Скверна конкретности» — это упрек писателю, увлеченному занимательностью в ущерб великой нравственной задаче литературы.

У Платонова — свой, особенный язык, основанный на скромной, но непреклонной простоте, на едва заметных сдвигах разговорной речи, оставляющих впечатление свежести и новизны. У Грина вы редко останавливаетесь на отдельной фразе — он пишет страницами, в неудержимом разбеге.

Как же подходит Платонов к творчеству Грина? Он переносит его феерию со сцены в зрительный зал, из морской дали, в которой показывается корабль с алыми парусами, в обыденность, в мир «дрожащих, нуждающихся, не абсолютно прекрасных человеческих сердец». Ради «объективности» он представляет себе Ассоль не в деревне Каперне, одетой «покрывалами воздушного золота», а в Моршанске. Он подчеркивает, что капитан Артур Грей происходит из богатой семьи, и упрекает его за то, что он любит перевозить на своем корабле кофе и чай, а не мыло и гвозди. И, наконец, пересказывая историю деревенской девушки Ассоль, окончившуюся так счастливо, он горько сожалеет о других жителях деревни. «Бедный народ деревни увидел образ плывущего счастья в виде корабля под алыми парусами. Но деревенские люди знали: это счастье плывет не за ними. И действительно, лодка с корабля взяла к себе одну Ассоль».

Я остановился на статье Платонова как на примере столкновения двух глубоко искренних писателей, идущих в диаметрально противоположных направлениях. Столкновение основано не только на прочном убеждении Платонова, что произведения романтические «неспособны дать той глубокой радости, которая равноценна помощи в жизни». Это — суровый, исподлобья, взгляд, это тяжелая рука мастера, для которого литература — не развлечение, а пот и кровь. Не менее строго осуждает он Паустовского и его «старших по возрасту литературных братьев», рекомендуя «положительно и скоро их забыть».

Не буду входить в существо спора. Скажу только, что Грин не хитрит с читателем. Он как бы заранее заключает с ним договор, в котором ясно и недвусмысленно сказано, что его творчество не имеет ничего — или почти ничего — общего с действительностью. Требовать от него, чтобы он перестал быть Грином, бесполезно, даже если мы вспомним о том, что Л. Толстой требовал от Шекспира, чтобы он перестал быть Шекспиром. Фантазии Грина нечего делать в Моршанске, так же как герои Платонова почувствовали бы себя растерянными и оскорбленными в Гель-Гью или Зурбагане.

1975

Я — ДОБРЫЙ ЛЕВ

1

Это было в те далекие времена (1921 г.), когда я, девятнадцатилетний студент, был членом маленького литературного общества «Серапионовы братья». Кроме еженедельных чтений, мы иногда устраивали вечера — и что это были за прелестные вечера, полные неудержимого веселья! Моя молодость сложилась счастливо, но даже в этой счастливой молодости они кажутся чем-то особенным, запомнившимся навсегда. На этих вечерах разыгрывались целые истории — и разыгрывались талантливо, остроумно. Душой этих импровизаций были всегда Михаил Зощенко и Лев Лунц, который выступал одновременно и как режиссер, и как конферансье, и как театральный рабочий. Над чем только не смеялись мы — и больше всего над собой. Иные из наших постановок носили названия «Памятник Михаилу Слонимскому» или «Фамильные бриллианты Всеволода Иванова».

Но вот уехали Лунц и Всеволод Иванов, наши импровизации потускнели, поблекли. Однако традиции утвердились — и кому-то пришло в голову устроить литературный суд над Корнеем Чуковским. «Суды» мы прежде не устраивали, это была форма заурядная — где только не устраивались эти «суды»! Один из них — над Евгением Онегиным — описан в моем романе «Два капитана».

Не помню, кто был председателем, кажется, Илья Александрович Груздев. С большим трудом мы уговорили взять на себя роль защитника Николая Николаевича Пунина, известного деятеля левого искусства. Я взялся выступить как обвинитель и сразу же принялся обдумывать свою речь. Народу собралось много — еще недавно наши «капустники», так теперь назвали бы эти импровизации, пользовались успехом. Среди зрителей помню Анну Ахматову. Она вошла в темном платье, прямая, неулыбающаяся, и, сказав: «Первые да будут последними», спокойно заняла кресло в последнем ряду.

Председатель объяснил сущность дела: обвиняемый ни словом не обмолвился в печати о сборнике «Серапионовы братья». Он противопоставил Маяковского Ахматовой — с очевидным намерением поссорить этих выдающихся поэтов. Оратор краснел, заикался, мямлил, но снисходительная аудитория выслушала его благосклонно. Допросили свидетелей. Один из них запутался в своих длинных показаниях, и меланхолический М. Зощенко, воспользовавшись паузой, неожиданно закончил один из его сложных периодов, придав ему противоположный смысл. В зале засмеялись — в первый и единственный раз. Вечер не удавался.

Председатель предоставил слово общественному обвинителю — и я сразу же взял какой-то неверный тон с искусственными восклицаниями негодования и возмущения. По какому поводу я негодовал? Чем возмущался? Плетя нечто невразумительное, я уставился на «защитника» Н. Н. Пунина — и тут произошло то, о чем я и теперь не могу вспоминать не краснея.

У Пунина был тик — непроизвольно дергалось веко левого (или правого?) глаза, и мне пришло в голову спросить: почему защитник ежеминутно подмигивает то свидетелям, то судье, то кому-то из публики? Уж нет ли здесь какого-нибудь тайного уговора?

Помню, что Пунин, слегка растерявшись, начал было что-то объяснять... Но я уже продолжал свою стремительную, бездарную речь.

Как же вел себя на этом «суде» Корней Иванович? Председателя он слушал с преувеличенным, подчеркнутым, глубоко серьезным вниманием. Мою неловкость по отношению к Пунину он отметил, чуть вздрогнув, подняв брови и как бы извинившись за меня перед ним. Когда некий поэт, известный своей глупостью и могучим телосложением, попросил слова и, ежеминутно пользуясь загадочным словом «синсический» (что можно было понять и как «социалистический» и как «стилистический»), стал упрекать Чуковского за какую-то его старую статью (кажется, о Горьком), Корней Иванович смиренно сложил длинные руки, сделал скорбное лицо и приготовился к закланию. Давно уже всем было ясно, что судить надо не его, а нас — за самодовольство, самонадеянность, за молодое нахальство. Но он, как выяснилось, придерживался противоположного мнения. В заключительной речи он разыграл целую маленькую комедию, покаялся в грехах, попросил снисхождения и воздал должное каждому оратору, отметив, в частности, что «с синсической точки зрения» упрекавший его поэт был совершенно прав.

2

Каков он был, этот писатель, известность которого напоминает своей сказочностью его же собственные сказки? Как создался вокруг него целый мир духовных ценностей, бесконечно разнообразный, оригинальный, привлекавший внимание великого множества людей — от школьников до известнейших ученых? Как достиг он единства, нерасторжимо соединившего в нем и писателя, и человека?

Смысл его жизни заключался в его поглощающей преданности литературе. С юных лет он пылко и навсегда влюбился в нее, и эта любовь нашла в его творчестве выражение, удивительное по своей разносторонности. Нечто подвижническое было в неустанности, беспрерывности его работы. Но самому ему, конечно, показалась бы высокопарной такая оценка.

Литература была для Корнея Ивановича не деянием, а делом, воздухом, которым он дышал, повседнéвностью,— единственной возможностью существования. Он писал медленно, обдумывая каждое слово, без конца возвращаясь к написанному, сопоставляя бесчисленные варианты. И вместе с тем литература была для него делом веселым, счастливым, легким — не потому, что легко написать хорошую книгу, а потому, что без легкости, без чувства счастья он не мог бы ее написать.

Вот почему он навсегда запомнится всем, кто знал его, человеком общительным, остроумным, громогласным собеседником, любящим и понимающим шутку. Но он был еще и воплощением одушевленной памяти, которая с величайшей свободой рисовала не беглые наброски, а целые картины.

Разговаривая, рассказывая, слушая собеседника (а Корней Иванович был восприимчивым, внимательным слушателем), он никогда не забывал о времени. Как все большие писатели, он знал, что такое «мертвая хватка работы», прикованность к письменному столу, без которой ничего значительного написать невозможно.

Не только друзья или знакомые знали его раз и навсегда установленный распорядок рабочего дня. Можно было бы прибавить — и ночи. Он ложился рано и в шестом часу утра уже сидел за столом.

Почти каждый год появлялись статьи Корнея Ивановича, направленные против канцеляризмов, пошлости, безграмотности, самодовольной тупости мещанства,— и это продолжалось десятилетия. В борьбе за чистоту и богатство русского языка он пускал в ход весь свой грозный арсенал — и насмешку, и яд сарказма, и едкую иронию критика, поседевшего в литературных боях. И с такой же неутомимой последовательностью он приветствовал в литературе все новое, оригинальное, внушающее надежду.

Могло показаться, что, работая над мемуарами, историко-литературными сочинениями, переводами, он жил как бы в некотором отдалении от нашей литературной жизни. Это было бы ошибочное впечатление. И, может быть, самое поразительное заключалось в том, что, живо интересуясь нашими делами, дискуссиями, сегодняшним днем, он никогда не забывал об историческом значении русской литературы. Он был единственным среди нас обладателем необъятного опыта, и его всепонимающие глаза смотрели проницательно-зорко.

Понимание современности, живое, беспрестанное участие в ней удивительным образом соединялось в Корнее Ивановиче с чувством «вечности» нашей литературы, идущей своим особенным путем почти десять столетий.

Разумеется, чтобы понять этот путь, надо было стать знатоком и мировой литературы — и он стал им.

3

Б. Пастернак в автобиографии «Люди и положения» написал о Льве Толстом (Новый мир. 1967. № 1), что «он всю жизнь, во всякое время обладал способностью видеть явления в... исчерпывающем выпуклом очерке, как глядим мы только в редких случаях, в детстве или в торжестве большой душевной победы».

Мысль Пастернака верна не только по отношению к Толстому. У Толстого зоркость «детского зрения» осталась на всю жизнь, другие писатели воспользовались ею для рассказа о собственном детстве. Лучшая книга Н. Г. Гарина-Михайловского — «Детство Темы». А. Н. Толстой написал «Детство Никиты» — шедевр, в котором русская природа — весна, лето, осень, зима — изображена как бы непреднамеренно, мимолетно и вместе с тем удивительно изящно и верно. Для кого написана эта книга: для детей или взрослых?

Тот факт, что дети создают свой собственный круг чтения,— неоспорим. Жюль Верн писал свои знаменитые романы для взрослых. В детскую литературу «скользнули» и заняли прочное место Стивенсон, Гюго, Вальтер Скотт. Не для детей писал Гоголь свои «Вечера на хуторе близ Диканьки», а А. К. Толстой, без сомнения, и думать не думал, что «Князь Серебряный» когда-нибудь станет книгой, которую гимназисты (и я в том числе) получали в награду при переходе из четвертого в пятый класс.

Но никто с таким постоянством, с такой энергией в течение десятилетий в теории и на практике не изучал все свойства «детского зрения», как Чуковский. Его книга «От двух до пяти» выдержала более двадцати изданий, и в каждое из них он вносил исправления и прибавления. Он блестяще доказал, что детской литературы — в исключительном смысле — вообще не существует. Сказки Пушкина, басни Крылова, написанные для взрослых, были подхвачены детьми и стали их любимым чтением. «Конек-Горбунок» П. В. Ершова был написан для взрослых.

О стихах Чуковского можно сказать обратное: взрослые подхватили его стихи и сказки, написанные для детей. Они в полном смысле слова стали «всеобщим» чтением. К этому надо прибавить, что Корней Иванович был не только одним из основателей нашей детской литературы. Он создал теорию детской поэзии, показав ее «графичность», ее ритмическую подвижность, ее музыкальное и игровое начало. Но теории не было бы без «Крокодила», «Бармалея», «Мойдодыра». Кто не знает детских стихов и сказок Чуковского? Кто не восхищался их изяществом, звонкостью, простотой? Бесценное дело детской поэзии удалось ему потому, что он первый с высоты своего огромного роста наклонился к ребенку и прислушался к его речи, проник в сущность его интересов. Он понял, что дети должны как бы сами писать для себя, потому что книги взрослых, написанные вне этого открытия, проносятся мимо детского сознания.

В нем самом навсегда осталось что-то детское — вот почему ему удалось заговорить с детьми на их собственном языке.

Он, как на сцене, разыгрывал перед детьми их же собственный мир. Вот почему его детские книги не стареют — и никогда не состарятся.

Через детство проходят все, а детство и книги Корнея Ивановича нерасторжимы.

4

Но вот еще одна важная сторона его деятельности: народность.

В книге «От двух до пяти» он доказал, что русская детская песня была одним из сильнейших средств мудрой народной педагогической практики... «Точно таким же путем возникла и та великая книга, которая у англичан называется «Старуха Гусыня»... Стишки эти просеивались через тысячи сит, прежде чем из них образовался единственный всенародный песенник, без которого немыслимы детские годы английских, шотландских, австралийских, канадских детей»[1]. В самом деле, кто мог бы подумать, что стишки, переведенные С. Маршаком:

> Потеряли котятки
> На дороге перчатки
> И в слезах прибежали домой,—

насчитывают более четырех столетий.

Нарочитой бессмыслицей, чудачествами, словесной игрой неисчислимо богат дописьменный русский фольклор и лубочная литература. Но богатство в литературе для детей было едва затронуто до того «ренессанса» двадцатых — тридцатых годов, который неразрывно связан с именами К. Чуковского и С. Маршака. Однако мало было, шагнув через столетия, окинуть все это богатство свободным и широким взглядом. Мало было понять всю своевременность этого «ренессанса», возникшего на взлете молодой советской литературы. Надо было защитить свое открытие от прописной морали, от унылого мещанства, от людей, которые решительно доказывали, что на деревьях не могут расти башмаки («Чудо-дерево») или что крокодилу нечего делать на Невском проспекте: «Не того мы ждем от наших детских писателей».

В главе «Лепые нелепицы» Чуковский неопровержимо доказал, что стремление взрослых навязать детям свое,

---

[1] Чуковский К. Собр. соч.: В 6 т. М.: Худож. лит., 1969. Т. 1 С. 581.

«взрослое», обречено на неудачу, потому что дети сотни лет боролись за свое право быть детьми — и победили.

Все, что написал для них Чуковский, в сущности, было живым воплощением этой победы. Более того: многие его стихи написаны с такой меткостью, с таким тонким чувством языка, что народ наградил его самой высокой наградой, на которую может рассчитывать писатель: они вошли в язык и сами стали фольклором. Монтер, которого просишь починить электричество, отвечает: «Если смогу, помогу», не подозревая, может быть, что он цитирует «Телефон» Чуковского. Кто из нас не говорил, сетуя на затруднительность своего положения:

Ох, нелегкая это работа —
Из болота тащить бегемота!

Можно привести множество подобных примеров. Поэзия Чуковского вышла из фольклора и вернулась в фольклор — счастье, которое достается немногим.

5

Доброта его была требовательная, беспощадная. Случалось и мне приносить ему рукописи, которые переписывались заново после его пяти-шести почти на ходу оброненных слов.

Так случилось и с моей повестью «Школьный спектакль». Готовясь к работе, я рассказывал Чуковскому о своей переписке с педагогами, о сочинениях десятиклассников на «вольную», придуманную мною тему, о поочередных встречах сперва с девочками, потом с мальчиками, учившимися в одной школе. Мы часто разговаривали о преподавании литературы — этот мотив в моей повести был одним из главных. Я доказывал Корнею Ивановичу, что с 1936 года, когда была написана его известная статья «Литература и школа», почти ничего не изменилось. Он возражал: выходят в свет образцовые издания классиков, в педвузы молодые люди чаще, чем прежде, идут по призванию. Беда только, что учителя этих будущих учителей зачастую лишены эстетического вкуса, недостаточно образованны и, наконец, просто не любят, а стало быть, и не понимают литературу.

Но вот повесть была закончена. Я отнес ее Корнею Ивановичу и стал с нетерпением ждать одобрительного отзыва, в котором почему-то почти не сомневался. Однако надолго затянулось мое ожидание. Не утерпев, я заглянул к Чуковскому и попал в неудачную минуту — он собирался в Москву. Разговор, очень короткий, состоялся в передней. Собственно, разговора не было. Надевая шубу, Корней Иванович сказал протяжно, с одобрительным выражением:

— Лучше такого-то!— Он назвал фамилию.— Гораздо лучше!

На другой день я снова принялся за повесть и переписал ее от первого до последнего слова. Второй вариант я не показал Чуковскому — магическое влияние его краткой рецензии еще продолжалось. Я посоветовался с Н. Л. Степановым, моим старым другом, и написал третий вариант. Он-то и появился в «Новом мире».

Почему же два слова Чуковского, на первый взгляд одобрительно оценившие повесть, произвели на меня такое сильное впечатление? Потому, что писатель, которого он называл, напечатал несколько так называемых школьных повестей, в которых десятиклассники разговаривали с десятиклассницами, как будто ни те, ни другие не имели понятия о том, откуда берутся дети, где все было приблизительно, в меру слащаво и слегка сдвинуто,— чтобы, не задев ни критиков, ни педагогов, осторожно пройти по касательной рядом с острой, современной темой. После чтения этих произведений на языке оставался вкус розового мусса.

Два слова Чуковского не только предостерегли меня от намерения обойти острые углы, но с размаху перечеркнули самую возможность подобного жанра.

6

Это был редкий, а может быть, даже единственный случай, когда Чуковский оценил мою работу скупо и мимоходом. Впрочем, он не сомневался в том, что его язвительно-любезная оценка будет правильно понята: иначе он впоследствии вернулся бы к ней.

Бывало — и почти всегда — совсем по-другому.

Когда я закончил книгу «Неизвестный друг», состоявшую (в первом варианте) из девяти автобиографических рассказов, Корней Иванович разобрал каждый рассказ в отдельности, причем о достоинствах писал по-русски, а о недостатках (может быть, чтобы смягчить суровость)— по-английски.

Вот как он отозвался о первом рассказе «Ночные страхи» (сохраняю расположение строк):

«Чудесное введение, как стихи.

И в то же время охват всего города — данный в разрозненных мыслях ребенка.

Странный мир:— Согнал (Пущин) дочь со света.

— В семье генерала все кончают жизнь самоубийством.

— Панферов нажил на постройке церкви 100 000 руб.

— Сначала молилась, чтобы выпустили...

— Потом, чтобы не выпускали.

И все это подчинено ритму.

But: the boy is coward and neurotic»[1].

Это не отзыв, это — краткий перечень деталей, остановивших внимание критика. Почему выписаны (а иногда и подчеркнуты) именно они, понятно только автору. Картина детской бессонницы понравилась Корнею Ивановичу — в этом не было сомнения. Кстати, он и сам всю жизнь страдал бессонницей. Томление «ночного разума», когда кажется, что весь мир спит, а бодрствуешь только ты один, было ему знакомо. Должно быть, не только я — и он повторял в эти мучительные часы «Ночную думу» Я. Полонского.

Ты не спишь, блестящая столица,—
Как сквозь сон я слышу за стеной
Звяканье подков и экипажей,
Грохот по неровной мостовой...

Как больной, я раскрываю очи:
Ночь, как море темное, кругом.
И один, на дне осенней ночи,
Я лежу, как червь на дне морском.

Где-нибудь, быть может, в эту полночь
Праздничные звуки льются с хор.
Слезы льются,— сладострастье стонет —
Крадется с ножом голодный вор...

Но для тех, кто пляшет или плачет,
И для тех, кто крадется с ножом,
В эту ночь неслышный и незримый,
Разве я не червь на дне морском?!

Понятна мне была оценка других цитат из моего рассказа: скажем, истории моей няньки, которая сперва

---

[1] Но: мальчик — трус и неврастеник *(англ.)*.

молилась, чтобы ее мужа, укравшего хомуты, выпустили из тюрьмы, а потом, когда у нее «завелся» актер, стала молиться, чтобы мужа не выпускали.

Но что сказать о нелестном английском заключении? Оно изумило меня.

О трусости в рассказе нет ни слова. Она угадана.

...Мысль о том, не трус ли я,— одна из самых острых, укоряющих мыслей моего детства. Именно она впервые поставила меня лицом к лицу с самим собою. Этот взгляд со стороны (иногда оправдывающий, но чаще осуждающий) через много лет помог мне в стремлении «быть верным действительности и изображать ее с добрым намерением», как писал Стивенсон. Взгляд со стороны неизменно возвращался ко мне перед лицом решений, грозивших бедой.

В цикле, который прочел Корней Иванович, один из последующих рассказов действительно назывался «Трус»: под руководством брата я учился мужеству, подчас с опасностью для жизни. Так, отказавшись от самого понятия «отзыв», Корней Иванович с предельной лаконичностью рассказал мне о своем впечатлении.

Но вот другие заметки, более пространные, по поводу рассказа «День рождения»:

«Юмор не дойдет.

Глан — не дойдет.

Язык — пара пирожных.

Ирония по отношению к себе — не дойдет.

Дети говорят услышанное от взрослых.

Чувство неприкаянности не дойдет.

Папины усы. Усатый сапожник. Пристав, покручивая усы.

Усатый часовой. Филер с рыжими усами».

На этот раз Чуковский не воспользовался английским языком, может быть, потому, что впечатление было неблагоприятное в целом и не нуждалось в противопоставлении. В заметках — беглых на первый взгляд — поставлен коренной вопрос: верно ли избран жанр?

Не упрек в стилистической погрешности (пара пирожных), не лейтенант Глан — некогда знаменитый гамсуновский герой (его не знает современный читатель), не «чувство неприкаянности», связанное с обидой мальчика, на которого никто не обращает внимания в день его рождения, заставили меня задуматься. Эти погрешности нетрудно было исправить. Но как быть с «иронией по отношению к самому себе», которая пунктирно, но отчетливо чувствуется и в других рассказах? Здесь замечание «не дойдет» относилось не только к читателю. Здесь Чуковский вопросительно намекал, что ирония по отношению к собственному детству — легковесна, поверхностна. В одностороннем ироническом освещении многое может остаться незамеченным, нерассказанным. И действительно, едва ли пятая доля моих впечатлений (да и происшествий) вошла в цикл рассказов, который прочитал Корней Иванович.

Все это я понял лишь недавно, принимаясь за новую книгу, в которой намереваюсь рассказать историю своей жизни и работы. Отроческий ломающийся голос звучит в ее первых главах — эта черта осталась нетронутой. И от юмора я не отказался — там, где он не касается самого заветного, близкого сердцу. Но как раз самое-то заветное, оставшееся во многом не разгаданным прежде, стало теперь предметом моих детских воспоминаний. И не ирония по отношению к самому себе, невольно заставлявшая меня скользить там, где надо было вспоминать и думать, а всматриванье, самооценка, загадка душевных переломов — вот что должно окрасить новый для меня жанр будущей книги.

7

Но почему Корнея Ивановича так заинтересовали усы? Почему он с такой тщательностью подметил, кто из моих героев усат? «Папины усы. Усатый сапожник. Пристав, покручивая усы. Усатый часовой. Филер с рыжими усами».

Не покажется ли это замечание странным исследователю, который возьмет на себя нелегкий труд изучения огромного наследия Чуковского? Нет.

Десятки и сотни книг, прочитанных Корнеем Ивановичем, испещрены подчеркиваниями, вопросительными знаками, а иногда и рисунками. Но более всего — цитат, причем эти многочисленные цитаты обнаруживают последовательный интерес к повторяющимся эпитетам, метафорам и т. д.

Вот что написано на развороте, заключающем первый том Бунина:

— *«Синела дымка летних дней.*

— *Там море поднимается, синея.*

— *А небосклон синеет.*

— И небо меж снастей синеет в вышине.
— А из окон ночь синела.
— Но бесстрастно синеет море...
Синий цвет сменяется зеленым:
— Зеленеют привольно овсы.
Березовый лес зеленеет и т. д.
Зеленый — красным:
В морозной мгле краснеют окна нежно.
Красный запад рдеет...
И т. д.».

Красный сменяется белым, белый — черным. Весь разворот исписан цитатами, и в каждой непременно упоминается цвет, колорит, оттенок. Загадка решается просто — стоит лишь прочитать первые строки статьи Чуковского «Ранний Бунин»: «Бунин постигает природу почти исключительно зрением. Как и Фет, он — «соглядатай природы». Его степной, деревенский глаз так хваток, остер и зорок, что мы все перед ним — как слепые. Знали ли мы до него, что белые лошади под луною зеленые, а глаза у них фиолетовые, а дым — сиреневый, а чернозем — синий, а жнивья — лимонные? Там, где мы видим только синюю или красную краску, он видит десятки полутонов и оттенков: розово-золотой, розово-палевый, серо-жемчужный, сиренево-стальной, серебристо-сизый, радужно-ржавый, серо-зеленый и проч. Он не столько певец, сколько колорист-живописец»[1]».

Не следует думать, однако, что Чуковский заметил лишь то, что бросается в глаза каждому внимательному читателю. Нет, бунинское «любованье красками» для критика лишь отправной пункт его размышлений. Бунинский пейзаж он рассматривает в движении, за бесстрастными красками описаний он видит глубокое лирическое чувство, которым одухотворены его лучшие стихотворения («Одиночество», «Балагула», «Сапсан» и др.). Для них характерна гармоничность, классическая ясность. «Здесь самая суть его литературной позиции. Всем своим творчеством он <Бунин> противостоит модернизму, мистицизму, символизму, акмеизму, футуризму и прочим современным течениям, направлениям и веяниям...»[2]

Так, развивая частное наблюдение, Чуковский пишет портрет раннего Бунина. Это портрет психологический.

---

[1] Чуковский К. Указ. соч. Т. 6. С. 91—92
[2] Чуковский К. Указ. соч. Т. 6. С. 96.

Однако подмеченные черты дарования Бунина — «редкостное, почти нечеловеческое» зрение и «необыкновенно хваткая» память — не забыты. Они вновь и вновь изучаются Чуковским, но уже в другой перспективе.

Не следует думать, что в основе критических этюдов Чуковского лежат лишь непосредственные впечатления. В письме к Горькому он обосновал свой метод: «Я затеял характеризовать писателя не его мнениями и убеждениями, которые ведь могут меняться, а его органическим стилем, бессознательными навыками творчества, коих часто не замечает он сам. Я изучаю излюбленные приемы писателя, его пристрастие к тем или иным эпитетам, тропам, фигурам, ритмам, словам и на основании этого чисто формального, технического разбора делаю психологические выводы, воссоздаю духовную личность писателя...»

8

Замечая и объясняя по-своему чувства, мысли, характерные подробности, Чуковский изучал писателя как явление. Его глубоко интересовало, например, явление банальности, о котором были написаны его известные статьи «Вербицкая», «Лидия Чарская», «Нат Пинкертон» и другие.

Здесь нужно сказать о двух на первый взгляд противоречивых свойствах его характера.

Приканчивая, иногда одним метким ударом, литературное существование мнимых писателей, достигших подчас всероссийского успеха, он был всегда окружен молодыми талантами. Широко известно, как он убедил Тынянова написать «Кюхлю», угадав в историке литературы выдающегося романиста. Если бы не Корней Иванович, штурман дальнего плавания Борис Житков не стал бы автором «Виктора Вавича» и «Морских историй».

У Чуковского был кристаллически строгий, безошибочный вкус, различавший фальшивую ноту, как бы заманчиво она ни звучала. Он ловил ее на лету — и начиналась неутомимая, последовательная, беспощадная работа. Я бы сказал, мягко-беспощадная. Своей мягкостью, добротой, любовью к людям он поступался лишь в тех случаях, когда пошлость являлась с мечом в руках, требующая признания.

Важно отметить, что отношения между Чуковским и авторами, произведения которых он оценивал уничтожающе резко, не изменялись: друзья оставались друзьями, враги — врагами. Статью его «Леонид Андреев» мало назвать разгромной: «Царь-Голод», «Анатэма», «Жизнь человека» и другие произведения Андреева разорены, опустошены в статье Чуковского с бешеным темпераментом, остротой и размахом.

Вот что он пишет, упрекая Андреева в «афишности, площадной эстетике»: «Он засучил рукава, схватил помело и лихо, размашисто, на широчайших каких-то заборах ляпает, мажет, малюет, и как красна у него красная краска, как черна у него черная краска, и что за огромные буквы проходят через всю афишу:

Шоколад и какао.

Нет, не «Шоколад и какао», а

Царь-Голод.
Черные маски.

Но ведь это, в сущности, все равно. Часто я стою перед заборами, где расклеены создания этой швабры»[1].

Последовательно доказав, что Андреев «мыслит афишами», что он «гений площадного искусства», Чуковский утверждает, что « к андреевским персонажам их мысли именно привязаны как будто бечевкой, к каждому по одной»[2].

Герои Леонида Андреева, по его мнению, не только «перекошенные души и перекошенные лица». Это химеры, чудовища, шарж, буффонада — всякое нарушение пропорций и норм. «...Вселенная точно наелась какого-то дурмана, сорвалась с последних петель и вся целиком... строит художнику безумные рожи... Все, чего он ни коснется, превращается в рожу. Мы уже видели у Андреева души-рожи, и рожи-тела, а самые темы его разве не кажутся рожами?..»[3]

Как же встретил Андреев эту статью, лишь на последних страницах которой критик признает его заблудившийся, но сильный талант? Как отнесся он к этому фронтальному нападению, к этому всенародному поношению? Вот какое письмо послал он Чуковскому по поводу первой, наиболее резкой половины статьи: «Насчет дальнейшего не знаю, а что помело, то помело. И даже швабра, это

---

[1] Чуковский К. Указ. соч. Т. 6. С. 23—24.
[2] Там же. С. 34.
[3] Там же. С. 36.

верно. Я очень рад, что Вы так — именно так — поняли вещь (пьесу «Царь-голод».— *К. Ч.)*. Я крайне заинтересован взглядом на вещь, столь неожиданным и своеобразным. И, по существу, кажется, верным».

Это письмо, лишенное и тени обиды, доверчивое, искреннее, добродушное,— письмо, которое в наши дни и вообразить невозможно,— вспомнилось мне, когда я смотрел маленький прелестный фильм, в котором Корней Иванович рассказывает о своей «Чукоккале» — собрании автографов и рисунков знаменитых писателей, художников и артистов. Картина заканчивалась простыми словами, объясняющими все,— и историю этого небывалого в мире альбома, и непостижимое на первый взгляд отношение Андреева к статье, в которой его сравнили с маляром, который шваброй малюет афиши. Вот эти слова: «Мы любили друг друга».

9

На бюро, в котором хранится архив Чуковского, сидит добродушно-грозный лев с толстыми губами. Лев говорит по-английски одиннадцать фраз:

— Я — добрый лев.

Я — самый настоящий лев.

Я — люблю детей.

Я — король джунглей.

Иногда в его устройстве что-то заедает, и тогда он говорит семь-восемь раз подряд:

Я — люблю детей.

Очевидно, эта фраза нравится ему больше других.

Над дверью во всю длину простенка — направо от входа — громадная матерчатая сине-белая рыба с черно-красным глазом. В Японии такие рыбы развешиваются на шестах над домом, в котором родился мальчик.

В центре комнаты на ниточке под абажуром — журавлики из цветной бумаги. Надо сделать тысячу таких журавликов, чтобы стать счастливым или по меньшей мере здоровым.

Заводной паровозик пыхтит, мигает желтым огоньком, подает сигналы, крутится, торопится, напоминая симпатичного, суетливого, доброго человечка.

Все это — подарки японской писательницы Томико Инуи.

Мы — в комнате Корнея Ивановича. Я записываю этот

перечень, положив лист бумаги на толстую фанерную дощечку,— она заменяла Корнею Ивановичу письменный стол. Он писал где придется — сидя или лежа. Он уютно устраивался на диване, на высоких подушках, согнув длинные ноги и держа на коленях эту дощечку.

Летом он устраивался на «кукушке» — так назывался маленький балкон, где он скрывался от многочисленных посетителей. Был и другой балкон, открытый, отгороженный в левом углу стенкой от улицы и сада. Здесь он принимал посетителей. Он любил и работать на этом балконе.

Корней Иванович писал без очков в восемьдесят шесть лет, накинув на ноги — когда становилось свежо — подбитую мехом шаль. Но ничего стариковского, примирившегося, отрешившегося, успокоившегося не было в этом старике с фанерной дощечкой в руках, на которой он писал статьи, стихи, сказки, загадки, воспоминания, письма. Он не отрешился и не успокоился. Он знал, что тем, кто успокаивается, отрешается, нечего делать в литературе.

Вернемся в кабинет. Стол, над которым висят журавлики,— многоцветный, пестрый: на нем лежат книги, полученные из разных стран за две-три недели до кончины Корнея Ивановича. Иные из них он успел прочитать, просмотреть.

Над диваном — полка. Уитмен. Не только все его книги, но и пластинки — запись стихов. Полка делится пополам: направо — Уитмен, налево — Чехов и Блок.

В книжном шкафу стоят все детские книги, написанные Чуковским, а на шкафу — детективные романы и повести: Агата Кристи, Дороти Сайерс.

Корней Иванович прочитал их — и прочитал тщательно,— по-видимому, он собирался начинать статью о детективной литературе. На многих страницах отмечены редкие или новые для него выражения, расшифрованы — предположительно — намеки, уводящие читателя по ложному — или подлинному?— следу. В нарочито запутанный пасьянс постепенно вносится ясность. Иногда — рисунки. На полях одного из романов Агаты Кристи лаконично, но выразительно нарисована простреленная женская шляпа.

Книги и книги.

Полка Некрасова — все, что написал он, и лучшее, что написали о нем.

Письменный стол необыкновенно хорош, потому что ничем не похож на письменный стол. Сидя за ним, можно и даже удобно писать,— но хочется не писать, а любоваться праздничным макетом «Чудо-дерева», который подарили Корнею Ивановичу ученики 690-й школы. Или сравнивать двух крокодилов. Один из них — мраморный, аристократический, белый, второй — прямой, как нож, африканский, из черного дерева. Или изучать набор, сделанный из старинных английских географических карт,— коробка для заметок, стакан для карандашей. Или подержать в руке странный камень, который привез Корнею Ивановичу из Новой Зеландии известный исследователь Антарктиды Андрей Капица,— небольшой обкатанный камень теплого мутного цвета. Или поздороваться с маленьким прелестным Андерсеном в полосатых брючках, с зонтиком и саквояжем.

Книги и книги.

Мантия доктора филологии Оксфордского университета — длинная, красная, торжественная, вся в больших сборках, с серыми рукавами и серой отделкой на груди. Шапочка устроена сложно — с первого взгляда становится ясно, что над этим устройством доктора́ филологии ломали себе головы еще в XV или XVI веке: черная суконная лодочка на красной подкладке, черный суконный прямоугольник и черная кисть, венчающая одеяние. Не многие из русских писателей удостоены этого звания: Тургенев — в 1879-м и почти через столетие — Чуковский, а вскоре после него — Анна Ахматова.

Книги и книги.

Он любил вдруг явиться перед друзьями в этой шапочке, в этой мантии, которая так шла к нему, как будто он родился с единственной целью — стать доктором филологии Оксфордского университета. Но ему ничего не стоило мгновенно сменить этот пышный старомодный наряд на пестрый, длинный, сделанный из разноцветных перьев головной убор вождя Черноногих индейцев, который привез ему из Америки один из друзей. Легкий, трудный, праздничный, простой, сложный, погруженный в мучительную работу, весело-вежливый, любивший жизнь и славу иронический человек.

Я — добрый лев.

Я — король джунглей.

Я — самый настоящий лев.

Я — люблю детей.

Эта комната — одушевленная, сложившаяся десятилетиями вещественно-воплощенная часть истории русской литературы. В ней все как было в день его смерти и для нас, его современников, для тех, кто пришел и еще придет нам на смену. И надо, чтобы все так и осталось, как было.

Из дневника Чуковского:

«12 ноября 46.

Сегодня мы переезжаем в город. С самой нежной благодарностью буду я вспоминать эту комнату, где я ежедневно трудился с 3—4 часов утра до 5 вечера. Это самая любимая моя комната из всех, где я когда-либо жил. Это кресло, этот круглый стол. Эта неспорая и вялая — но бесконечно любимая работа. Как они помогали мне жить».

Мы расстались с удивительным человеком. Мы привыкли к нему за десятилетия. Это была крупно прожитая жизнь. Он словно задался целью опровергнуть пушкинский упрек: «Мы ленивы и нелюбопытны». Избаловав нас своей жизнерадостностью, отзывчивостью, всегдашностью, он унес с собой неоценимо важную часть нашей жизни.

1972

ДНЕВНИКИ К. И. ЧУКОВСКОГО

Трудно представить себе, что дневник пишут, думая, что его никто никогда не прочтет. Автор может рассчитывать, что кто-нибудь когда-нибудь разделит его горести и надежды, осудит несправедливость судьбы или оценит счастье удачи. Дневник для себя — это в конечном счете все-таки дневник для других.

Я знал Корнея Ивановича Чуковского, любил и ценил его, восхищался его разносторонним дарованием, был от души благодарен ему за то, что он с вниманием относился к моей работе. Более того. Он помогал мне советами и поддержкой. Знакомство, правда, долго было поверхностным и углубилось, лишь когда после войны я поселился в Переделкине и стал его соседом.

Могу ли я сказать, что, прочитав его дневники, я встретился с человеком, которого я впервые увидел в 1920 году, когда я был студентом? Нет. Передо мной возникла личность бесконечно более сложная. Переломанная юность. Поразительная воля. Беспримерное стремление к заранее намеченной цели. Искусство жить в сложнейших обстоятельствах, в удушающей общественной атмосфере. Вот каким предстал передо мною этот человек, подобного которому я не встречал в моей долгой жизни. И любая из этих черт обладала удивительной способностью превращения, маскировки, умением меняться, оставаясь самой собой.

Он — не Корней Чуковский. Он Николай Корнейчуков, сын человека, которого он никогда не знал и который никогда не интересовался его существованием. Вот что он пишет о своей юности в дневнике:

«...А в документах страшные слова: сын крестьянки, девицы такой-то. Я этих документов до того боялся, что сам никогда их не читал. Страшно было увидеть глазами эти слова. Помню, каким позорным клеймом, издевательством показался мне аттестат Маруси — сестры, лучшей ученицы нашей Епархиальной школы, в этом аттестате написано: дочь крестьянки Мария (без отчества) Корнейчукова — оказала отличные успехи. Я и сейчас помню, что это отсутствие отчества сделало ту строчку, где вписывается имя и звание ученицы, короче, чем ей полагалось, чем было у других — и это пронзило меня стыдом. «Мы — не как все люди, мы хуже, мы самые низкие» — и когда дети говорили о своих отцах, дедах, бабках, я только краснел, мялся, лгал, путал. У меня ведь никогда не было такой роскоши, как отец или хотя бы дед. Эта тогдашняя ложь, эта путаница и есть источник всех моих фальшей и лжей дальнейшего периода. Теперь, когда мне попадает любое мое письмо к кому бы то ни было — я вижу: это письмо незаконнорожденного, «байструка». Все мои письма (за исключением некоторых писем к жене), все письма ко всем — фальшивы, фальцетны, неискренни — именно от этого. Раздребезжалась моя «честность с собою» еще в молодости. Особенно мучительно было мне в 16—17 лет, когда молодых людей начинают вместо простого имени называть именем-отчеством. Помню, как клоунски я просил всех даже при первом знакомстве — уже усатый — «зовите меня просто Колеи», «а я Коля» и т. д. Это казалось шутовством, но это была боль. И отсюда завелась привычка мешать боль, шутовство и ложь — никогда не показывать людям себя — отсюда, отсюда пошло все остальное. Это я понял только теперь».

Что же представляют собой эти дневники, которые будущий К. Чуковский вел всю жизнь, начиная с 13 лет? Это не воспоминания. Горькие признания, подобные приведенному выше, почти не встречаются в этих записях, то небрежно кратких, то подробных, когда Чуковский встречался с поразившим его явлением или человеком. Корней Иванович написал две мемуарно-художественные книги, в которых рассказал об И. Е. Репине, В. Г. Короленко, Л. Н. Андрееве, А. Н. Толстом, А. И. Куприне, А. М. Горьком, В. Я. Брюсове, В. В. Маяковском. В дневниках часто встречаются эти — и множество других имен, но это не воспоминания, а встречи. И каждая встреча написана по живым следам, каждая сохранила свежесть впечатления. Может быть, именно это слово больше всего подходит к жанру книги, если вообще осмелиться воспользоваться этим термином по отношению к дневникам Корнея Ивановича, которые бесконечно далеки от любого жанра. Читаешь ее, и перед глазами встает беспокойная, беспорядочная, необычно плодотворная жизнь нашей литературы первой трети XX века. Характерно, что она оживает как бы сама по себе, без того общественного фона, который трагически изменился к концу двадцатых годов. Но может быть, тем и ценнее (я бы даже сказал бесценнее) эти дневники, что они состоят из бесчисленного множества фактов, которые говорят сами за себя. Эти факты — вспомним Герцена — борьба лица с государством. Революция широко распахнула ворота свободной инициативе в развитии культуры, открытости мнений, но распахнула ненадолго, лишь на несколько лет.

Примеров бесчисленное множество, но я приведу лишь один. Еще в 1912 году граф Зубов отдал свой дворец на Исаакиевской площади организованному им институту искусств. После революции по его инициативе были созданы курсы искусствоведения, и вся организация в целом (которой руководили и из которой вышли ученые мирового значения) процветала до 1929 года. «Лицо», отражая бесчисленные атаки всяких РАППов и ЛАППов, «боролось против государства» самым фактом своего существования. Но долго ли могла сопротивляться воскрешенная революцией мысль против набиравшей силу «черни», которую заклеймил в предсмертной пушкинской речи Блок.

Дневники пестрят упоминаниями об отчаянной борьбе с цензурой, которая время от времени запрещала — трудно поверить — «Крокодила», «Муху-цокотуху», и теперь только в страшном сне могут присниться доводы, по которым ошалевшие от самовластия чиновники их запрещали. «Запретили в «Мойдодыре» слова «Боже, боже» — ездил объясняться в цензуре». Таких примеров — сотни. Это продолжалось долго, годами. Уже давно Корней Иванович был признан классиком детской литературы, уже давно его сказки украшали жизнь миллионов и миллионов детей, уже давно иные «афоризмы» стали пословицами, вошли в разговорный язык, а преследование продолжалось. Когда — уже в пятидесятых годах — был написан «Бибигон», его немедленно запретили, и Корней Иванович попросил меня поехать с ним к некой Мишаковой, первому секретарю ЦК комсомола, и румяная девица (или дама), способная, кажется, только танцевать с платочком в каком-нибудь провинциальном ансамбле, благосклонно выслушала нас — и не разрешила.

Впрочем, запрещались не только сказки. Выбрасывались целые страницы из статей и книг.

Всю жизнь он работал, не пропускал ни одного дня. Первооткрыватель новой детской литературы, оригинальный поэт, создатель учения о детском языке, критик, обладавший тонким «безусловным» вкусом, он был живым воплощением развивающейся литературы. Он оценивал каждый день: что сделано? Мало, мало! Он писал: «О, какой труд — ничего не делать». И в его долгой жизни светлым видением встает не молодость, а старость. Ему всегда мешали. Не только цензура. «Страшно чувствую свою неприкаянность. Я — без гнезда, без друзей, без своих и чужих. Вначале эта позиция казалась мне победной, а сейчас она означает только сиротство и тоску. В журналах и газетах — везде меня бранят, как чужого. И мне не больно, что бранят, а больно, что чужой».

Бессонница преследует его с детства. «Пишу два раза в неделю, остальное съедает бессонница». Кто не знает пушкинских стихов о бессоннице:

> Я понять тебя хочу,
> Смысла я в тебе ищу.

Этот смысл годами пытался найти Чуковский.

«В неспанье ужасно то, что остаешься в собственном обществе дольше, чем тебе это надо. Страшно надоедаешь себе — и отсюда тяга к смерти: задушить этого постылого собеседника, затуманить, погасить. Страшно жаждешь погашения этого я. У меня этой ночью дошло до отчаяния. Неужели я так-таки никогда не кончусь. Ложишься на подушку, задремываешь, но не до конца, еще бы какой-то кусочек — и ты был бы весь в бессознательном, но именно маленького кусочка и не хватает. Обостряется наблюдательность: «Сплю я или не сплю? засну или не засну?» Шпионишь за вот этим маленьким кусочком, и именно из-за этого шпионства не спишь совсем. Сегодня дошло до того, что я бил себя кулаком по черепу! Бил до синяков — дурацкий череп, переменить бы — о! о! о! о!..»

Легко рассказать о дневниках, как о портретной галерее. Читатель встретит в них портреты Горького, Блока, Сологуба, Замятина, А. Толстого, Репина, Маяковского — я не перечислил и пятой части портретов. Одни выписаны подробно — Репин, Горький, другие бегло. Но и те и другие с безошибочной меткостью. И эта меткость — не визуальная, хотя внешность, походка, манера говорить, манера держаться — ничего не упущено в любом, оживающем перед вами портрете. Это — меткость психологическая, таинственно связанная с оценкой положения в литературном кругу. Впрочем, почему таинственно?

Чуковский умел соединять свой абсолютный литературный вкус с умением взглянуть на весь литературный круг одним взглядом — и за этим соединением вставал психологический портрет любого художника или писателя, тесно связанный с его жизненной задачей.

Но все это лишь один и, в сущности, поверхностный, взгляд. Сложнее и результативнее другой. Не портреты, сколько бы они ни поражали своей свежестью и новизной, интересны и характерны для этого дневника. Все они представляют лишь фрагменты портрета самого автора — его надежд, его «болей и обид», его, на первый взгляд, счастливой, а на деле трагической жизни.

Я уже упоминал, что ему мешали. Это сказано приблизительно, бледно, неточно. Евг. Шварц написал о нем осуждающую статью «Белый волк» — Чуковский рано поседел. Но для того чтобы действовать в литературе, и надо было стать волком. Но что-то я не слышал, чтобы волки плакали. А Корней Иванович часто плачет — и наедине и на людях. Что-то я не слышал, чтобы волки бросались на помощь беспомощным больным старушкам или делились последней пятеркой с голодающим литератором. И чтобы волки постоянно о ком-то заботились, кому-то помогали.

Уезжая из Кисловодска, он записывает: «...Тоска. Здоровья не поправили. Отбился от работы. Потерял последние остатки самоуважения и воли. Мне пятьдесят лет, а мысли мои мелки и ничтожны. Горе (смерть маленькой дочки Мурочки.—*В. К.*) не возвысило меня, а еще сильнее измельчило. Я неудачник, банкрот. После 30 лет каторжной литературной работы — я без гроша денег, без имени, «начинающий автор». Не сплю от тоски. Вчера был на детской площадке — единственный радостный момент моей кисловодской жизни. Ребята радушны, доверчивы, обнимали меня, тормошили, представляли мне шарады, дарили мне цветы, а мне все казалось, что они принимают меня за кого-то другого». Последняя фраза знаменательна. Чувство двойственности сопровождало его всю жизнь. Он находит его не только у себя, но и у других. Недаром из многочисленных разговоров с Горьким он выделяет его ошеломляющее признание: «Я ведь и в самом деле часто бываю двойствен. Никогда прежде я не лукавил, а теперь с новой властью приходится лукавить, лгать, притворяться. Я знаю, что иначе нельзя».

Проходит немного лет, и эту вынужденную двойственность он находит в поведении и в произведениях Михаила Слонимского: «Вчера был у меня Слонимский. Его «Средний проспект» разрешен. Но рассказывает страшные вещи». Слонимский рассказал о том, как цензура задержала, а потом разрешила «Записки поэта» Сельвинского и книгу Грабаря. «В конце концов задерживают не так уж и много, но сколько измотают нервов, пока выпустят. А задерживают немного потому, что мы все так развратились, так «приспособились», что уже не способны написать что-нибудь не казенное, искреннее. Я — говорил Миша — сейчас пишу одну вещь — нецензурную, которая так и пролежит в столе, а другую для печати — преплохую». На других страницах своих записок Корней Иванович рассказывает о множестве других бессмысленных решений ужесточающейся с каждым годом цензуры.

Но дальше этого профессионального недовольства он не идет. И даже этот разговор кончается сентенцией, рассчитанной на то, что ее прочтут чужие глаза: «Поговорив на эти темы, мы все же решили, что мы советские писатели, так как мы легко можем представить себе такой советский строй, где никаких этих тягот нет, и даже больше: мы уверены, что именно при советском строе удастся их преодолеть».

Только страх мог продиктовать в тридцатых годах такую верноподданническую фразу. Она объясняет многое. Она объясняет, например, тот поразительный факт, что в дневнике, который писался для себя (и, кажется, только для себя), нет ни одного упоминания об арестах, о процессах, о неслыханных насилиях, которым подвергалась страна. Кажется, что все интересы Корнея Ивановича ограничивались только литературными делами. В этом есть известное достоинство; перед нами возникает огромный, сложный, противоречивый мир, в котором действуют многочисленные развивающиеся, сталкивающиеся таланты. Но общественный фон, на котором они действуют, отсутствует. Литература — зеркало общества. Десятилетиями она была в Советском Союзе кривым зеркалом, а о том, что сделало ее кривым зеркалом, упоминать было не просто опасно, но смертельно опасно. Невозможно предположить, что Корнея Ивановича с его проницательностью, с его талантом мгновенно «постигать» собеседника, с его фантастической преданностью делу литературы не интересовало то, что происходило за пределами ее существования. Без сомнения, это была притворная слепота, вынужденная террором.

И кто знает, может быть, не так часто терзала бы его бессонница, если бы он не боялся увидеть во сне то, что окружало его наяву.

Я не надеюсь, что мне удалось рассказать об этих дневниках так, чтобы читатель мог оценить их уникальность. Но, заранее сознаваясь в своей неудаче, я считаю своим долгом хоть кратко перечислить то, что ему предстоит узнать (дневники выходят в издательстве «Советский писатель»).

Он увидит Репина, в котором великий художник соединялся с суетливым, мелко-честолюбивым и, в сущности, незначительным человеком. Он увидит Бродского, который торговал портретами Ленина, подписывая своим именем холсты своих учеников. Он увидит трагическую фигуру Блока, написанную с поражающей силой, точностью и любовью — история символизма заполнена теперь новыми неизвестными фактами, спор между символистами и акмеистами представлен «весомо и зримо».

Он познакомится с малоизвестным периодом жизни Горького в начале двадцатых годов, когда большевиков он называл «они», когда казалось, что его беспримерная по светлому разуму и поражающей энергии деятельность направлена против «них».

Меткий портрет Кони сменяется не менее метким портретом Ахматовой — и все это отнюдь не «одномоментно», а на протяжении лет.

Я знал Тынянова, казалось бы, как самого себя, и тоже не сомневался в том, что он «поднимает нравственную атмосферу всюду, где он находится».

Я был близким другом Зощенко, но никогда не слышал,

чтобы он так много и с такой охотой говорил о себе. Напротив, он всегда казался мне молчаливым.

О Маяковском обычно писали остро, и это естественно: он сам был человеком режущим, острым. Чуковский написал о нем с отцовской любовью.

Ни малейшего пристрастия не чувствуется в его отношении к собственным детям. «Коля — недумающий эгоист. Лида — врожденная гуманистка».

Не пропускающий ни одной мелочи, беспощадный и беспристрастный взгляд устремлен на фигуру А. Толстого, Айхенвальда, Волошина, Замятина, Гумилева, Мережковского, Лернера. Но самый острый и беспристрастный, без сомнения,— на самого себя. Диккенсовский герой? «Сидящий во мне авантюрист», «Мутная жизнь», «Я и сам стараюсь понравиться себе, а не публике». О притворстве: «Это я умею», «Жажда любить себя».

Дневник публикуется с того времени, когда Чуковскому было 18 лет, но, судя по первой странице, он был начат, по-видимому, значительно раньше. И тогда же начинается этот суровый самоанализ.

Еще одна черта должна быть отмечена на этих страницах. Я — сравнительно поздний современник Чуковского,— я только что взял в руки перо, когда он был уже заметным критиком и основателем новой детской поэзии. В огромности тогдашней литературы я был слепым самовлюбленным мальчиком, а он — писателем с глубоким и горьким опытом, остро чувствовавшим всю сложность соотношений. Нигде я не встречал записанных им, поражающих своей неожиданностью воспоминаний Горького о Толстом. Нигде не встречал таких трогательных, хватающих за сердце строк — панихида по Блоку. Такой тонкой характеристики Ахматовой. Такого меткого, уничтожающего удара по Мережковскому — «бойкий богомолец». Такой бесстрастной и презрительной оценки А. Толстого — впрочем, его далеко опередил в этом отношении Бунин. А Сологуб с его доведенным до культа эгоцентризмом! А П. Е. Щеголев с его цинизмом, перед которым у любого порядочного человека опускались руки!

Еще одно — последнее — замечание. Дневники Чуковского — глубоко поучительная книга. Многое в ней показано в отраженном свете — совесть и страх встают перед нами в неожиданном сочетании. Но, кажется, невозможно быть более тесно, чем она, связанной с историей нашей литературной жизни. Подобные книги в этой истории —

не новость. Вспомним Ф. Вигеля, Никитенко. Но в сравнении с записками Чуковского, от которых трудно оторваться, это вялые, растянутые, интересные только для историков литературы книги. Дневники Корнея Ивановича одиноко, и решительно, и открыто направляют русскую мемуарную прозу по новому пути.

26 июня 1988

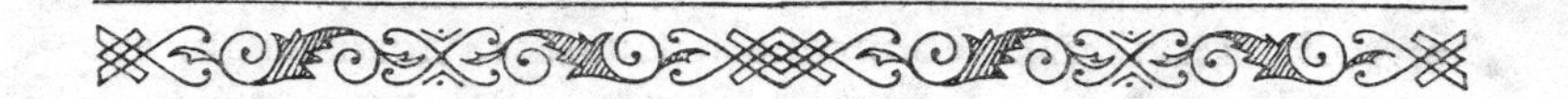

«МОЙ ВРЕМЕННИК»

1

Среди моих учителей был Б. М. Эйхенбаум, глубокий ученый, тонко чувствовавший жанровые особенности монографии, статьи, литературного портрета. Его книгам свойственна законченность, завершенность, немыслимая без плавного сцепления доказательств, склоняющего читателя к восприятию историко-литературной картины в целом. Внутреннее изящество свойственно не только его научным трудам. Он сам был сдержанно изящен, радушен и вдохновенно, нравственно трудолюбив.

В жизни ему не раз приходилось брать душевные барьеры — он был студентом Военно-медицинской академии, потом консерватории. Историю русской литературы он нашел, как находят родину, и тайная радость, что он ее наконец нашел, чувствовалась и в счастливые и в тяжелые периоды его жизни.

Вот почему мы, его ученики, были удивлены — и даже скептически удивлены, когда автор «Мелодики стиха», «Анны Ахматовой», «Лермонтова» вдруг выпустил книгу, которую никак нельзя было поставить в один ряд с его научными трудами. Она называлась «Мой временник». Вот что писал автор в обращении к читателю: «Обложка этой книги указывает на то, что книга задумана по типу журнала. Читатель вправе ожидать предисловия от редакции. Я не объявляю подписки и не собираюсь выпускать мой временник периодически. Мне просто захотелось пропустить свой материал сквозь форму журнала, которая так не удается современным редакциям. В XVIII веке некоторые писатели выпускали такого рода журналы, заполняя их собственными произведениями».

Книга делится на четыре отдела — «Словесность», «Наука», «Литературоведение» и «Смесь». В отделе «Литературоведение» Б. М. Эйхенбаум рассказывает о журнале А. Е. Измайлова «Благонамеренный», доказывая, что он интересен как особая литературно-бытовая форма. С читателями Измайлов объяснялся совершенно по-домашнему. Если номер запаздывал, он ссылался на масленицу или на то, что дочку надо было отдавать в институт или провожать родственников и т. д.

Автор «Моего временника» не заходит так далеко, хотя и упоминает в конце предисловия о «игре воображения». В сущности, книга делится только на два основных отдела. В первом Б. Эйхенбаум рассказывает свою биографию, во втором дает ряд блестящих литературных портретов, основанных на живых аналогиях между современностью и историей. Эта книга обсуждалась на семинаре в связи с вопросом о «второй профессии» писателя.

2

Опускаю доклад, автор которого ограничился лишь изложением книги В. Шкловского «Техника писательского ремесла», сопоставив ее с «Моим временником», и перехожу к прениям.

Первый оппонент. К сожалению, нам так и не довелось узнать, что думает докладчик о «второй профессии» и как он относится к проблеме «литературного быта», но вернемся к моему семинару, на котором обсуждалась книга Б. М. Эйхенбаума. Книга Шкловского представляет собою сборник дельных советов. Но не худо бы в таком случае показать, что она все-таки чем-то отличается от поваренной книги. Была ли у самого Шкловского вторая профессия? Отвечу за докладчика: была. В годы первой мировой войны он служил в школе шоферов, водивших броневики, и даже был одним из инструкторов этой школы. Воспользовался ли он ею для своей первой профессии? Да, но только в прямом отражении: он отлично пишет о шоферах.

«Шоферы изменяются сообразно количеству сил в моторах, на которых они ездят...»

«Мотор свыше сорока лошадиных сил уже уничтожает старую мораль...»

«Быстрота отделяет шофера от человечества...»

«Но к чему такая быстрота?»

«Она нужна только бегущему или преследующему...»

«Мотор тянет человека к тому, что справедливо называется преступлением...»

И далее Шкловский рассказывает о роли автомобиля в революционных движениях («Zoo», «Письмо вступительное»). Есть упоминания о шоферском деле и в других — «Письмах не о любви», и в «Технике писательского ремесла», и в «Сентиментальном путешествии» — частые, со знанием дела.

Но пригодилась ли Шкловскому его «вторая профессия» для теоретических работ? Снова отвечу за докладчика: нет. Дело в том, что даже в границах деятельности одного писателя «вторая профессия» отнюдь не является постоянной величиной. В более широких границах ее вообще не существует. Воспользоваться ею может любой «до-писатель», скажем, токарь, который хочет стать литератором. Но даже если он первоклассный токарь, его ремесло будет соотноситься с ремеслом писателя как неизмеримо малое соотносится с неизмеримо большим. Нет сомнения в том, что «дописательская» жизнь не только отражается в работе писателя, но часто служит для нее психологическим, эстетическим, нравственным мерилом. Укладывается ли этот опыт в понятие «второй профессии»? Для того чтобы убедить нас в ее необходимости, Шкловский ссылается на великих писателей — Л. Толстой, например, был профессионалом-землевладельцем. Ну, а кем был, скажем, Достоевский? Каторжником? Или Тургенев? Эмигрантом? И что делать с Пушкиным, которому было пятнадцать лет, когда в стихотворении «Другу стихотворцу» он успел рассмотреть вопрос о «второй профессии» и, по-видимому, остановился на первой?

Несколько «вторых профессий» очень пригодились Горькому и оказались почти бесполезными для Грина. Какую роль сыграла «вторая профессия» в том, что маленький чиновник и неудачливый коммерсант Лесков свободно владеет любыми формами повествования, а Зощенко, который был офицером, милиционером, дегустатором, делопроизводителем, следователем уголовного розыска и т. д., виртуозно владеет только формой сказа?

Второй оппонент. Шкловский исключил из своей книги понятие таланта, и я боюсь, что она приведет в нашу литературу множество искусных штукатуров и сталеваров, которые легко откажутся от своей трудной «второй профессии» и займутся «первой», которая покажется им соблазнительно легкой.

Я согласен, что, изложив свою мысль со школьной последовательностью, Шкловский написал сборник дельных советов. Сущность сборника заключается в том, что «писатель должен иметь вторую профессию не для того, чтобы не умереть с голода, а для того, чтобы писать литературные вещи. И эту вторую профессию он не должен забывать, а должен ею работать: он должен быть кузнецом, или врачом, или астрономом. Эту профессию нельзя забывать в прихожей, как галоши, когда входишь в литературу»... Понятие «второе ремесло» подтверждается примерами: Л. Толстой писал как «профессионал — военный артиллерист» и как «профессионал-землевладелец». Газетная работа считается полезной для начинающего писателя — недаром Л. Андреев, Чехов, Горький, Диккенс работали в газете.

Иначе ставит этот вопрос Эйхенбаум. Он полагает, что мы переживаем новый литературный кризис. Ну что ж! Любая порядочная история литературы состоит из кризисов. Пушкин, как известно, «надоел» к середине тридцатых годов и завидовал Марлинскому, которым зачитывались до потери сознания. Нет, дело не в кризисе, которого не существует. Дело в обратном. Вопрос о том, «как быть писателем», возник именно потому, что наша литература — на подъеме. «Сейчас несколько тысяч писателей. Это очень много»,— пишет Шкловский. Сопоставим с этим цитату из Белинского, которой воспользовался Эйхенбаум: «...Слишком много нужно было бы гениев и великих талантов, чтобы публика никогда не нуждалась в литературных произведениях, удовлетворяющих потребность ее ежедневных досугов... Обыкновенные таланты необходимы для богатства литературы, и чем больше их, тем лучше для литературы»[1]. Именно это и происходит в наше время. «Несколько тысяч» удовлетворяют потребность ежедневных досугов публики, и в этом нет ничего неожиданного для нас, отдавших немало времени изучению второстепенных и третьестепенных писателей тридцатых и сороковых годов прошлого века. Важно другое. Важно, что литература сейчас разделилась на тех, кому насущно нужна книжка Шкловского, и на тех, кто, прочтя

---

[1] Эйхенбаум Б. Мой временник. Л., 1929. С. 72.

статьи Эйхенбаума, задумается над своей жизненной задачей.

Руководитель. В книге Шкловского теме «второй профессии» посвящены только первые страницы. Книга написана о «двойной жизни» писателя, о причинном соотношении искусства и жизни, без которого немыслимо возникновение художественного произведения: «...Для того, чтобы сделать вещь и вложить в нее работу, нужно иметь как будто бы двойную жизнь, а жизнь у нас одна». И не правы те, кто утверждает, что «техника писательского ремесла» написана только для начинающих писателей. И опытный писатель может найти в ней для себя много нового.

В «Моем временнике» тема «второй профессии» прячется где-то в глубине, среди исторических аналогий. Еще недавно художественное произведение рассматривалось... как подлежащий изучению «литературный факт». Сейчас на первый план выдвигается новое понятие — самое «дело литературы». Не «как писать», а «как быть писателем» — вот определяющий вопрос новой полосы литературной науки.

Работа Эйхенбаума всегда была близка к художественной прозе. Поэтика и поэзия скрещивались в ней, и средства, с помощью которых он подчас достигал портретной выразительности, в сущности, мало отличались от той техники писательского ремесла, которой рекомендует пользоваться Шкловский. «Второй профессией» в данном случае Эйхенбауму служила профессия историка литературы.

Иногда, как в книге об Ахматовой, он намеренно отказывается от этой черты, которую сдержанно называет «неизбежным импрессионизмом». «В образе ахматовской героини резко ощущаются автобиографические черты — хотя бы в том, что она часто говорит о себе как о поэтессе,— пишет Б. Эйхенбаум.— Это породило в среде читателей и отчасти в критике особое отношение к поэзии Ахматовой — как к интимному дневнику, по которому можно узнать подробности личной жизни автора... Но читатели такого рода не видят, что эти автобиографические намеки, попадая в поэзию, перестают быть личными и чем дальше отстоят от реальной душевной жизни, тем больше ее касаются».

«Мой временник» освободил Эйхенбаума от строгости научного стиля. Его «импрессионизм» победил в этой книге, лучшие статьи прямо противоречат вышеприведенной цитате: «подробности личной жизни автора» на этот раз глубоко интересуют его. И все-таки «Журнал» не получился — и не мог получиться. Ведь именно книги Б. М. Эйхенбаума дают ясное представление о том, что композиция (в широком смысле слова) не берется напрокат и не падает с неба. С одной стороны, она зависит от эволюции предшествующих форм, с другой — от внутренней соотнесенности материала и стиля.

Более того: его книги подсказывают ту мысль, что результаты, добытые при изучении художественной прозы, можно использовать для анализа историко-литературных и теоретических исследований: и композиция, и стиль, и отношение к материалу эволюционируют в литературной науке, так же как и в художественной прозе...

3

Перечитывая «Мой временник», я подумал о странной судьбе этой маленькой книги: все «современное» выглядит в ней устаревшим, а все «историческое» живо и представляет бесспорный интерес в наши дни. Промелькнула и исчезла проблема «литературного быта», но короткие «портреты», с помощью которых Б. Эйхенбаум доказывал необходимость ее изучения, внимательно прочтет любой читатель, интересующийся историей русской литературы.

Трагедия Гоголя, которому после двадцатилетней работы «стало казаться, что он — писатель нечаянный, случайный, что ему надо делать что-то другое» (письмо Плетневу, 1846), изображена в связи с вопросом о «деле литературы». «Вопрос, который всю жизнь тревожил Гоголя, был именно этот вопрос: как быть писателем и что значит быть писателем» (Мой временник. С. 89—90). Одним общим взглядом окидывая всю деятельность Гоголя, Б. Эйхенбаум указывает исторические причины — перелом тридцатых — сороковых годов, заставивший Гоголя усомниться в своем историческом назначении: «Я не могу сказать утвердительно, что поприще писателя — мое поприще» («Авторская исповедь»).

Таков беспощадный портрет Тургенева с его кокетством, с его апологией «артистизма», с его «притворством простоты» (Л. Толстой) — Тургенева, переносившего удавшиеся строки из личных писем (С. Аксакову, А. Фету) в романы. Быстрый взгляд на профессиональную жизнь писателя открывает в ней разрывы и пустоты.

В обращении «К читателю» Б. Эйхенбаум с характерной для него скромностью пишет, что «Мой временник» — всего лишь «игра воображения. Жизнь без игры становится иногда слишком скучной».

В наши дни, перечитывая «Мой временник», убеждаешься в том, что эта книга — далеко не игра. В ней чувствуется смелость исследователя, изящество, артистизм. И уже меньше всего она похожа на черновики — «брульон», как говорили в старину. Вопрос о том, «как быть писателем», не только не устарел, но приобрел особенную остроту в наше время. Но это совсем особая тема.

1982

ПРОЗА ПАСТЕРНАКА

Сборник прозы Пастернака (Сов. писатель, 1982) составлен из очерков, воспоминаний, рассказов и из эссе, посвященных французским, английским, грузинским поэтам. Последовательность основана на хронологии. Вступительная статья принадлежит одному из самых глубоких историков литературы и мыслителей — Д. С. Лихачеву. Иллюстрации отца поэта, известного художника Л. О. Пастернака, простые и изящные.

Проза Пастернака сложна, трудна для чтения, полна своеобразных мыслей, заставляющих задуматься над основными чертами русского искусства. Она не похожа на любую другую прозу. Прежде чем попытаться рассказать о ней, стоит, мне кажется, рассказать то немногое, что мне запомнилось об ее авторе. Впечатление от личности Пастернака может дополнить и углубить впечатление от книги.

Мы были знакомы в двадцатых годах, но только в послевоенные годы, когда, живя в Переделкине, стали встречаться — у Всеволода Иванова или на прогулках,— у меня появилась драгоценная возможность попытаться рассмотреть, разобраться в нем или, по меньшей мере, в своих впечатлениях, и я сразу должен признаться, что это была почти непосильная для меня задача. В любом обществе — а у Ивановых бывали первоклассные писатели, художники, артисты — между ним и каждым из нас было необозримое пространство, нечто вроде освещенной сцены, на которой он существовал без малейшего напряжения. Неизменно веселый, улыбающийся, оживленный, подхватывающий на лету любую мысль (если она этого стоила), он легко шагал к собеседнику через это пространство, в то время как собеседник еще только примеривался, чтобы сделать первые робкие шаги. Видно было, что каждый день для него — подарок, и каждая минута, когда он не работал,— не пустая трата времени, а отдохновение души. «Озверев от помарок»,— написал о нем Маяковский. Думаю, что он невольно сказал о себе и что Пастернак радовался помаркам, которые слетались к нему как птицы. Праздничность была у него в крови, а так как он не был похож ни на кого другого, эта праздничность принадлежала только ему, хотя он охотно делился ею со всеми.

Признаюсь, что, встречаясь с ним случайно, на прогулках, и как будто продолжая давно (или недавно) прерванный разговор, я уже через пятнадцать минут почти переставал понимать его — мне не под силу было нестись за ним без оглядки, прыгая через пропасти между ассоциациями и то теряя, то находя ясную (для него) и чуть лишь мерцающую (для меня) мысль.

Он всегда был с головой в жизни, захватившей его в этот день или в эту минуту,— и одновременно — над нею, и в этом «над» чувствовал себя свободно, привольно. Это не противоречило тому, что сказала о нем Ахматова:

Он награжден каким-то вечным детством,
Той щедростью и зоркостью светил,
И вся земля была его наследством,
А он ее со всеми разделил.

Начало этого вечного детства изображено в повести, показавшей ту черту его дарования, которой он почему-то почти не воспользовался в прозе,— способностью преображения. Я говорю о «Детстве Люверс». Там способность к перевоплощению выражена с большей силой, чем, например, в прозе, над которой Борис Леонидович работал в пятидесятых годах. В своей ранней повести он каким-то чудом сам как бы становится тринадцатилетней девочкой, переживающей сложный переход к отрочеству и первым проблескам женского существования. Там впервые переживание соединилось с размышлениями о нем, а впечатление — с поисками своего места в жизни. Там «внутри» и «над» пересекаются в мучительном росте детского сознания. Это пересечение, или, точнее, скрещение, впоследствии стало, мне кажется, характерной чертой Пастернака. Трудно доказать это на примере. Но вот случай, который, кажется, может подтвердить мою мысль.

Однажды у Ивановых после веселого ужина с тостами, шутками, с той свободой общества, в котором любят и уважают друг друга, все стали просить Бориса Леонидовича почитать стихи. Он охотно согласился — в этот вечер он был особенно оживлен. Не помню — да это и не имеет особенного значения,— что́ он читал своим глуховатым, гудящим голосом, который, как и все, связанное с ним, был единственным в своем роде. Важно то, что он забыл на середине свое длинное стихотворение и, нисколько не смутившись, стал продолжать рассказывать его, так сказать, в прозе. Но это были уже не только стихи, но и то, что он думал о них. Это было скрещение «над» и «внутри», особенно прелестное, потому что ему было еще и смешно то, что он забыл свои стихи и теперь приходится пересказывать их «своими словами».

Однажды, когда я проходил мимо его дачи, он как раз вышел из калитки, мы поздоровались, и он сказал с оттенком извинения:

— Я не могу с вами гулять, доктора велели мне ходить быстро.

Ничего не оставалось, как согласиться с этим полезным советом, проститься и расстаться. Я прошел дальше, вдоль так называемой Неясной поляны, и, возвращаясь, снова встретил Бориса Леонидовича. По-видимому, он уже забыл, что доктора велели ему ходить быстро, и, остановившись, разговорился со мной. Помнится, мы почему-то заговорили о музыке, долго гуляли, ни медленно, ни быстро, а когда расставались, упала звезда, и он быстро спросил меня:

— Загадали желание?

— Нет, не успел.

— А я успел,— с торжеством сказал Борис Леонидович.— А я успел! Она же долго падала, как же вы не успели?

Пастернак десятилетиями почти безвыездно жил в Переделкине, но жил так, как будто сам создал его по своему образу и подобию. В 1936 году, в Париже, на Всемирном конгрессе «В защиту культуры» он вел себя, по словам Эренбурга, «очень странно». «Он сказал мне, что страдает бессонницей... Он находился в доме отдыха, когда ему объявили, что он должен ехать в Париж. С трудом его уговорили сказать несколько слов о поэзии.

Наспех мы перевели на французский язык одно его стихотворение. Зал восторженно аплодировал!» (Люди, годы, жизнь. М., 1967. С. 67).

Илья Григорьевич подробнее рассказывал мне о Пастернаке в Париже. Борис Леонидович был всем недоволен, даже распорядком дня, привычным для любого француза. Восторженные аплодисменты раздались не только после, но и до его речи, едва он открыл рот, прогудев нечто невнятное,— я знал этот глухой звук, которым он прерывал себя, находясь в затруднении.

— Этого было достаточно,— сказал Илья Григорьевич,— чтобы почувствовать поэта.

Вот что сказал Пастернак:

«Поэзия останется всегда той, превыше всяких Альп прославленной высотой, которая валяется в траве, под ногами, так что надо только нагнуться, чтобы ее увидеть и подобрать с земли; она всегда будет проще того, чтобы ее можно было обсуждать в собраниях; она навсегда останется органической функцией счастья человека, переполненного блаженным даром разумной речи, и, таким образом, чем больше будет счастья на земле, тем легче будет быть художником».

Он «не вписывался» ни в конгресс, ни в Париж.

— Он вел себя так, как будто сперва должен был создать свой Париж, а потом жить в нем по-своему и уж во всяком случае не так, как живут французы,— заключил Эренбург.

...Мне вспоминается последняя встреча с Пастернаком. Я прочел у Брюсова о похоронах Толстого, и меня поразило сходство с похоронами Пастернака. То же ощущенье, та же поразительная, трогательная простота, когда нет ничего заранее обдуманного, предсказанного, назначенного и все происходит, как в самой поэзии, с проступающим все больше сознанием величия.

> На руках несут простой желтый дубовый гроб, без покрова...— писал Брюсов.— Три телеги с венками, ленты которых жалостно волочатся по грязи... Все идут молча, и не хочется говорить.

И дальше:

> Как мало собралось здесь! Вероятно, не больше 3—4 тысяч.
> Для всей России, для похорон Толстого — это цифра ничтожнейшая. Но ведь было сделано все, чтобы лишить похороны их всероссийского значения.

Мы пришли на другое утро после смерти, но Евгения Владимировна сказала, что еще нельзя, замораживают, и мы только посидели в саду с друзьями. Были Паустовские, Тарковский, еще кто-то — подавленные, но спокойные.

В день похорон приехали рано, в первом часу, еще почти никого не было — и сразу прошли к Пастернаку. Он лежал в цветах, закинув голову, очень похудевший, с резко выделившимися теперь надбровными дугами, с гордым и спокойным выражением лица. Мне показалось, что в левом уголке рта была чуть заметная улыбка. Зинаида Николаевна вошла, спокойная, прекрасно державшаяся... Как всегда на похоронах, кто-то стал говорить, что Борис Леонидович нисколько не изменился. Эта была неправда: что-то юношеское всегда перебегало в его лице, соединяясь с быстрыми, тоже юношескими, движениями, с живостью, когда, понимая с полуслова, он засыпал вас мыслями, сравнениями, всем чудом своей личности и поэзии. Теперь лицо было скульптурным, бело-неподвижным.

Народу становилось все больше. Я нашел Паустовского, Журавлева. Все любящие друг друга как-то стремились объединиться, может быть, потому, что это чувство было частицей общей любви к Пастернаку.

Мы долго стояли в саду то здесь, то там, народу становилось все больше. Говорили, что шведский король прислал телеграмму Зинаиде Николаевне, а Неру — правительству. Говорили о болезни Бориса Леонидовича, о надежде, что он поправится, появившейся на третью неделю... Еще не было, но уже смутно чувствовалось то ощущенье необычной простоты в этом ожидании, которое хотелось продлить, в этом хождении по саду, в заботе о женщинах, начинавших уставать,— ощущенье, которое потом становилось все сильнее. У окон был слышен рояль — играл Станислав Нейгауз, кто-то еще. Потом заговорили, что играет Рихтер, и все стали собираться за домом. Он играл долго, прекрасно.

Женя Пастернак, сидевший на окне, перегнулся, сказал что-то подошедшей к окну тоненькой, совсем молодой, похожей на девочку, милой жене. У него было успокоившееся лицо, совсем не такое, как наутро после смерти Бориса Леонидовича, и жена, что-то сказав ему, улыбнулась. Можно было все — улыбаться, говорить о чем угодно, о чем хотелось...

Дверь открыли, и люди стали проходить мимо гроба. Назначенное время прошло, потом давно прошло, но они всё шли. Около пяти часов толпа раздвинулась, показались венки, и за ними несли крышку гроба. Потом снова долго стояли молча, на солнце, глядя на молодых людей, стоявших с крышкой и с большими венками. Наконец вынесли — высоко на вытянутых руках. Гроб поплыл над головами, и тогда я впервые услышал рыданья — громкие, но сразу умолкнувшие. Его несли, как Гамлета, в известной английской картине — казалось, что сейчас, так же как там, начнут подниматься с гробом все выше. Двинулись медленно, перепутались, потеряли друг друга. Фотокорреспонденты, которые и прежде, нет-нет да начинали жужжать своими аппаратами, теперь зажужжали отчетливее.

Вышли за ворота. Впереди плыл, покачиваясь, гроб с мертвым Пастернаком, теперь подставившим лицо солнцу, полю, природе. Его «Август», вспоминавшийся в эти дни, вспомнился снова со всей его поражающей (и в самом деле — провидческой) силой. Он написал в нем не только свое прощанье с жизнью, не только себя, но и нас: «Вы шли толпою, врозь и парами. Вдруг кто-то вспомнил...

Многие, едва выйдя за ворота, свернули налево, прямо к кладбищу, по молодой траве прошли длинной цепочкой, и за ними остался заблестевший след.

Мы шли по дороге. Две старые женщины неподалеку говорили очень спокойно: «Боря, Боря» — и жалели, что его сестра, живущая в Оксфорде, не сумела приехать. Это были какие-то родственницы Пастернака, немного похожие на него, с тонкими европейскими лицами.

Милиция стояла на развилке, не пуская машины...

Шли уже по краю кладбища, по осыпающейся земле, к пригорку под тремя соснами, где была вырыта могила.

Народу становилось все больше, молодежь приехала поездом, кто-то сказал (потом), что на вокзале у кассы висит написанное от руки объявление: умер великий русский поэт Пастернак, похороны там-то, тогда-то.

Я стоял далеко и не слышал речи Асмуса над гробом — только отдельные слова. Он, по общему мнению, говорил хорошо, назвал Пастернака великим, благодарил его, сказал, что он спорил не с эпохой, а с эпохами. Кто-то еще хотел заговорить, но высокий, с лысым лбом, краснолицый человек — от Литфонда — сказал: «Траурный митинг окончен». Бледный молодой человек прочел Гамлета, запинаясь. Снова литфондовец сказал: «Митинг кончен, митинг кончен». Но кто-то еще стал говорить...

Гроб уже опускали. Цветы полетели в могилу. Глухой звук земли о крышку — всегда страшный, а сегодня — особенно, потому что в гробу лежал Пастернак,— послышался. Все стояли теперь уже молча.

Я стал искать своих и нашел, обойдя толпу. Паустовские с друзьями стояли в стороне, у всех были усталые лица. Л. М. Эренбург, посеревшая, но, как всегда, необычайно естественная, внутренне бодрая, посадила нас в машину и подвезла домой.

Молодежь не расходилась до вечера, читали стихи. И на другой день было много народу. Кто-то пошел и, вернувшись, сказал, что среди цветов лежал букетик с запиской «Благороднейшему».

Однако пора оставить воспоминания и попытаться рассказать о долгожданной книге, изданной так заботливо и умело. Д. С. Лихачев в своей прекрасной статье неопровержимо доказал, что «поэзия Пастернака тоскует по прозе, по прозаизмам, по обыденности». Но как явление проза эта осталась непроясненной, и развитие ее от блистательных открытий молодости до «неслыханной простоты» в зрелые годы еще ждет своего исследователя. На концепцию еще трудно решиться. Вот почему все дальнейшее претендует лишь на догадки и предположения.

Фабулы — в смысле движения скрещивающихся мотивов — в прозе Пастернака нет. Единственное исключение — «Воздушные пути» — рассказ о событиях, смело составленных из двух картин, между которыми проходит пятнадцать лет. О нем — единственном в книге — можно рассказать своими словами. В нем есть если не фабула, так, по меньшей мере, мотив: мост, переброшенный через пропасть. Рассказать об «Охранной грамоте», об «Апеллесовой черте» — невозможно.

Герой Пастернака является перед нами со всей панорамой того, что его окружает, причем они — панорама и действующее лицо — то и дело не прочь поменяться местами. «А песчаные вихри все не унимались, дождя не предвиделось, и все мало-помалу к этому привыкли. Стало даже казаться, что это все тот же, теперь на долгие недели застоявшийся день, которого тогда вовремя не отвели в участок. Вот он и взял силу и до смерти всем осточертел. А теперь на улице его всякая собака знает. Так что если бы не ночи, еще дышавшие какими-то призрачными различьями, то следовало бы сбегать за понятыми и наложить сургучовые печати на иссякший календарь».

Так фон — обильный подробностями, пронизанный ассоциациями, точный, изумляющий сравнениями, вмешивающийся в жизнь,— накрепко связан с нею и одновременно живет сам по себе. Каждая картина, в сущности,— стихотворение, написанное белым стихом и не имеющее ничего общего с тургеневскими «Стихотворениями в прозе».

Так же изображает он не только внешний, но и внутренний мир,— я уже упоминал об этом. Разница в том, что на месте поездов, фонарей, полушубков, убранства комнат, чуда природы возникают мысли и чувства. Не только в «Детстве Люверс», о котором я упоминал, читатель видит весь внутренний мир героя — и то, что невнятно мелькает в сознании, и то, что запоминается навсегда.

Если несходство может дать хотя бы приблизительное представление о предмете,— нет ничего более противоположного прозе Пастернака, чем детектив или театр теней.

Герои подлинные, непридуманные, написаны без умопомрачительных ассоциаций, напротив — с трезвостью увеличительного стекла. Так в «Охранной грамоте» «рассказан» Маяковский — со всей сложной историей отношений. Читая страницы, посвященные ему, невольно вспоминаешь стихотворение Цветаевой:

Превыше крестов и труб,
Крещенный в огне и дыме,
Архангел-тяжелоступ —
Здорово, в веках, Владимир!

Но отношение Цветаевой к Маяковскому было поводом для блестящего портрета. А для Пастернака поэзия и личность Маяковского — это полнота безусловного признания и столь же безусловного отрицания. Спора и примирения. Сознания полной бездарности по сравнению с ним и столь же полного отрицания всего, что он написал в двадцатых годах. Тут уж ничего не было «над». Не до неожиданных ассоциаций. Не до чуткого прислушиванья к «чужому». Тут уж все было кровное, свое. Тут надо было представить Маяковского в той степени вещественности, которой никто, кроме него, не был достоин. «Он существовал точно на другой день после огромной душевной жизни, крупно прожитой впрок на все случаи, и все заставали его уже в снопе ее бесповоротных последствий. Он садился на стул, как на седло мотоцикла, подавался вперед, резал и быстро глотал венский шницель, играл в карты, скашивая глаза и не поворачивая головы, величественно прогуливался по Кузнецкому, глуховато потягивал в нос, как отрывки литургии, особо глубокомысленные клочки своего и чужого, хмурился, рос, ездил и выступал, и в глубине за всем этим, как за прямотою разбежавшегося конькобежца, вечно мерещился какой-то предшествующий всем дням его день, когда был взят этот изумительный разгон, распрямлявший его так крупно и непринужденно». Именно так — крупно и непринужденно — был разгадан этот характер гениального поэта — разгадан, потому что для Пастернака жизненно необходимо было его разгадать. Он сделал это лучше всех, схватив на трех страницах громадный душевный мир, существование которого долго не давало ему покоя. Он написал о его жизни и смерти, напомнив своей краткостью и содержательностью древние русские летописи, авторы которых думали не о причинности «дела», а о его сущности и свершении.

Самоубийством Маяковского кончается «Охранная грамота», и возвращение к последним ее страницам заставляет одним взглядом охватить все, написанное Пастернаком в прозе. Ее можно разделить — написанное о себе и написанное о других. Но написанное о других — по-иному,— тоже полно догадок, мыслей и вдохновения автора. Он не в силах уйти от себя, и, может быть, именно это было самой характерной чертой его несравненного дарования. Читатель — для него прежде всего корреспондент, от которого он ждет ответа. Форма письма — для него, может быть, самая легкая и деятельная форма. Он оставил сотни, если не тысячи писем к отцу, к грузинским и русским друзьям, к двоюродной сестре Ольге Фрейденберг, к случайным и неслучайным знакомым. Если бы погибла вся его стремившаяся запомниться наизусть поэзия, он остался бы в истории литературы и философии как автор этих, ни на что не похожих, писем.

Но пора, наконец, сказать, как менялся навсегда

оставшийся самим собою поэт. Он всегда стремился к простоте, и в поэзии простота удалась. В ней ничего не надо было заменять. В молодости она была так сложна, изящна, точна, разнонаправленна, так разговорна, что простота далась ей сравнительно легко. У нее было то, что можно было *переступить*, и, отказываясь от своей сложности, она только выигрывала. Другое дело — проза. В ней не было ничего, что заслуживало бы отказа. Почти не было придуманных, составленных и тем не менее живых характеров, не было обдуманного сюжета, не было энергичной связи отношений. Отдельные удачи («Детство Люверс», «Воздушные пути») были сильны новизной, не стремившейся к развитию. Нельзя развивать неназванное, то, от чего сознательно отказывается автор. Герои рассказа «Воздушные пути» только названы и как будто намеренно не изображены. Проза рвалась на клочки, оставалась незаконченной, не писалась («Три главы из повести», «Начало прозы 1936 года»). Вот почему так важен очерк, заключающий книгу. Зачем написан этот очерк? Для того чтобы доказать себе, что проза, которую Пастернак ставил выше поэзии, должна быть простой, как правда.

Пастернак всегда ссорился с собой — это и было сущностью его поступательного движения. «Люди и положения» — свидетельство попытки серьезной ссоры. В первых же строках Пастернак отказывается от «Охранной грамоты», настольной книги многих талантливых писателей. Теперь ему кажется, что она «попорчена ненужной манерностью, общим грехом тех лет». Но положите рядом страницы, посвященные в этих двух автобиографиях Скрябину, и — это один из примеров — вам сразу станет ясно, что в ранних воспоминаниях с волнующей силой рассказана любовь к Скрябину, любовь к музыке, которой были отданы шесть лет, а в поздних — дана лишь информация об этой любви. Можно указать много подобных примеров.

Трудно отказаться от мысли, что, упрекая себя в «манерности», с которой написана «Охранная грамота», Пастернак с водой выплескивает ребенка. Опустить историю любви, подсказавшую «Марбург », стихотворение, которое любил цитировать Маяковский:

> В тот день всю тебя, от гребенок до ног,
> Как трагик в провинции драму Шекспирову,

Носил я с собою и знал назубок,
Шатался по городу и репетировал.

Объяснить самоубийство Маяковского оскорбленной гордостью, в то время как «Охранная грамота» рассказывает о трагедии с вещественной полнотой, с новым, глубоким пониманием значения поэта в литературе и жизни?

Нет, второй автобиографический очерк не отменяет первый. Он дополняет его. И это естественно — между ними прошли без малого тридцать лет. Но простота правды не может заменить размаха молодости, набирающей силу.

Книга прозы Пастернака появилась своевременно. Она энергично вмешивается в наши споры. Школа прозы, которую он учился писать всю жизнь, ясно показывает, что «скороспелость», которая свойственна многим произведениям,— прямая причина их столь же быстрого забвения. Правда, можно усердно поработать два или три десятилетия и ничему не научиться. Но стоит рисковать.

1983

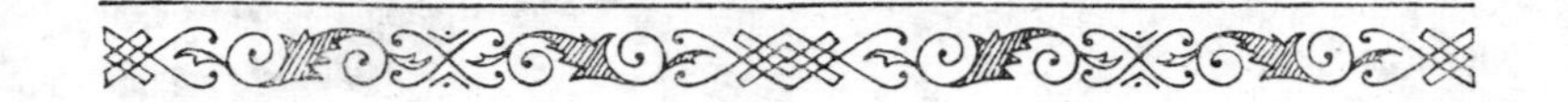

НЕОТКРЫТЫЕ ДОРОГИ

Звонок.

— Кто там?

— Извините за выражение: Поливанов.

Так странно шутил только один из друзей Ю. Н. Тынянова, у которого я жил на Греческом проспекте в студенческие годы. Дверь открывалась, и в кухню — все «парадные» в ту пору были закрыты — входил высокий человек лет тридцати, немного прихрамывающий, худощавый, без левой руки, в солдатской шинели. Его встречали — мало сказать, с радостью — с захватывающим интересом. И то и другое было вполне обоснованно. Интерес, однако, приходилось сдерживать, потому что он касался не только удивительной личности Евгения Дмитриевича, но и не менее удивительной его биографии.

Он держался просто. Но это была совсем не та простота, которая позволила бы задать ему не относящиеся к предмету разговора вопросы. Расспрашивать его было как бы не принято, а по существу — невозможно.

Вот как началось наше знакомство: готовясь к экзамену по «Введению в языкознание», я услышал через полуоткрытую дверь чей-то красивый низкий голос, который рассказывал Тынянову о том, что в Ленинграде на Церковной улице открывается Институт живых восточных языков, в котором будут учиться будущие дипломаты. Я был тогда студентом первого курса этнолого-лингвистического отделения ФОНа — Факультета общественных наук Ленинградского университета. Это не помешало мне постучаться в дверь кабинета Юрия Николаевича, познакомиться с его гостем — это и был Поливанов — и сказать ему, что мне очень хотелось бы поступить в Восточный институт. Это неожиданное решение крайне удивило Юрия Николаевича. Но Поливанов отнесся к нему очень спокойно.

— На какой разряд?— спросил он.

Факультеты в Восточном институте назывались разрядами.

— Разумеется, на японский,— брякнул я, только потому, что Поливанов был японистом. С равной легкостью я мог назвать любой другой разряд — китайский или иранский. Не выбор языка, а возможность выбора необыкновенной профессии — дипломат!— вот что поразило меня. Подумать только — провести всю жизнь за письменным столом, дыша архивной пылью, перелистывая книги, или энергично действовать на мировой арене, показывая хитрость, прозорливость и, главное, тонкое уменье думать одно, а говорить другое!

Должен сказать, что за всю мою жизнь я не встречал человека более непригодного для этой профессии, чем я. К сожалению, я окончательно убедился в этом лишь через много лет после окончания Восточного института. Все свойства моего ума и характера решительно противоречили призванию дипломата. С равным основанием я мог бы рассчитывать на блистательную карьеру в классическом балете.

Но Поливанов, как я впоследствии узнал, как раз был причастен к той вежливой, мирной и всемирной войне, которая называется дипломатией. Работая в первые послеоктябрьские дни в Народном Комиссариате иностранных дел, он принял участие в опубликовании тайных договоров царского правительства. Это было, как известно, актом мирового значения. Знаток наркомании, он был председателем «тройки» по борьбе с наркотиками в Ленинграде. Меня он интересовал глубоко, да и не только меня. У Юрия Николаевича становилось серьезное, сосредоточенное лицо, едва Поливанов открывал рот.

Он мог шутя, между прочим, в шутливом разговоре сказать одну фразу, которую умелый и добросовестный ученый мог бы развить и представить в виде докторской диссертации. За примером ходить недалеко. Однажды мы случайно встретились с ним — оба шли в университет. И пока мы пересекали Неву (это было зимой), он изложил мне содержание моей будущей воображаемой работы о фонемах только потому, что я упомянул, что иду на лекцию академика Карского по русскому языку.

Но вернемся на Греческий, 15. Случалось, что Поливанов после наших скромных ужинов просил Юрия Николаевича разрешить ему остаться, чтобы поработать в его кабинете. Когда холодно, работается лучше, говорил он. Однажды, рассказывая о притонах курильщиков опиума, он предложил Юрию Николаевичу заглянуть в один из них. Не помню, днем или вечером это было, но отсутствовали они довольно долго, и, вернувшись Юрий Николаевич живо и выразительно нарисовал весьма неприглядную картину притона. Он вернулся оживленный, веселый и сказал, что, хотя он выкурил три трубки, опиум не оказал на него ни малейшего действия.

— Надо втянуться,— серьезно и поучительно сказал Поливанов.

Эти курильни, очевидно, входили в круг наблюдений, необходимых Евгению Дмитриевичу, потому что в течение двух лет — 1918—1920 — он энергично занимался политической работой среди петроградских китайцев. Один из организаторов «Союза китайских рабочих», он был редактором первой китайской коммунистической газеты. Установлена его тесная связь с китайскими добровольцами, сражавшимися на фронтах гражданской войны[1]. Кстати сказать, эта сторона его деятельности неожиданно коснулась и меня. Университетская стипендия была ничтожно мала, институтская — немногим от нее отличалась, и Поливанов предложил мне преподавать пятерым китайцам русский язык. Это была сложная задача: я не знал китайского, а мои ученики не знали русского. Кажется, в наше время именно этот способ изучения иностранных языков представляется наиболее надежным. Мне тогда этого не казалось.

Мои ученики не понимали, например, падежных окончаний. Об именительном падеже они говорили, что это вообще не падеж, а когда в качестве примера я привел им фамилию «Поливанов», они в один голос сказали, что поскольку она кончается на «ов», это не именительный падеж, а родительный множественного.

В начале 1921 года Поливанов переехал в Москву, потом в Ташкент, и с тех пор история его жизни стала

[1] См.: Новогрудский Г. По следам Пау. М., 1962. С. 75—77.

напоминать «Неоконченную симфонию» Шуберта с ее мерным чередованием торжественности и тревоги.

Одно только сухое перечисление того, что он успел сделать за десятилетие 1921—1931, заняло бы не две и не три страницы. Упомяну лишь избранные работы. Он написал серию букварей для киргизских школ, учебник узбекского языка для русских, первую часть истории мировой литературы для перевода на киргизский язык. Его учебно-методические труды легли в основу преподавания русского языка в национальной школе. Занятия методикой требовали глубокого знания языков Средней Азии, и он (что кажется почти непостижимым), приехав осенью 1921 года в Ташкент, печатает в первом, январском номере журнала «Наука и просвещение» работу «Звуковой состав ташкентского диалекта», а в дальнейшем начинает гигантскую работу по изучению говоров узбекского языка... Им одним описано говоров больше, чем едва ли не всеми другими лингвистами Узбекистана двадцатых годов.

Однажды, готовя очередной урок по арабскому языку, я остановился перед строками, которые не удавалось перевести, несмотря на все мои усилия. За обедом я пожаловался на неудачу, и Евгений Дмитриевич, который сидел за столом в нашей «Тынкоммуне», сказал добродушно:

— А ну-ка попробуем.

Текст был переведен в пять минут.

— Вы знаете еще и арабский?

— Немного.

Он знал 16 языков: французский, немецкий, английский, латинский, греческий, испанский, сербский, польский, китайский, киргизский, таджикский и др. Этот список (с его слов) преуменьшен, по мнению исследователей его жизни и творчества. Совершенно точно известно, что он владел (по меньшей мере, лингвистически) абхазским, азербайджанским, албанским, ассирийским, арабским, грузинским, дунганским, калмыцким, каракалпакским, корейским, мордовским (эрзя), тагильским, тибетским, турецким, уйгурским, чеченским, чувашским, эстонским. В изучении последнего ему помогла, может быть, его жена Бригитта Альфредовна. Я знал ее и бывал у них, еще когда они жили в 1920 году в маленькой комнате студенческого общежития. Все в этой комнате говорило, кстати сказать, о скромности и непритязательности Евгения Дмитриевича, который был тогда профессором Петроградского университета.

Конечно, знание многочисленных языков не лежало, подобно мертвому инвентарю, в творческом сознании Поливанова. Говорят, арабы относятся к своему языку как явлению поэзии. Убежден в том, что эта черта была в высокой степени свойственна Поливанову. Поэзия и наука в их вещественно-ощутимом значении перекрещивались в его необычайном даровании.

Итак, двадцатые годы в жизни Евгения Дмитриевича (в особенности четыре последние, проведенные в Москве) были отличены безусловным признанием. Но вот начались тридцатые, и действительный член Института языка и мышления, профессор Института востоковедения, действительный член Института народов Востока, председатель лингвистической секции Российской ассоциации научно-исследовательских институтов общественных наук и т. д. был уволен со всех своих должностей, которые отнюдь не были для него номинальными. Уволен и, воспользовавшись приглашением узбекского Наркомпроса, уехал в Самарканд. Что же произошло?

Я не пишу здесь биографию Е. Д. Поливанова. Ее каждый по-своему рассказали участники межвузовской конференции «Актуальные вопросы современного языкознания и лингвистическое наследие Е. Д. Поливанова», состоявшейся в Самарканде в 1964 году[1]. При всей сложности обсуждавшихся специальных вопросов, эта конференция была неоспоримым свидетельством восстановления справедливости и, следовательно, явлением нравственного порядка.

В самом деле: представьте себе ученого, оставившего глубокий след в мировом языкознании, рукописи которого по отдельным листкам собираются в различных городах Советского Союза.

Представьте себе конференцию лингвистов, в которой приняли участие одиннадцать университетов, ряд научно-исследовательских институтов, более двадцати педагогических институтов и которая прошла без портрета того,

---

[1] Труды конференции «Актуальные вопросы современного языкознания и лингвистическое наследие Е. Д. Поливанова» (т. 1) изданы в 1964 году.

кому она была посвящена, потому что, несмотря на все усилия, портрета достать не удалось.

Представьте себе ученого, написавшего грамматику японского, китайского, бухаро-еврейского, дунганского, мордовского, туркменского, казахского, таджикского языков (четыре последних еще не найдены), ученого, о котором спорят, еще недавно спорили: родился ли он в 1891 или в 1892 году[1], в Петербурге или Смоленске.

Представьте себе человека, оставившего, несмотря на необычайно сложную, трагическую жизнь, более ста научных работ, в том числе 17 книг,— человека, имя которого замалчивалось в течение трех десятилетий.

Странного противоречия между научным значением и непризнанием не было бы, если бы Е. Д. Поливанов признал правоту последователей академика Н. Я. Марра, проповедовавших так называемое «новое учение о языке» и отрицавших индоевропейское языкознание. В 1931 году Поливанов выпустил сборник «За марксистское языкознание», в котором не оставлял от нового «учения» камня на камне.

Еще 14 февраля 1929 года, когда он открыто выступил против марристов, его труды были объявлены «истошным воем эпигона субъективно-идеалистической школы», а он сам — «разоблаченным в свое время черносотенным лингвистом-идеалистом». Ответ Поливанова (разумеется, оставшийся ненапечатанным), полон достоинства. Он писал: «В пересмотре, которому подлежит все наследуемое советской наукой, нет места авторитарному мышлению».

Тогда-то и был сделан оправдавшийся в полной мере прогноз. Евгений Дмитриевич предсказал, что яфетический культ «будет постепенно уходить в тень, отступать на задний план, наподобие бога-отца в христианской мифологии» (рукопись).

Розыски А. А. Леонтьева, содержательный доклад которого был заслушан на конференции, показали все значение научного подвига Поливанова, не отступившего от своих убеждений ни на йоту в этой неравной, беспощадной борьбе.

До сих пор не найден том «Введения в языкознание для востоковедных вузов»,— крупнейшие лингвисты считают это большой потерей для нашей науки.

Ему надо было немногое, точнее сказать — ему ничего

---

[1] В 1891 г.

не было надо. Он никогда не стремился к благополучию и славе.

Но как же работал, как жил в пустыне осторожности, клеветы, подозрительности этот человек? Теперь мы знаем, как он жил и работал.

Его друг старый узбек Махмуд Хаджи Мурадов рассказал на конференции, как Поливанов приехал к нему едва ли не босиком, в рваной одежде и остался на несколько недель в кишлаке, изучая особенности местного диалекта, составляя словарь, которого еще не было в мире. Он работал неустанно, упорно, а отдыхая, поправлял ошибки в религиозных книгах на арабском языке, которыми пользовались муллы. Когда кто-то спросил Хаджи Мурадова, как говорил по-узбекски Евгений Дмитриевич, последовал ответ: «Лучше, чем я».

Вот так Поливанов и жил в кишлаках, пригородах, где придется. В сущности, с ним ничего нельзя было сделать. Ведь куда бы он ни попадал, везде были люди, и он мгновенно усваивал их язык, исследуя его для развития своих теорий.

Да, на конференции, собравшейся в Самарканде, я узнал многое, заново осветившее фигуру Е. Д. Поливанова. Время непризнания, замалчивания прошло. Его биография изучается, труды печатаются. Лингвистика за последние десятилетия гигантски шагнула вперед, но то, что сделал Поливанов, не потеряло значения. Недаром доклад Вяч. Вс. Иванова на заключительном пленарном заседании конференции назывался «Поливанов и языковедение XX века».

Недалеко то время, когда Поливанов займет свое место среди людей, которые стали гордостью нашей науки...

В двадцатые годы я воспользовался рассказами Юрия Николаевича о курильщиках опиума для новеллы «Большая игра» и романа «Скандалист, или Вечера на Васильевском острове».

1967

СНЫ НАЯВУ

1

Не перестаю сожалеть, что я не знал М. А. Булгакова и даже никогда не видел его. В 1954 году, выступая на Втором съезде писателей, я упомянул его как первоклассного писателя, незаслуженно и как бы насильственно забытого,— насильственно, потому что его произведения выдержали «испытание временем» и не потеряли значения для нашей литературы. В ответ на мое выступление Е. С. Булгакова прислала мне пьесы и прозу покойного мужа, и началось знакомство, которое продолжается до сих пор, потому что время от времени я возвращаюсь к этим произведениям, находя в них новые особенности, новую глубину.

В своих «Заметках к переводам шекспировских трагедий» Б. Л. Пастернак попытался разгадать тайну личности Шекспира, изучая его описки и повторения «день за днем воспроизводя движения, проделанные великим прообразом». С неопровержимым ощущением подлинности, основанной, в сущности, лишь на внимательном чтении, он нарисовал юность Шекспира, «дни рождения его реализма, увидевшего свет не в одиночестве рабочей комнаты, а в заряженной бытом, как порохом, неубранной утренней комнате гостиницы...». Надеюсь, что никто не заподозрит меня в самонадеянном сопоставлении. Равным образом не сравниваю я и Булгакова с Шекспиром. Хочу только сказать, что увлекательные поиски личности писателя, начавшиеся много лет назад, продолжаются и доныне. Их не могут заменить ни рассказы родных, ни воспоминания друзей. Мне кажется, что, читая Булгакова, я понял значение его иронического и трагического искусства, родившегося из острого ощущения самых фантастических сторон русской жизни, полного изобретательности, беспощадности и благородного риска.

2

Мне всегда казалось, что Чаплин многому научился у русской литературы. Это чувство окрепло и утвердилось, когда я увидел «Диктатора» и «Месье Верду». В этих произведениях соединение смешного и трагического направлено к той цели, которой всегда служила наша литература. Блок определил ее как «указание жизненного пути». И другая черта: историзм. Историчен не только «Диктатор», но даже ранняя «Парижанка», хотя этот фильм не выходит за пределы «сцен личной жизни».

Стоит подумать над этим, читая Булгакова. Оба художника ищут «указаний жизненного пути» с помощью парадоксального смещения жанров. Оба с сознательным пристрастием творчески изучают идею справедливости, проникнутую духом историзма.

Оговорюсь, чтобы не быть ложно понятым. Говоря о русской традиции в искусстве Чаплина, я имел в виду лишь одно ее, недостаточно изученное направление. Кто не знает знаменитой формулы Достоевского: «Все мы вышли из гоголевской «Шинели». Теперь, в середине XX века, следовало бы добавить: «И из гоголевского «Носа». Наметим эту традицию в общих чертах: начиная с загадки «Носа», через мефистофелевскую горечь Сенковского (Брамбеуса), она идет к Салтыкову-Щедрину с его сказками и «Городом Глуповым». Нетрудно найти ее черты в творчестве Владимира Одоевского и Вельтмана. Наиболее полное выражение она находит в роковой неизбежности канцелярских манекенов Сухово-Кобылина, вырастающих до понятия судьбы.

Из наших современников к ней принадлежит, без сомнения, Булгаков, начавший «Дьяволиадой», а кончивший «Мастером и Маргаритой» — романом, которому по своеобычности едва ли найдется равный во всей мировой литературе.

Не знаю, как назвать эту традицию. Трагический гротеск? Важно, что она является метким орудием познания действительности и блистательно воплотила идею справедливости и гуманизма.

Не буду возвращаться к этим соображениям. Все дальнейшее представляет собой их развитие, основанное на примерах.

3

Я невольно завидую свободе, с которой написан роман «Белая гвардия». В нем чувствуется не оглядывающаяся назад, свежая, молодая сила. Ясный, участливый голос звучит естественно, просто.

В этом, самом поэтическом из произведений Булгакова высокое лирическое умонастроение нигде не исключает вседневности, которая воплощена с беспощадностью историка-очевидца. Так написан парад петлюровских войск, врезавшихся в смятенный, разодранный нелепыми слухами, самосудами, грабежами, охваченный истерикой город. Но ничто не смято в описании этой панорамы. Она встает перед глазами с такой скрупулезной точностью, что ее можно долго рассматривать, как рассматривают картины Брейгеля Старшего — та же жизненная правда, те же подробности, как бы не связанные между собой. Это — вйденье беспощадное, зоркое. Но одновременно это еще и ясновиденье, присущее поэзии, и вся книга мягко озарена поэтическим светом. Сны плывут в ней рядом с вседневностью, близко, бок о бок, как бы подчеркивая, что действительность — не сон, даже если она очень похожа на сон.

Алексей Турбин разговаривает во сне с покойным вахмистром Жилиным, все старается узнать, как же целый эскадрон предстал перед апостолом Петром, направляясь в рай: «Как же так, в рай, с сапогами, со шпорами? Ведь у вас лошади в конце концов, обоз, пики?» И оказывается, что можно попасть в рай и с обозом, и в шпорах, и даже с бабами, приставшими по дороге. И большевики попадают в рай, и полковник Най-Турс, впервые появляющийся в этом сне, задолго до того, как, прикрывая бегущих юнкеров, он будет убит на перекрестке.

И Николка Турбин мечется в кошмаре — никак не может выбраться из паутины: «Ну, кругом паутина, черт ее дери... И чего доброго, окутает так, что и не выберешься. Так и задохнешься».

Василий Иванович Лисович, «Василиса», видит сон «нелепый и круглый. Будто бы никакой революции не было, все было чепуха и вздор... Будто бы лето, и Василий Иванович купил огород».

...Ходит вдоль бронепоезда наступающей Красной Армии часовой «с голубыми, страдающими, сонными, томными глазами». Нельзя уснуть, он на посту. Нельзя уснуть — «грозный сторожевой голос выстукивает в груди: «Пост... Часовой... замерзнешь...» И все-таки время от времени он замирает, истомившись, опершись на винтовку, и в легком прозрачном сне видит пятиконечный Марс и неизвестного, непонятного человека в кольчуге и узнает в нем земляка, вахмистра Жилина, того самого, с которым разговаривал во сне Турбин.

Так сны перекликаются, сны подают друг другу руки. И наконец, на последней странице романа неизвестно откуда взявшийся маленький Петька Щеглов видит во сне сверкающий алмазный шар, бежит за ним и догоняет, задыхаясь от радостного смеха. Петька Щеглов, которому Булгаков отдал эту страницу, чтобы читатель не забыл, что жизнь прекрасна.

4

В разговоре с тонким ценителем таланта Булгакова я услышал неожиданный вопрос:

— Как вы думаете, почему Булгаков никогда не писал о любви? Ведь у него нет ни одной любовной сцены. Едва он касается этой темы, его перо теряет свою поистине волшебную силу.

Я согласился с ним, а потом, подумав, не согласился. Да, Булгаков как бы обходил этот мотив или (когда его заставляла необходимость) писал о нем прямолинейно и даже как-то информационно. Так, в сравнении с ослепительностью современных фантасмагорий, в сравнении с пронзительной простотой глав, посвященных древнему Ершалаиму, отношения между Мастером и Маргаритой написаны суховато. Любви нет ни в «Театральном романе», ни в «Роковых яйцах», ни в пьесах, за исключением «Кабалы святош», где, впрочем, изображена не любовь, а страсть, которая не привлекла бы, пожалуй, столь пристального внимания Булгакова, если бы историки не предположили, что Арманда Бежар, в которую без памяти влюбился Мольер, не была дочерью этого великого драматурга.

Очевидно, мой собеседник прав. Но, читая «Белую гвардию», приходишь к выводу, что Булгаков был всецело поглощен другой любовью и писал о ней вдохновенно, самозабвенно.

Нет ничего более естественного, чем любовь автора к своим героям. В «Белой гвардии» это чувство, как набирающий силу лейтмотив, звучит в самой глубине развертывающихся событий. Автор спорит с судьбой, настигающей его героев, ему так смертельно не хочется с ней соглашаться.

С первой страницы начинает звучать этот тон любви, сочувствия, сожаления. После похорон матери: «О, елочный дед, сверкающий снегом и счастьем! Мама, светлая королева, где же ты?»

В размышлениях Николки: «За что такая обида? Несправедливость? Зачем понадобилось отнять мать, когда все съехались, когда наступило облегчение?»

«Эх... Эх...» — горестно вздыхает автор, начиная свой рассказ о нежданно-негаданно свалившихся на семейство Турбиных несчастьях... «Но как жить? Как жить?»

И дальше, удивительно согревая книгу, пойдут эти сожаления, недоуменные вопросы, сочувственные и негодующие восклицания: «Увы, увы! Полковнику Малышеву не пришлось спать до половины седьмого, как он рассчитывал...» — это об измене гетмана.

«Уставшему, разбитому человеку спать нужно, и уже одиннадцать часов, а все спится, спится... Оригинально спится, я вам доложу» — это после кошмара Николки.

Единство между автором и его героями, настоятельное стремление подчеркнуть (хотя и ничуть не навязчиво) эту общность показались бы странными, скажем, в прозе Тургенева или Гончарова. Расстояния нет — вот откуда взялась нежность, с которой написаны Елена, Николка, Мышлаевский — да все, кто заслуживает любви и доверия. Вот откуда доверительность, открытость, с которой он рассказал нам о них.

5

Есть другое расстояние — между бурей гражданской войны и годами, когда создавалась «Белая гвардия»,— поразительно короткое и опровергающее распространенную мысль о том, что об историческом явлении нельзя писать, идя за ним по пятам. Роман был начат через три года после падения Перекопа и кончен через два года после конца гражданской войны.

Равным образом пьеса «Дни Турбиных», которая заняла такое прочное место в советской драматургии, была, по впечатлениям первых зрителей, произведением современным, рассказывающим о социальной группе, разбитой Октябрьской революцией и жадно, но беспомощно искавшей выхода. Перечитайте пьесу в наши дни — и вы увидите, что знак историзма стоит над ее героями, смутно, но остро чувствующими все значение происходящих событий. Недаром пьяный Мышлаевский своеобразно, но по-своему выразительно излагает русскую историю в нескольких словах: «Алеша, разве это народ! Ведь это бандиты. Профессиональный союз цареубийц. Петр Третий... Ну что он им сделал? Что?.. Орут: «Войны не надо!» Отлично... Он же прекратил войну. И кто? Собственный дворянин царя по морде бутылкой. Павла Петровича князь портсигаром по уху. А этот... забыл, как его... с бакенбардами, симпатичный, дай, думает, мужикам приятное сделаю, освобожу их, чертей полосатых. Так его бомбой за это?» Исторична и сама позиция автора — ее верность послужила основой многолетней, непрекращающейся жизни «Дней Турбиных» на сцене. Название пьесы подчеркивает эту позицию. Это именно дни — особенные, запоминающиеся, дни, из которых составляется жизнь.

Булгаков рассказал на двух страницах «Театрального романа» о том, как тот был написан, и эти две страницы, на мой взгляд, являются не чем иным, как изящным руководством для создания инсценировок. Конечно, о «Белой гвардии», пишет он, рассказывая, как «герои, родившиеся в снах, вышли из снов» и разговаривают с ним вечерами. Перелистывая книгу, он присматривается, щурится и с удивлением «убеждается в том, что из белой страницы выступает трехмерная коробочка, в которой горит свет и движутся люди». И вдруг простирается зимняя ночь над Днепром и «выступают лошадиные морды, а над ними лица людей в папахах».

Что-то очень знакомое происходит в волшебной коробочке, и хорошо бы описать то, что в ней происходит. Но как это сделать?

«А очень просто. Что видишь, то и пиши, а чего не видишь, писать не следует. Вот: картинка загорается, картинка расцвечивается. Она мне нравится? Чрезвычайно. Вот я и пишу: картинка первая. Я вижу вечер, горит лампа. Бахрома абажура. Ноты на рояле раскрыты. Играют «Фауста». Вдруг «Фауст» смолкает, но начинает играть гитара. Кто играет? Вон он выходит из дверей с гитарой в руке. Слышу — напевает. Пишу — напевает...

4—1369

...Ночи три я провозился с первой картинкой, и к концу этой ночи я понял, что сочиняю пьесу».

Переход от прозы к драматургии был, вероятно, для Булгакова далеко не так прост. Эти жанры бесконечно далеки друг от друга. Но есть и общая черта: верность понимания истории. Она не противоречит, она совпадает с теми вневременными, общечеловеческими чертами творчества Булгакова, которые обеспечивают его произведениям непрекращающуюся жизнь. И все же для меня «Дни Турбиных» — лишь бледное повторение романа.

«Бег» — вот что было рывком вперед! В этом произведении Булгаков вернулся и развил антитезу «действительность — сон», которая в «Белой гвардии» послужила основой книги.

«Бег» много лет пролежал в архиве драматурга. Теперь пьеса напечатана, поставлена, и, будем надеяться, будет поставлена неоднократно.

Можно — и это, без сомнения, сделает наша критика — сопоставить ее с «Днями Турбиных». Можно наметить черты сходства и различия в композиции и в стиле. Можно доказать, что по сравнению с «Днями Турбиных», в которых подчас проглядывает хроникальность, «Бег» построен стремительно и лаконично.

Но все эти сравнения и сопоставления не передадут того чувства, которое ни на минуту не оставляет вас за чтением «Бега». Это — чувство нового зрения, которое позволяет художнику познать виденное прежде (не только им, а многими, и не однажды, а тысячу раз) в неизвестном доселе, но единственно верном воплощении.

Необычайность, фантастичность, кажущаяся призрачность событий гражданской войны была подмечена не только Булгаковым — ее изобразили и Вс. Иванов и Бабель. На фоне необычайности того, что происходило в стране, такой, например, рассказ Вс. Иванова, как «Дитё» противоречит представлениям устоявшегося дореволюционного мира. Эта фантастичность как бы «названа», удостоверена, определена Булгаковым. О ней-то и написан «Бег».

6

Драматургический жанр обязывает к «ви́денью» как объективной данности, и та близость к герою, которая характерна для «Белой гвардии», в пьесе кажется почти невозможной. Но то, что невозможно в действительности,— возможно во сне, и Булгаков смело идет на это уточнение. Уточнение? Да.

Подзаголовок «Бега» — «Восемь снов». И действительно, подчас начинает казаться сном то, что возникает перед вами на сцене. Но это не сны, а подлинная жизнь, нарисованная зримо, отчетливо и беспощадно. Это — восемь картин, и перед каждой из них стоит эпиграф, не обязательный для драматургии, потому что его нельзя сыграть. (Впрочем, в современном театре можно, пожалуй, сыграть и эпиграф.) Перед сном первым: «Мне снился монастырь...» Перед вторым: «Сны мои становятся все тяжелее...» Перед третьим: «...Игла светит во сне...» Перед четвертым: «...И множество разноплеменных людей вышли с ними...» Перед пятым: «...Янычар сбоит...»[1] (Действие происходит в Константинополе.) Перед шестым: «...Разлука ты, разлука». Перед седьмым: «...Три карты, три карты, три карты...» И перед последним: «...Жили двенадцать разбойников...» (из народной песни). Эпиграфы — позиция автора. Теперь это не близость, не любовь (как в «Белой гвардии»), а грустная ирония, сожаление, горечь. Теперь сны, которые тонкой нитью пронизывают первый роман Булгакова, придавая ему колорит тумана, дымки, морозной мглы, отделились и стали жить самостоятельной жизнью.

Вся сила, вся выразительность пьесы как раз и заключается в том, что нет никакой другой жизни, кроме фантастической. Стало быть, нет и другого выхода, как написать ее со всей достоверностью: иначе никто не поверит.

Стремительный, полный неожиданностей и одновременно удивляющий своей внутренней логикой рассказ о трагическом поражении тех, кто пытался остановить движение истории,— вот что такое «Бег».

(Драматургический жанр представляется понятием вполне определенным, особенно когда вы встречаетесь с произведением, характерные признаки которого позволяют заключить его в границы этого понятия. Но границы эти условны. «Героическая комедия»,— пишет драматург, как бы предупреждая зрителей, что его произведение отнюдь не рассчитано на то, что зрители будут смеяться до упаду. «Лирическая комедия»,— пишет другой, на-

---

[1] «Сбой с ноги, сбой рысака» (Даль). Янычар — имя лошади. Эпиграфы цитируются по машинописи, подаренной мне Е. С. Булгаковой в 1954 году.

деясь, что этот подзаголовок объяснит, а может быть, даже и оправдает приблизительность характеров, сентиментальность, длинноты. Третий пишет нейтральное — «пьеса», рассчитывая, что театр сам разберется в запутанном вопросе.

Толстой объяснял жанровое своеобразие «Войны и мира» не пренебрежением «к условным формам прозаического художественного произведения», а тем, что «русская литература со времен Пушкина не только представляет много примеров такого отступления от европейской формы, но не дает даже ни одного примера противного».)

Как определить жанр «Бега»? То перед вами психологическая драма, то — фантасмагория, почти выпадающая из реальных представлений об окружающем мире. Может быть, вернее всего было бы назвать это произведение сатирической трагедией. Или комедией?

Непостижимую игру ведет жизнь с людьми, оторвавшимися от родной земли. Комическое в этой игре вдруг оборачивается трагедией, а сквозь неподвижную маску медленно сходящего с ума палача проглядывают человеческие черты, в которые вглядываешься с неподдельным волнением.

Превращение человеческого лица в страшную своей неподвижностью маску, социальная острота этого превращения — все, что придает неповторимую оригинальность творениям Сухово-Кобылина, нашло свое отражение в «Беге». Эта пьеса не похожа на другие пьесы Булгакова. Его драматургии свойственны изящество, легкость построения, шутливость, подчас прячущаяся в глубине трагедии. Здесь нет этой игры: один тяжкий «сон» с роковой неизбежностью переходит в другой. За этой неизбежностью, о которой лишь смутно догадываются люди обреченного мира, сквозит такая правда, что одна только эта смелая и грустная правда заставляет задуматься над взлетами и провалами собственной жизни.

7

Подобно тому как ощущение историчности окрашивает жизнь Турбиных, пьеса Булгакова о Пушкине всецело обращена к нам и глубоко современна. Наша любовь к Пушкину пронизывает ее от первого до последнего слова.

У каждого из нас есть свой Пушкин, своя любовь к нему, собственная горечь утраты. В пьесе «Последние дни» Булгаков не захотел вторгнуться в это «тайное тайных» — Пушкина нет среди действующих лиц. Сделал ли он это потому, что не понадеялся на свои, хотя немалые, силы? Зрители замирают, когда раненого Пушкина проносят через сцену — он появляется перед ними в первый и последний раз. Это лучше, чем заставить его (как сделали авторы некоторых пьес) два часа говорить плохими стихами.

В «Последних днях» Пушкин незримо присутствует в каждом слове; исподволь, из картины в картину, его трагедия становится трагедией почти всех действующих лиц, даже тех, кто способствует ей вольно или невольно. Недаром же пьеса кончается монологом сыщика, приставленного к Пушкину и смутно, сквозь весь туман николаевского строя чувствующего величие гения и тяжесть утраты.

«Битков. Что это меня мозжит?.. Налей-ка мне еще... Что это меня сосет?.. Да, трудно помирал. Ох, мучился. Пулю-то он ему в живот засадил...

Смотрительша. Ай-ай-яй...

Битков. Да, руки закусывал, чтобы не крикнуть, жена чтобы не услыхала. А потом стих. (*Пауза.*) Только, истинный бог, я тут ни при чем. Я человек подневольный, погруженный в ничтожество... Ведь никогда его одного не пускали, куда он, туда и я... ни на шаг... А в тот день меня в другое место послали, в среду-то... Я сразу учуял,— один чтобы. Умные. Знают, что сам придет куда надо. Потому что пришло его время. Ну, и он прямо на Речку, а там уж его дожидаются. (*Пауза.*) Меня не было».

За этими наивными словами — и тоска, и угрызения совести, раскаянье, и внезапное, поражающее зрителя открытие, что этот самый ничтожный из преследователей Пушкина любит его и знает, что никому не уйти от ответственности за преступление века.

8

Пьесу «Кабала святош» невозможно отделить от всей «Мольерианы» Булгакова, занимающей в его жизни огромное место. Он написал роман «Жизнь господина де Мольера», пьесу «Кабала святош» и пьесу «Полоумный Журден». Он перевел «Скупого». Можно смело сказать, что он был «потрясен» любовью к Мольеру, подобно Меджнуну, потрясенному любовью к Лейли. Это было чувство, развивавшееся вместе с его дарованием — и увы — безнадежное, потому что ему так и не довелось увидеть ни на сцене, ни на страницах книг своих, рожденных этим чувством, произведений. Таким образом, сравнение с Меджнуном, погибающим от безнадежной любви, только кажется нарочитым.

Говоря о «Кабале святош», нельзя обойти роман «Жизнь господина де Мольера», прежде всего потому, что в нем с убедительной непосредственностью сказался талант драматурга. Я имею в виду не только тонкое, чисто профессиональное понимание работы Мольера. Вся книга написана как монолог. Автор как бы представляет читателю своего героя. Да и не только его,— Мадлену Бежар — любовницу, Арманду Бежар — жену, короля Людовика, друзей и врагов.

С проницательностью историка он взвешивает сомнительные факты его биографии. Отсутствие фактов он убедительно дополняет воображением.

Но почему Булгаков с таким душевным напряжением относился к Мольеру? Потому что величайший в мире комедиограф, над пьесами которого в течение трех столетий покатывались со смеху, прожил страшную, трагическую жизнь — и в пропасть этого несоответствия не мог не заглянуть Булгаков. Открывая для себя Мольера, он открывал самого себя. В пьесе это выразилось с большей силой, чем в романе. Экономия драматургии заставила Булгакова сосредоточить все усилия на главной теме — борьбе за право самовыражения в искусстве.

На этот раз из белых страниц романа «Жизнь господина де Мольера» не выступает «волшебная камера, в которой говорят и движутся люди». Изящное руководство для создания инсценировок не помогло написать «Кабалу святош». Это не инсценировка, не отражение, о сходстве которого с подлинником можно спорить. Отброшена драматургия слов, приблизительность фантасмагорий. С непостижимой смелостью изображена в «Кабале святош» отравленная, не терпящая правды общественная атмосфера, стремящаяся создать собственное, ползающее искусство. Лицом к лицу поставлены Мольер и страх, который должно преодолеть или погибнуть. Боятся все. К любому чувству присоединяется ставшая почти привычной естественность страха. Страшна вежливость, подозрительна и страшна доброта. Все возможно в атмосфере доносов, неуверенности в завтрашнем дне, напрасных попыток угадать пристрастия и причуды мнимого гения, короля-Солнце. Что он сделает, куда кинется? Но куда бы он ни кинулся, все признано безупречным, вдохновляющим, необычайным. Король даже не приказывает, он просто говорит в пространство, его приказы не нуждаются в адресах. «Франция, господин Мольер, перед вами в кресле. Она ест цыпленка и не беспокоится». Король шутит — не дай бог ошибиться, переоценить или недооценить его шутку! Вера в Священное писание вооружена, оснащена, для нее все средства хороши, в ее мнимой добровольности — постоянная, все возрастающая угроза. Мольер — один против короля, против черных ряс, против Одноглазого с его не знающей промаха шпагой.

В пьесе, как и в романе,— трагедия художника, который, мнимо изменяясь под давлением времени, гибнет, потому что остается самим собой.

В последнем акте, доведенный до полного отчаянья, он проклинает тиранию. «Что еще я должен сделать, чтобы доказать, что я червь?» Мушкетеры убивают привратника и врываются в театр. Зловещие маски насилия и невежества смутно, но грозно мерещатся актерам. Но «разве можно начать последний спектакль и не доиграть?». Сцена давно стала жизнью. Мольер наконец играет самого себя. Когда он падает, зрители кричат: «Деньги обратно!» Но актер мертв, а мертвые не возвращают денег. И не деньгами, а бессмертием расплачивается с человечеством Мольер, сраженный в борьбе за свободу искусства.

9

«Сударыня,— говорю я,— осторожнее поворачивайте младенца... По прошествии трех веков, в далекой стране, я буду вспоминать о вас только потому, что вы сына господина Поклена держали в руках... Этот младенец станет более известен, чем ныне царствующий король ваш Людовик XIII, он станет более знаменит, чем следующий король, а этого короля, сударыня, назовут Людовик Великий или король-Солнце...»

Так начинается роман «Жизнь господина де Мольера»;

автор разговаривает с акушеркой, которая держит на руках только что родившегося, недоношенного младенца.

Сперва рассказано о его будущем, о славе, потом начинается история его жизни. Пролог напоминает камертон, к звуку которого на протяжении всей книги прислушивается Булгаков. Она вся написана в тональности диалога: иногда — между автором и читателями, иногда — между автором и его героями. Без изящного и, одновременно, властного вмешательства автора не обходится ни одна глава. Лицом к лицу — Булгаков отказывается от других отношений.

Так, перенося нас из семнадцатого в двадцатый век, он представляет своего героя. «Я жадно вглядываюсь в этого человека. Он среднего роста, сутуловат, со впалой грудью. На смуглом и скуластом лице широко расставлены глаза, подбородок острый, а нос широкий и плоский. Словом, он до крайности нехорош собой. Но глаза его примечательны. Я читаю в них странную всегдашнюю язвительную усмешку и в то же время какое-то вечное изумление перед окружающим миром. В глазах этих что-то сладострастное, как будто женское, а на самом дне их — затаенный недуг. Какой-то червь, поверьте мне, сидит в этом двадцатилетнем человеке и уже теперь точит его».

В такой же тональности показаны Мадлена и Арманда Бежар, король Людовик, друзья и враги.

10

Любопытно, что разговорная манера со всем богатством ее интонаций не помешала Булгакову сделать множество критических замечаний, оценивающих композицию и стиль мольеровских пьес. История работы дана в сопоставлении: сперва — жизнь, потом — пьеса, которая возникает в результате того или другого отношения к жизни. Так построена, например, глава «Оплеванная голубая гостиная». Сперва — картина голубого салона госпожи де Рамбуйе, потом — тот же салон, осмеянный в знаменитой пьесе «Смешные жеманницы».

Отношение Мольера к жизни, как известно, было разным: в молодости оно сопровождалось стремлением пробиться, чего бы это ни стоило, или, проще сказать, заработать достаточно денег, чтобы создать собственный театр — и не где-нибудь, а в Париже; в годы зрелости оно определилось стремлением утвердить себя как художника. А этого можно было достигнуть только в непрекращающейся борьбе с врагами.

11

«...С течением времени колдовским образом сгинули все до единой его рукописи и письма. Говорили, что рукописи погибли во время пожара, а письма будто бы, тщательно собрав, уничтожил какой-то фанатик. Словом, пропало все, кроме двух клочков бумаги, на которых когда-то бродячий комедиант расписался в получении денег для своей труппы».

Зато сохранившаяся, добытая изучением истории жизнь Мольера известна Булгакову во всех подробностях — и он рассказывает ее изящно, свободно. Громадное знание материала не давит читателя, не ложится на его плечи, не внушает совестливую мысль: «Ничего не поделаешь, надо прочесть». Не надо, а хочется прочесть, узнать, полюбить. Именно полюбить, потому что книга Булгакова внушена поэтической любовью к Мольеру, которая передается читателю, едва он входит в историю этой трагической и поучительной жизни.

12

Да, величайший в мире комедиограф, над пьесами которого в течение трех столетий покатывались со смеху — и от души смеются до сих пор, прожил страшную и трагическую жизнь. Прежде всего — это трагедия зависимости. Найти покровителя — вот единственная возможность удачи. И они находятся: сперва принц Конти, скучавший со своей любовницей в замке Де ла Гранж и обрадовавшийся, что появилась возможность развлечь ее труппой бродячих комедиантов. Потом Филипп Орлеанский, брат короля, и, наконец, сам король. У каждого покровителя свои вкусы. Король, например, любит балет, интермедию, танцы — так любит, что в одной из пьес Мольера выступает в качестве танцора. К сожалению, эта вполне простительная склонность превращает комедии Мольера в комедии-балеты и заставляет его вставлять театральные интермедии там, где они совсем не нужны.

Это трудно: танцы далеко не всегда ложатся в композицию пьесы, их нужно вставлять насильно, и тогда упрямая композиция не гнется, а ломается. Но есть другой способ возвращать пьесы к жизни. «Способ этот издавна известен драматургам и заключается в том, что автор под давлением силы прибегает к умышленному искалечению своего произведения. Крайний способ! Так поступают ящерицы, которые, будучи схвачены за хвост, отламывают его и удирают. Потому что всякой ящерице понятно, что лучше жить без хвоста, чем вовсе лишиться жизни».

Впрочем, поразительно не то, что Мольер был вынужден искажать свои пьесы: у врагов были армия и флот, миллионы франков, цитадели и арсеналы самой воинственной из религий. Поразительно то, что, несмотря на это могущественное противодействие, он писал то, что хотел, и почти всегда ставил то, что писал. Такова, например, история «Тартюфа», который был запрещен, прежде чем Мольер его закончил: «Что же сделал автор злосчастной пьесы? Сжег ее? Спрятал? Нет. Оправившись после версальских потрясений, нераскаявшийся драматург сел писать четвертый и пятый акты «Тартюфа».

Мольеру повезло, кажется, только в одном отношении,— впрочем, следует считать, что это была удача не для него, а для нас. Однажды в его труппе появился молодой человек по фамилии Лагранж, который, отличаясь педантичным характером, стал ежедневно записывать все, что касалось театра Мольера и, разумеется, его самого. Этот так называемый «Регистр Лагранжа» — один из немногих достоверных источников «Мольерианы». Булгаков пользовался им, как все другие исследователи жизни и творчества великого драматурга. Но среди этих исследователей подлинными художниками были лишь немногие. Булгаков нашел в сухом перечне событий драгоценный материал для психологического портрета Мольера.

Что это за глубокий, изящный и точный портрет! Это не памятник, в котором за каменной неподвижностью не разглядишь историю жизни. Это именно портрет, чем-то похожий на рембрандтовские, когда, вглядываясь, вы понимаете всё — удачу, безнадежность, падение, упорство. Булгаков ничего не скрывает и не украшает. «Вот он, мой герой, стоит под венцом с девушкой, которой он вдвое старше и о которой говорят, что она его собственная дочь. Орган гудит над ними мрачно, предсказывая всевозможные бедствия в этом браке, и все эти предсказания оправдаются!»

«Жизнь господина де Мольера» — это и биография,

и роман, и историческое исследование, основанное на превосходном знании материала. Одновременно это ни то, ни другое, ни третье, в особенности если вспомнить, что интонационная манера, окрашивающая каждую страницу, является, как известно, принадлежностью театра. Но что такое в наше время жанр? Вторжение театра в прозу произошло, в сущности, давно, еще в те времена, когда внутренний монолог утвердился в мировой литературе как чтение вслух признаний героя. Теперь на наших глазах происходит обратное: проза вторгается в театр. То, что у Бернарда Шоу было сценической ремаркой, ворвалось на сцену и победоносно распоряжается и зрителем и актером. Так, в пьесах Артура Миллера широко используются характерные черты прозы. Извечным, казалось бы, законам сцены больше не подчиняются ни время, ни пространство.

13

Будущий исследователь с изумлением отметит ту неукротимую энергию ненависти, с которой Булгаков относился к тупицам и пошлякам. Он смеялся над беспредельной привязанностью ничтожных людей к столь же ничтожному быту. Он с тайным ожесточением изобретал фантастические обстоятельства, перед которыми они становились в тупик, открывая всю пустоту душ — «дырявых, глухонемых, прожженных» (Е. Шварц).

В «Иване Васильевиче» эти люди оказываются перед лицом катастрофы, и главная мысль пьесы заключается в том, что эта катастрофа, которая может только присниться, ничего не изменяет в их бессмысленном существовании.

Машина времени переносит в палату Иоанна Грозного Буншу, управдома, тупого человека, говорящего языком жактовских постановлений, и Милославского, веселого вора-оптимиста. Управдом вынужден играть роль Иоанна. Он посылает опричников «выбить крымского хана с Изюмского шляха». Он принимает шведского посла и отдает Швеции Кемскую волость. Он ведет государственный разговор с патриархом. И все получается, несмотря на то, что Бунша необычайно, поразительно глуп. Умный вор помогает ему. Будь управдом менее глуп, он и без посторонней помощи управился бы с дьяками, которые ежеминутно кидаются в ноги, с опричниками, которым можно приказать что угодно, с патриархом, у которого вор крадет с груди панагию. Порядки таковы, что управиться, в общем и целом, не так уж и трудно. Шведский посол говорит по-немецки, и, когда Милославский требует переводчика, дьяк отвечает: «Был у нас толмач-немчин, да мы его анадысь в кипятке сварили». Князя Милославского незадолго до появления его однофамильца в царской палате вешают на собственных воротах. Забавный контраст между двумя эпохами, основанный на остром столкновении современного полублатного-полуканцелярского языка с велеречием старой Руси, начинает выглядеть не таким уж забавным.

Так в легкой комедии, почти буффонаде, проступает намеченный пунктиром второй план и становится ясной мысль, что для разумного управления мало умения отдавать приказы.

14

Роман «Мастер и Маргарита» нельзя назвать последней книгой Булгакова. Он писал его в течение 12 лет, с 1928 по 1940 год. Он неоднократно возвращался к нему, исправлял одну страницу, дополнял или переписывал другую,— умирая, едва ли был уверен в том, что книга завершена. Замечу, что вся его литературная деятельность продолжалась лишь немногим более пятнадцати лет. Следовательно, широко развернутый фронт этого романа пересекался другими замыслами, и дело будущих исследователей определить место этих взаимосвязей.

Я уже говорил о парадоксальной традиции, связавшей Гоголя с Сенковским, а Сухово-Кобылина с Щедриным, которого Булгаков недаром считал своим учителем. В «Мастере и Маргарите» эта традиция вспыхнула с новым блеском, сохранив свою определяющую черту — торжество справедливости как награда за перенесенные страдания. Этот блеск более всего, быть может, сказался в том, что никогда еще фантастические персонажи не были так «заземлены». В грандиозной, многозначной, веселой и загадочной (чем-то напоминающей Босха) панораме романа они ведут себя как на сцене: играют людей со всеми их слабостями, озорством, обидчивостью, гордостью и жеманством. Они получили, как верно заметил В. Лакшин, «черты человеческих характеров, характеров комических, рельефных до осязаемости»[1]. О них можно ска-

[1] Новый мир. 1968. № 6.

зать, что они написаны маслом, в то время как лица реально существующие — пастелью. Так, о личности, о пристрастиях и надеждах, о внутренней жизни Маргариты Николаевны мы не узнаем почти ничего. В замысле романа она была, без сомнения, воплощением любви, которая «выскакивает, как из-под земли выскакивает убийца в переулке», которая поражает, как молния, как финский нож. Но об этой любви лишь рассказано, и рассказано с оттенком иронии, которую в «Белой гвардии» и вообразить невозможно.

Вот как, например, комментирует автор горькие сожаления Маргариты: «...в самом деле, что изменилось бы, если бы она в ту ночь осталась у Мастера? Разве она спасла бы его? Смешно! — воскликнули бы мы, но мы этого не сделаем перед доведенной до отчаянья женщиной».

И первая встреча Мастера и Маргариты — сцена с желтыми цветами — не показана, а тоже рассказана, причем в буквальном смысле этого слова: в сумасшедшем доме Мастер рассказывает о ней Ивану Бездомному. Сцена трогательна в подробностях. Однако не странно ли, что о любви Мастера впервые узнает человек, ничем с ним не связанный, случайный, далекий?

Но, может быть, Булгаков и не стремился со всей психологической глубиной изобразить героев ежедневной обыкновенной жизни? Нет, стремился. И в одном, центральном образе задача решена оригинально и смело.

Человек, отказавшийся не только от своей фамилии, но и «от всего в жизни», темноволосый, с острым носом и со свешивающимся на лоб клоком волос, в засаленной черной шапочке, перебрасывает мост между первым и двадцатым веками. Этот мост — роман о Понтии Пилате, рукопись которого была брошена в огонь и которую мы читаем, потому что, как утверждает Воланд, «рукописи не горят».

Конечно, это не обрывки, не отдельные страницы, выхваченные из огня Маргаритой. Это небольшая, но вполне законченная, глубоко продуманная книга.

Можем ли мы, читая эту книгу, судить о ее авторе? Да. Глядя в нее, как в зеркало, мы видим черты высокого ума, могучей воли и страдающего, нежного сердца. Похож ли он на того растерянного, глубоко потрясенного человека, который ночью, в психиатрической больнице, исповедуется перед незнакомым человеком? Похож ли он на безумца, который заболел от страха, «овладевшего каждой клеточкой его тела»? Надолго потеряв любимую женщину, он вновь появляется перед ней в больничном халате, в туфлях, в черной шапочке с вышитой на ней буквой «М». Эта буква — последний символ прошлого, рухнувшего в бездну: «Небритое лицо его дергалось гримасой, он сумасшедше-пугливо косился на огни свечей, а лунный поток кипел вокруг него». На вопрос Воланда: «Кто вы такой?» — Мастер отвечает: «Я теперь никто».

Но не Никто написал книгу о казненном на Лысой горе бродячем философе Иешуа Га-Ноцри! Ее написал человек неслыханной смелости, и не страх, а мужество водило его пером, когда он без вызова, без спора вступил в единоборство с религиозной легендой, существующей почти две тысячи лет, устоявшейся, воинствующей, владеющей сознанием миллионов. Впрочем, это даже не единоборство. Это — строгое стремление к простоте, как бы не касающееся легенды и предлагающее свой естественный, исторически обоснованный вариант. Иешуа Га-Ноцри — не богочеловек, который «восстал из мертвых, смертию смерть поправ», не создатель нового вероучения, а нищий, без рода и племени, одинокий, застенчивый, пугливый, огорченный более всего тем, что его единственный последователь записывает совсем не то, что он говорит, и что «путаница эта будет продолжаться еще долгое время».

И не только мужество, соединенное с первоначальностью взгляда, нужно было Мастеру, чтобы написать свою книгу. Она проникнута железной логикой, ее главы связаны твердой рукой, отношения между действующими лицами развиваются в атмосфере неумолимой психологической правды. Действие, рассчитанное по часам, происходит в течение суток.

Но зачем он написал эту книгу о Христе — книгу, в которой нет ни нагорной проповеди, ни воскрешения из мертвых, ни вознесения на небо? Он написал ее, чтобы показать, что истина — рядом, на земле, под ногами, и что для того, чтобы найти ее, надо только наклониться.

«Что такое истина?» — спрашивает у бродяги прокуратор Иудеи Понтий Пилат и получает ответ: «Истина прежде всего в том, что у тебя болит голова, и болит так сильно, что ты малодушно помышляешь о смерти».

Другая цель — идея добра, основанная на той высшей любви, к которой с первого дня рождения приговорен человек. «Злых людей нет на свете»,— говорит Иешуа, и для того, чтобы человечество могло убедиться в этом, существует Слово. Книга Мастера и есть это Слово с большой буквы, и написана она так, как будто не надо было никакого искусства, чтобы ее написать. Она тоже как будто поднята с земли — и личность Мастера в этом искусстве сказалась, может быть, с наибольшей силой.

Так встает перед нами со страниц маленького «романа в романе» подлинная личность художника, никого ни в чем не убеждающего, далекого от тщеславия и не нуждающегося в признании. Разумеется, я далек от мысли, что книгу о бродячем философе, казненном на Лысой горе, можно рассматривать как отдельное произведение, независимое от всего романа Булгакова в целом. Мастер, создавший «Мастера», находится с ним в сложных отношениях. Он убежден, например, что зло и трусость заслуживают возмездия. Недаром же в течение двух тысячелетий сидит Понтий Пилат в каменном кресле на безрадостной плоской вершине, терзаясь ненавистью к своему бессмертию и расплачиваясь двенадцатью тысячами бессонных ночей за одну лунную ночь с четырнадцатого на пятнадцатое весеннего месяца нисана...

15

Преувеличенный интерес к личной жизни писателя — не лучшее достижение XX века. Человечество ничего не потеряло, так и не выяснив, кто написал «Короля Лира» — лорд Бэкон или некий легендарный актер, и потеряло бы бесконечно много, если бы трагедия не дошла до нас. Внимательное чтение дает больше для понимания личности писателя, чем знание его биографии, потому что в биографии отражается то, чем он похож на все остальное человечество, а в его искусстве — то, чем он непохож.

Читая Булгакова, можно представить себе его жизнь и его личность — не ту личность, существо которой определяется анкетными данными, а личность литературную, позицию в литературе, взгляд на жизненную задачу.

Я всматриваюсь в его фотографии: над чем подсмеивается автор «Записок юного врача» — уж не над собственной ли растерянностью перед нелепостями устоявшейся за сотни лет деревенской жизни? С грустью или иронией смотрит на меня автор «Кабалы святош» — морщины прямым углом глубоко отчеркнули надбровные дуги. Другая фотография — перед вами веселый человек, всегда готовый посмеяться над собственными затруднениями, устроить игру, превратить в водевиль неудачу. Это автор «Театрального романа», «Багрового острова». И вдруг меняется умное лицо: художник, понимающий, что неискренность, искательство, лесть — плохие советники в литературе, предсказавший многие открытия Артура Миллера и Арнольда Уэскера, задумчиво смотрит на вас, прислушиваясь к свинцовым шагам истории: «Ну-с, а что вы думаете о судьбах России, о судьбах искусства?..»

16

В своей книге «Драматические сочинения» С. А. Ермолинский слишком высоко оценил мои заслуги в восстановлении имени М. А. Булгакова. Я уже рассказал в своей речи на Втором съезде писателей, как многим обязана советская драматургия тому, что он сделал. Это произвело впечатление, потому что о Булгакове много лет не упоминали в печати. Я назвал не только Булгакова, но и Тынянова, о котором тоже почему-то не упоминали лет десять. Так и теперь, кстати сказать, не мешало бы вспомнить и Бабеля, и Ю. Олешу — писателей-новаторов, без которых невозможно вообразить себе советскую литературу. Но вернемся к Булгакову. Вовсе не вскоре после моей речи на съезде вернулись и оценили его. Прошло еще немало лет, прежде чем вдова Михаила Афанасьевича получила возможность создать комиссию по литературному наследию мужа.

Его книги после 1926 года стали выходить лишь в 1955 году. Стало быть, через 30 лет. Все эти годы (до самой смерти в 1940 году) он, как известно, работал — писал либретто для балетов и опер, служил помощником режиссера в Художественном театре.

Необходимо отметить, что в этой истории постепенного узнавания Елена Сергеевна сыграла роль умного, настоятельного, осторожного «толкача»,— в противном случае мы познакомились бы с творчеством Булгакова еще десятью годами позже. С уважением и восхищением я следил за ее неустанной деятельностью. Стоит прибавить к этому, что Елена Сергеевна была человеком необыкновенным. Она была очень хороша собой и обладала несомненным дипломатическим даром. Не буду перечислять других ее достоинств — это отняло бы слишком много места.

Дело в том, что отношение к Булгакову и его наследию менялось. Прежде чем окончательно установиться, оно претерпело ряд перемен. Сложная биография Булгакова как бы отбрасывала тень на все, что он написал. И надо было осторожно, никого не обижая, отвести эту тень. Так и поступила Елена Сергеевна. Она действовала тонко, но настоятельно и изящно. Более того, она сумела привлечь в комиссию по литературному наследию Булгакова видных деятелей литературы и искусства. И тут для меня пришла пора стать рядовым членом комиссии, который способен делать смелые предложения и предлагать то, что у всех было на языке, но о чем говорить не решались.

Еще в середине тридцатых годов Булгаков написал замечательную книгу — превосходную биографию Мольера для серии «Жизнь замечательных людей», основанной Горьким. С увлечением перечитав эту нимало не устаревшую книгу, я решил поступить просто: позвонить руководителю серии — деятельному и умному Ю. Н. Короткову — и спросить его, не хочет ли он провести вечер над чтением очень интересного маленького романа.

Он согласился и на следующий день отправил роман в производство. В том, что комиссия не стала бы возражать, я не сомневался.

Что касается «Мастера и Маргариты» — книги, которая дважды была иллюстрирована друзьями до ее издания и с которой некоторые члены комиссии были знакомы,— она оставалась одним из немногих произведений Булгакова, о которых давно ходили таинственные слухи, отнюдь не побуждавшие кого-нибудь заговорить о нем первым. Наши заседания проходили как маленькие банкеты, на которых приятно было бывать — с вином, фруктами и прекрасно приготовленным ужином,— Елена Сергеевна не упустила и эту сторону дела. Вот на таком-то заседании-банкете я и заговорил о «Мастере и Маргарите». Заговорил неожиданно, без предварительной подготовки, ни о чем заранее не подумав и ни на что не рассчитывая. Но речь, довольно длинная, оказалась недурной. Я обрисовал смысл и значение этой книги и предсказал ее всемирный успех. Должно быть, я говорил убедительно, хотя и бессвязно, потому что Елена Сергеевна, прощаясь (мы были наедине в передней), обняла и поцеловала меня. Но конечно, ничего еще не было решено. Вопрос был как бы поставлен. Но лиха беда начало — о книге широко заговорили. И неожиданно редактор журнала «Москва», прочтя роман, напечатал его — с некоторыми купюрами, в основном восстановленными в последующих изданиях.

В письмах Елены Сергеевны[1] отражена эта история или, точнее сказать, ее тень, потому что и писем больше, и борьба за «Мастера и Маргариту» была бесконечно более сложной.

Иногда мне кажется, что самым мощным союзником, принимавшим участие в восстановлении имени Булгакова, был сам Булгаков. О его прозе и драматургии долго не писали потому, что их долго не читали. С 1926 года по 1955-й длился период молчания, и тогда только поняли, что не только читать его, но и писать о нем — наслаждение.

Чудо его таланта жило рядом с нами. С его вторым рождением свежий воздух ворвался в нашу литературу, и стало легче работать и жить, потому что растаяла привычка к тесноте и появилась необходимость оглянуться на собственную работу, сравнивая ее с тем, что было сделано им.

17

О М. Булгакове написано много: эссе, заметки, диссертации докторские и кандидатские и в нашей стране, и за рубежом. Но если подавляющее большинство этих работ положить на одну чашу весов, а на другую — сравнительно небольшой труд С. Ермолинского, он, по моему мнению, перетянет.

Дело в том, что все эти многочисленные исследователи невольно рассматривали творчество Булгакова без знания его как человека или, в лучшем случае, пользуясь приблизительным знанием.

Восточная пословица говорит: «Великое несчастье, когда нет истинного друга». Среди многочисленных неудач Булгакова (чтобы перечислить их на странице, не хватило бы места) в одном отношении ему решительно повезло. Он встретился и на всю жизнь сошелся с С. Ермолинским — истинным литератором, строгим ценителем искусства, много работавшим в прозе, драматургии и кинематографии.

---

[1] См. в моей книге: Письменный стол. М.: Сов. писатель, 1985.

Дружба бывает разная: кто из нас не помнит пушкинское «Воспоминание»:

> Я слышу вновь друзей предательский привет
> На играх Вакха и Киприды.

Десятки исследователей пытаются разобраться в сложных отношениях поэта с Н. Раевским, с Жуковским и даже с Гоголем, которому Пушкин подарил сюжет «Мертвых душ», не потребовав за это золотой портсигар.

Но нечего будет делать историкам литературы, если кому-нибудь из них придет в голову заняться историей отношений между М. Булгаковым и С. Ермолинским. Это сделано, и сделано с блеском. Никому из них никогда не удастся лучше рассказать, какую роль сыграла эта дружба в жизни одного из самых талантливых писателей современности. Говорят, что истинная любовь слепа. Но С. Ермолинский любил своего друга отнюдь не слепо. Он внимательно всматривался в каждое движение его души и уж конечно в каждую написанную им строчку. Ему удалось то, что едва ли могло удасться тем, кто пытался познать личность Булгакова по его произведениям. Можно смело сказать, что трагически-счастливая жизнь Михаила Афанасьевича вошла в его душу и, может быть, незаметно для него самого сделала его бесконечно богаче. Ведь заразительны не только зло, ненависть, честолюбие, жестокость. Заразительны и честь, и мужество, и желание добра, и гордость. Вот на чем были незримо построены эти отношения — на обмене мыслями и чувствами, на советах в трагических обстоятельствах, на тонкости в стремлении оставить неразгаданное — неразгаданным, на глубоком (насколько это возможно) понимании друг друга.

Статья С. Ермолинского не историко-литературное произведение, хотя и не сомневаюсь, в дальнейшей «булгаковиане» исследователи волей-неволей должны будут ссылаться на этот «исповедальный отчет».

М. Булгаков всю жизнь испытывал страстное стремление раскрыть перед читателем правду,— этот свет правды озаряет то, что о нем написал С. Ермолинский.

Можно было бы еще много сказать об этой работе, которая поднимает автора на высоту выразительной прозы. Но еще одно соображение высказать решительно необходимо: мы много говорим о том, что надо найти новый, единственно верный синоним для понятий истины, мужества, чести — синоним, который тронул бы молодое сердце. Так вот, не надо никаких синонимов: надо воочию, вживе показывать жизнь таких людей, как Булгаков,— людей, посвятивших себя рыцарской верности, небоязни трудностей и умению восхищаться, радоваться жизни, несмотря ни на что. Именно таким и показал нам С. Ермолинский великого писателя — с его любовью к людям, с его беспредельным трудолюбием, с его трогательной благодарностью за «дар жизни», который (к счастью для нас) вдохнула в него природа.

М. О. Чудакова рассказала мне (со слов Елены Сергеевны) трогательную историю, которая при всей ее простоте говорит о многом. Булгаков погребен на Новодевичьем кладбище, и Елена Сергеевна часто посещала его могилу. Приехала она и вскоре после того, как был опубликован роман «Мастер и Маргарита». Приехала, мысленно поздравила покойного мужа с долгожданным событием (которого он не дождался) и встретила неизвестного человека, который при ней положил на могилу цветы. Она подошла к нему, поблагодарила и записала фамилию и адрес. Через несколько дней скромный поклонник Михаила Афанасьевича получил по почте крупную сумму денег. От кого же? От Булгакова. Он не сомневался, что его лучшая книга будет опубликована. «И когда это произойдет,— сказал он Елене Сергеевне,— пошли часть гонорара тому, кто первый принесет цветы на мою могилу».

1983

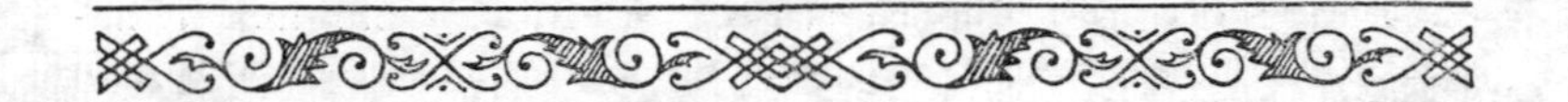

ЭСКИЗ К ПОРТРЕТУ

В двадцатых годах образ Эренбурга возникал передо мной в слегка туманном освещении, как бы в клубах дыма от его тринадцати трубок.

О нем много и охотно говорили: он — человек богемы, он с утра сидит в кафе, за окном — Париж, Мадрид, Константинополь. Гора исписанной бумаги не помещается на маленьком столике, листки падают на пол, он терпеливо подбирает их, складывает и снова исчезает в клубах дыма. Он — европеец, улыбающийся уголком рта, он — воплощенье равнодушия, сарказма, иронии. Он — путешественник, журналист, легко пишущий книгу за книгой.

Через много лет несколько строк в книге «Люди, годы, жизнь» показали мне, как я ошибался: «...Был я бледен и худ, глаза блестели от голода... Годы и годы я ходил по улицам Парижа с южной окраины на северную: шел и шевелил губами — сочинял стихи».

1

Появление «Хулио Хуренито» памятно всем. На два или три экземпляра, попавших в Петроград, записывались в очередь за несколько месяцев вперед — в две-три недели Эренбург стал известен; больший или меньший успех сопровождал с тех пор каждый новый его роман. Это, разумеется, не случайный успех — занимательная книга нравится читателю.

«Хулио Хуренито» считают без особенных оснований романом.

Более основательным (и остроумным) является известное мнение о том, что «Хулио Хуренито» — огромный фельетон (М. Шагинян, «Литературный дневник») на самые разнообразные темы общественной, политической, семейной и личной жизни автора за последнее десятилетие.

Но фельетон почти всегда недолговечен, он живет, пока живет материал, вызвавший его к жизни, он лишен той охраняющей условности, в которой воспринимаются литературные произведения. Именно в этой недолговечной фельетонной рамке прожил свой короткий век «Хулио Хуренито».

Время показало, как я ошибался. Долгая жизнь этой книги — неоспоримое и характерное явление в нашей литературе. Роман, который читается и в наши дни, поражает своим пророческим смыслом.

2

...Временная неудача сюжетного романа («Любовь Жанны Ней») объясняется, по-моему, отнюдь не «порочностью» сюжетности как современного жанра, а тем, что в современной прозе еще не появилось ни одного сильного сюжетного произведения. Пафос сюжета как изобретения остался неизвестен современной русской прозе. Этот пафос был подменен насильственным «сопряжением событий» — от «Гиперболоида инженера Гарина» А. Толстого до «Месс-Менд» М. Шагинян. Русская сюжетная проза осталась обетованной землей, которая еще не открыта нашими современными писателями.

Создание характеров, именно характеров, а не «героев» — вот новая цель. Трудно говорить о границах и возможностях едва наметившегося направления, но уже и теперь можно утверждать, что в его развитии значительную роль может сыграть последний роман Эренбурга «Рвач».

Герой «Рвача» (1925) — Михаил Лыков, сын лакея, последовательно проходит все фазы последних девяти лет: он — левый эсер, потом коммунист, потом исключен из партии; он участвует в Октябрьской революции, потом становится красноармейцем. Когда кончается гражданская война, он поступает на рабфак: нэп увлекает его, он начинает спекулировать, поступает с подозрительными целями на службу в один из трестов, едет за границу, совершает десятки преступлений и, наконец, попадает в тюрьму. Суд приговаривает его к десяти годам заключения, но не проходит и полугода, как он разбивает себе голову о стену.

С уверенностью, которая убеждает в том, что в этом романе Эренбург шел не от объекта имитации, а от самого материала (представленного в романе так обильно, что он начинает казаться как бы советской энциклопедией), Эренбург освобождает себя от необходимости, продиктовавшей ему сложную задачу в «Любви Жанны Ней». Он как бы излагает хорошо известную ему историю, не заставляя даже своих героев говорить между собой; самый тон хроники, на фоне которой протекает жизнь главных персонажей романа, позволяет автору говорить «за» своих героев и описывать их чувства так, как будто все это происходит на кинематографическом полотне перед ним. Лента разматывается, не обрываясь, и только немногочисленные титры, заменяющие диалоги, изредка прерывают спокойное, ироническое повествование.

Как добрая нянька, автор внимательно следит за всеми обстоятельствами жизни своих персонажей. Он своевременно предупреждает читателя: «Мы подходим к четвертому эпизоду, достаточно позорному для нашего героя», или: «Мы предостерегаем читателей, склонных заподозрить Михаила в обычном карьеризме», «Беспощадно разоблачая жизнь Михаила, мы...»

Именно этот реквизит хроники дает широкие возможности для создания характера.

Путь, которым идет Эренбург, по существу исчерпывается средствами тематического контраста, представляющими собою простой стилистический прием: сближение несовместимых вещей и понятий. Столкновение двух планов неоднократно встречается и в «Курбове», и в «Жанне Ней» (например, чистая любовь в грязном номере отеля,— Андрей и Жанна, Курбов и Катя). Но в «Рваче» этот прием не только развит, но и устремлен к той же цели создания характера, которой проникнут весь роман.

Биография Лыкова дается толчками: нарастание одного положения, убеждающее читателя в той или иной черте характера, внезапно обрывается, и по контрасту возникает прямо противоположное. Так, деньги, которые были заработаны мошеннически, после душевных терзаний и сделок с совестью, он внезапно отдает старому отставному генералу; после восторженного разговора с комсомольцами о чистейших началах коммунистической этики читатель видит его в грязном номере с проституткой; целый год, рискуя жизнью и честью партийца, он добивается любви некоей девицы, а когда она сдается наконец — отказывается пожинать плоды своей настойчивости; приговоренный к расстрелу, он после долгих мучений решает выдать свою любовницу и внезапно (и для себя и для читателей) вместо доноса пишет следователю записку с просьбой немедленно его расстрелять.

В романе выдвинут — главным образом в отступлениях — большой сатирический материал, и, таким образом, «Рвач» знаменателен для Эренбурга не только решением основной задачи, но и использованием средств, издавна и справедливо приписываемых автору «Хулио Хуренито».

3

— Можно ли считать «Хулио Хуренито» романом? — так я начал свою лекцию.— Едва ли. Ведь именно этого опасался сам Эренбург. «Мне было бы весьма мучительно,— писал он,— если бы кто-нибудь воспринял эту книгу как роман, более или менее занимательный».

Для романа характерно ступенчатое, кольцевое или параллельное построение. А в книге Эренбурга нет ни того, ни другого, ни третьего. Может быть, это — огромный, растянувшийся на триста пятьдесят страниц фельетон? В самом деле: отправляясь от «малых» тем, Эренбург приходит к широким социальным явлениям. Беглость, разговорность, шутка, прикрывающая серьезную мысль,— именно так работают наши лучшие фельетонисты Сосновский, Зорин, Кольцов.

Где же искать «пункт отправления» этой книги — в классической или современной литературе, в русской или западноевропейской?

Не знаю, додумался ли бы я до сравнения романа Эренбурга с житиями святых, если бы не лекции академика

В. Н. Перетца. Мы отлично знали, что в любом житии вслед за предисловием, в котором автор — обычно ученик святого — извинялся за грубость и невежество, следовала биография праведника, непременно с самого детства, потом рассказ о его подвигах, сопровождавшийся поучениями, и, наконец, описание смерти, за которым обычно следовала похвала учителю. Часто рукопись заканчивалась предсказаниями — как жития Андрея Юродивого или Василия Нового. Для житийной литературы был характерен приподнятый, дидактический язык, как бы обращенный через головы слушателей ко всему миру. Очень странно, но я действительно нашел все эти черты в «Хулио Хуренито».

В предисловии, точно как в житии, ученик святого жалуется на свои слабые силы: «С величайшим волнением приступаю я к труду... Моя память преждевременно одряхлела. Со страхом я думаю о том, что многие повествования и суждения Учителя навеки утеряны для меня и мира...»

Так же, как житие, «Хулио Хуренито» написан с поучительной целью: «Для чего же Учитель приказал мне написать книгу его жизни?.. Не для скалистых мозгов, не для вершин, не для избранных ныне пишу я, а для грядущих низовий, для перепаханной не этим плугом земли...»

Так же, как в любом житии, вслед за «подвигом» следует «поучение», обращенное не только к ученикам, а ко всему человечеству и подводящее к заключительному предсказанию.

Я закончил свою лекцию скромно, отнюдь не настаивая на том, что сделал открытие. Но, боже мой, что поднялось, едва я произнес последнюю фразу! Сперва один слушатель, потом другой и третий попросили слова, и начался спор, сперва со мной, потом друг с другом. Стоит отметить, что и студентам и преподавателю было немногим больше (или меньше) двадцати лет. Привыкнув к сдержанной обстановке университета, я был озадачен, когда спор, разгораясь, перешел в скандал, который явился унимать сам комендант Бобков, усатый, в защитной гимнастерке и выцветших, оставшихся еще от царской армии брюках.

4

Разгоревшийся спор с особенной четкостью определил характер семинара: передо мной были молодые люди, энергично готовившиеся занять свое место в современной литературе,— будущие писатели, критики, литературоведы. Я назову несколько имен, чтобы показать, в какой полной мере осуществились эти стремления: Л. В. Успенский, В. Н. Орлов, Т. Ю. Хмельницкая, А. В. Федоров, А. Г. Островский.

Первый оппонент. Сходство «Хулио Хуренито» с житием — поверхностно и не имеет конструктивного значения. Все, что написано Эренбургом после «Хулио Хуренито», бросает обратный свет на этот роман, и становится ясно, что он представляет собою попытку вообразить некий материал, которого в действительности не существует.

Без ретроспективного взгляда понять это невозможно. Но сопоставьте «Лето 25 года» с «Хулио Хуренито», и вы убедитесь в том, что эти книги контрастны. В свете обратной перспективы становится ясно, что первая основана на подлинном рисунке (или наброске) с натуры, вторая — на опасной, близкой к стилизации пустоте. Впрочем, и в той и в другой лицо автора почти неразличимо под гримом. Кстати, сравните «Полуночную исповедь» Жоржа Дюамеля с «Летом 25 года». Париж Дюамеля почти процитирован Эренбургом. Намерение Эренбурга убедить читателя, что «Хулио Хуренито» исповедь, а не роман, наивно. Да, не роман. Игра в роман, которая не удалась даже Стерну.

Второй оппонент. В основе сюжетного произведения лежит отношение к фабуле как доминирующему началу. Занимательность сама по себе не имеет никакого отношения к художественной литературе. Сюжетная конструкция сильна своей законченностью или, точнее, ожиданием законченности, заставляющим читателя переворачивать страницы. Таков «Прыжок в неизвестное» Лео Перуца — роман, построенный на оригинальной находке: герой — в наручниках, и читатель долго не может догадаться об этом. «Ибикус» А. Толстого удался не потому, что А. Толстой умело воспользовался занимательным сюжетом, а потому, что в атмосфере опрокинутых социальных отношений был открыт оригинальный характер. Революция и гражданская война показаны в повести глазами современного Расплюева. Это — новый угол зрения. Он-то и является сюжетом в широком смысле слова.

Больше всего Эренбургу мешает то, что он, в сущности, прямодушен. И «Хулио Хуренито», и «Лето 25 года» написаны как бы от имени вымышленного героя, за которым скрывается отлично известный читателю автор.

Третий оппонент. Без анализа стиля невозможно понять ни удач Эренбурга, ни его поражений. Это — писатель, которому нечем тормозить развитие своей социально-психологической темы. У него нет собственного принципа композиции, он берет его напрокат. Заметили ли вы, что «Жизнь и гибель Николая Курбова» написана как бы двумя писателями? Первая половина книги (в стилистическом смысле) спорит — и весьма энергично — со второй.

Четвертый оппонент. Лучшая книга Эренбурга «Рвач» осталась вне нашего спора, может быть, по той причине, что лишь немногие из присутствующих прочитали этот роман. Между тем это была первая попытка автора увидеть страну изнутри, а не в перевернутый бинокль. Пути, которыми Эренбург идет к созданию характера, пока еще примитивны: по существу, они исчерпываются приемом повторяющегося контраста, которым пестрят страницы «Хулио Хуренито». Тематическое столкновение двух планов встречается и в «Жизни и гибели Николая Курбова» и в «Любви Жанны Ней», но в статическом виде. В «Рваче» этот прием приобретает динамичность, развивается и именно поэтому достигает цели. Одна черта, одно направление ума и чувства неожиданно сменяется другим, прямо противоположным. Прием традиционный — вспомним Стендаля. Однако именно он помог Эренбургу создать запоминающийся характер.

5

Теперь, через много лет, стало ясно, что ошибались не только мы, но и сам Эренбург. «Хулио Хуренито» не фельетон и не житие. В наши дни эта книга читается именно как роман, и этому нисколько не мешают ни фельетонная манера, ни «историко-литературная» связь с житиями святых.

Я наметил общие черты нашей дискуссии, чтобы показать, как в те далекие годы сознание было заколдовано, захвачено значением литературной формы. Вопрос о том, фельетон или житие «Необычайные похождения Хулио Хуренито», был важнее того пророческого смысла, которым проникнуты лучшие страницы романа.

За двенадцать лет до прихода Гитлера к власти Эренбург показал герра Шмидта, для которого нет никакой разницы, кроме арифметической, между убийством одного человека или десяти миллионов, который собирается «колонизировать» Россию и разрушить — как можно основательнее — Францию и Англию.

Арифметика мосье Дэле, серьезно предлагавшего установить деление на шестнадцать разрядов для похорон — от нищего до миллионера,— разве эта идея не стала универсальной?

Мало кто догадывается, что судьба выдала билет дальнего следования этой книге, написанной в течение одного месяца 1921 года.

6

Соединение небрежности и внимания — вот первое впечатление, которое произвел на меня Эренбург, когда в марте 1924 года он приехал в Ленинград из Парижа и был приглашен на обсуждение его романа «Любовь Жанны Ней».

Небрежность была видна в манере держаться, в изрядно поношенном костюме, а внимание, взвешивающее, все замечающее,— в терпеливости, с которой он выслушивал более чем сдержанные отзывы о своем романе.

Ему было интересно все — и способные на дерзость молодые люди, и их учителя, выступавшие скупо и сложно.

Он много курил, пепел сыпался на колени. Немного горбясь, изредка отмечая что-то в блокноте, он, казалось, не без удовольствия следил за все возрастающей температурой обсуждения.

«Любовь Жанны Ней» — свидетельство кризиса сюжетной прозы...»

«Расчет на большую форму нарочит, историю Жанны можно было рассказать на двух десятках страниц...»

«Толстую книгу стоит написать, чтобы убить ею критика,— увы, толстый роман Эренбурга легок, как пух! Им никого не убьешь...»

«Русские герои книги чувствуют себя неловко среди парижских декораций».

«От книги нельзя оторваться, но для этого «нельзя» надо было найти другой, более основательный повод».

«Как известно, Дюма ставил на стол фигурки своих героев, чтобы не забыть, кто из них еще здравствует, а кто уже погиб и, следовательно, должен отправиться в ящик письменного стола до нового романа...»

«Волшебство занимательности должно помогать, а не мешать психологической глубине — вспомним Достоевского».

«В «Любви Жанны Ней» занимательность раздражает. Она должна быть изобретена, а не заимствована. Новый сюжетный роман придет из глубин русской литературы».

Эренбург слушал, не перебивая, с любопытством. Лицо его оживилось, он как будто повеселел под градом возражений. Он стал отвечать — и с первого слова мы поняли, что перед нами острый полемист, легко пользующийся громадной начитанностью и весьма внимательно следивший за делами нашей литературы:

«Все ждали появления сюжетного романа. Теперь, когда это произошло, начинают требовать, чтобы он перестал быть сюжетным».

Да, он сознательно стремился к занимательности и удивляется только тому, что оппонент, упрекавший его в том, что эта занимательность заимствована с Запада, не сослался при этом на «Дафниса и Хлою».

Оппоненту, заметившему, что «стоит писать толстую книгу, чтобы убить критика»,— он ответил, что пора научиться спорить, не пользуясь тяжелыми предметами, будь то полено или книга.

Он отнюдь не собирается скрывать, что сюжет романа был тщательно обдуман, более того — графически изображен. Сейчас он покажет карту, которой он пользовался, работая над романом. Разумеется, она не имеет ничего общего с фигурками Дюма,— кстати сказать, оппонент, упомянувший о них, кое-что напутал.

Он развернул перед нами карту, и нельзя сказать, что она укрепила его позицию, изложенную уверенно и умело. Что-то наивное показалось вдруг в этой карте с черными кружочками, обозначавшими места встреч героев, с разноцветными линиями, пересекавшимися и переплетающимися по мере развития романа. Были, кажется, и даты.

Эренбург понял — это почувствовалось сразу,— что карта не произвела впечатления. Он сложил ее, сунул в портфель и, отвечая на чей-то вопрос, стал интересно рассказывать о французской литературе.

7

В 1932 году Эренбург приехал в Ленинград с женой, Любовью Михайловной,— ее я тогда увидел впервые. Он позвонил мне и пригласил зайти — хотел поговорить о моем недавно появившемся романе «Художник неизвестен».

В молодости у меня бывали странные минуты оцепенения. Я шел к Эренбургу, намереваясь рассказать ему, как был написан этот роман. Я хотел рассказать ему, как еще в 1919 году почти каждый день ходил в Музей западной живописи на Кропоткинской (бывшей Пречистенке). Стены двух пролетов лестничной клетки были раздвинуты контурными фигурами Матисса, напоминавшими мне танцующих вавилонских богинь из учебника древней истории. Я смутно улавливал внутренний ритм, объединявший эти фигуры, через которые как бы можно было смотреть, но от которых почему-то не хотелось отрываться. Впоследствии, читая книгу незаслуженно забытого талантливого поэта Константина Вагинова «Опыты соединения слов посредством ритма», я вспомнил эти работы Матисса.

Ван Гог поразил меня роковой невозможностью писать иначе, настигшей его, как настигает судьба. По одной только «Прогулке осужденных» можно было, ничего не зная о нем, угадать его приговоренность к мученичеству и непризнанию.

В зале Гогена я с головой кидался в странный, деревенский, разноцветный мир, к которому удивительно подходило само слово «Таити». Коротконогие коричневые девушки, почти голые, с яркими цветами в волосах,— я смотрел на них с тем чувством счастья и небоязни, о котором Пастернак написал в стихотворении «Ева»:

> О женщина, твой вид и взгляд
> Ничуть меня в тупик не ставят.
> Ты вся — как горла перехват,
> Когда его волненье сдавит.

Но и это чувство, так же как воспоминание об Ассирии, когда я смотрел Матисса, так же как попытки разгадать трагическую судьбу Ван Гога, не мешало еще чему-то очень важному — тому, что я видел как бы сквозь свои мысли и воспоминания и что доставляло мне особенное, совершенно новое наслаждение. Конечно, это был только первый шаг к пониманию формы, которая, может быть, и должна оставаться незамеченной, но постижение которой с необычайной силой приближает нас к произведению искусства.

Прислушиваясь к этому чувству, я принялся через несколько лет за роман «Художник неизвестен». Я написал его дважды. В первой редакции, оставшейся в рукописи, он напоминал трактат об искусстве, в котором я стремился столкнуть два взгляда на жизненную задачу — «расчет на романтику» и «романтику расчета». Книга была написана без глубины, без ощущения подлинности, гибель героя была не бескорыстной в том смысле, что и она как бы служила доказательством его правоты. Юрий Тынянов, прочитав рукопись, сказал, что в романе мало прозы, и процитировал «Охранную грамоту» Пастернака: «Мы втаскиваем вседневность в прозу ради поэзии».

Я принялся за работу снова. Чтобы втащить в роман «вседневность», надо было самому стать ее участником или, на худой конец, необходимой деталью. Я поехал в Сальские степи, в совхозы «Гигант» и «Верблюд», где впервые встретился с людьми, которые даже не снились мне до той поры в моей книжной, архивно-библиотечной жизни. Вернувшись, я переписал роман от первой до последней страницы, поставив его, как мне казалось, на «реалистические ноги». Я хотел рассказать Эренбургу, как мне было трудно работать. Но то ли потому, что я немного боялся его, то ли сомневался в том, что ему покажутся интересными мои ничем в сущности, не замечательные размышления об искусстве, но как будто кто-то замкнул меня на замок с первой минуты встречи. Вместо того чтобы поддержать важный для меня разговор, в котором приняла участие прелестная, тонкая, легкая Любовь Михайловна — в ней было что-то и византийское, и парижское,— я вдруг застыл, одеревенел.

Эренбург похвалил мой роман, о котором только что появилась весьма опасная по своей определенности статья Селивановского в журнале «На литературном посту» под названием «Художник известен», и стал с интересом расспрашивать меня о работе ленинградских писателей. Я отвечал сдержанно, коротко и даже с какой-то несвойственной мне важностью, как бы стараясь не уронить себя, хотя никто, разумеется, на мое достоинство не покушался.

Так ничего и не вышло из этой встречи. Эренбург говорил, а я, почти не слушая его, думал только о том, чтобы не сказать что-нибудь обыкновенное, заурядное, слишком простое. Не знаю, почему я держался так неестественно,— может быть, потому, что на мне было все новое, с иголочки,— костюм, рубашка, носки,— надетое впервые для этого свидания. Я ушел, а вечером снова встретился с Эренбургами на Октябрьском вокзале. Мы с женой провожали Тихоновых, с которыми в те годы были особенно близки. Все оказались в одном вагоне, и проводы вышли веселые, сердечные. Много смеялись, и, прощаясь, Любовь Михайловна сказала мне:

— Боже мой, так это вы были у нас утром? Я вас не узнала.

8

Может быть, это перевоплощение было началом знакомства, которое с тех пор не прерывалось. Мы переписывались, Любовь Михайловна присылала мне из Парижа понравившиеся ей книги или новинки, о которых говорили в литературных кругах. В книгах Эренбурга, которые я получал от него с неизменной краткой дружеской надписью, я встречал совершенно недоступную для меня политическую зоркость, с которой он всматривался в опасно перестраивающуюся жизнь Западной Европы.

Думаю, что умение перекидывать мост между незначительной на первый взгляд подробностью обыкновенной жизни и явлениями, граничащими с мировой катастрофой, развилось у Эренбурга именно в эти годы. В его книгах («Хроника наших дней», «Затянувшаяся развязка») появилось то, что можно назвать «вибрацией времени», ощущеньем подземных толчков в истории, а не в пространстве. «Виза времени» — книга, в которой сквозь толщу обыденности просматривается скелет с косой в руках — так некогда изображали смерть. Впрочем, эту «рентгеноскопию машинальности» можно заметить уже в «Хулио Хуренито». Но там она носила другой характер: не пристального вглядывания, а памфлетного обобщения.

Потом началась испанская война. В тысячах комнат, в коридорах общежитий, в кухнях коммунальных квартир появились карты с воткнутыми флажками, которыми отмечалась линия фронта. Русские летчики спасли Мадрид. Колонны, штурмовавшие Сарагосу, назывались «Чапаев» или «Бакунин». По русским кинофильмам испанцы учились воевать. Там работали Кольцов, Эренбург, Савич —

их корреспонденции появлялись в «Правде», в «Известиях», в «Комсомольской правде». Революция защищалась, соединив (впервые в истории человечества) испанцев с немцами, итальянцев с французами, русских с англичанами, норвежцев с чехами, с венграми, американцев с австралийцами, поляками, болгарами, румынами.

...Всю жизнь Эренбурга преследовали необычайные, причудливые слухи. В самой его личности, в его неутомимых странствиях по всему свету, в атмосфере «громкости», в которой он жил и работал, было нечто вызывавшее ответное, почти всегда острое эхо. В годы испанской войны эти слухи приняли рыцарский характер. Эренбург — в центре борьбы. Он создает фронтовую агитбригаду, с кинопередвижкой и типографским станком. В Барселоне центурия отправляется на фронт под знаменем, на котором написано «Илья Эренбург». Он организует мировой конгресс писателей в осажденном Мадриде и выступает на этом конгрессе. Он награждается орденом Красной Звезды — в ту пору это была редкая награда.

Участие в испанской войне было для Эренбурга не только школой мужества, соединенного с энергией, поражавшей его друзей и читателей в годы Великой Отечественной войны. «Если четыре года спустя я смог работать в «Красной звезде», находил нужные слова, то помогли мне в этом, как и во многом другом, годы Испании» («Люди, годы, жизнь»). В более чем сложной политической обстановке сложился характер писателя, для которого переход от нравственной идеи к ее практическому воплощению стал фактом ежедневной жизни. Немедленная реакция на любые проявления фашизма (в его неприкрытом или замаскированном виде) после испанской войны окрашивает всю деятельность Эренбурга — художника, публициста, поэта.

9

Я всегда прислушивался к нему как к старшему, хотя дело было не в разнице лет. Он был старшим по неисчерпаемому опыту жизни, по знанию и пониманию искусства. Он был горячим, неутомимым спорщиком, никогда не сердившимся на возражения. Напротив, сердился, когда, не соглашаясь с ним, я (по нелюбви к спору) отстранялся от защиты своей точки зрения.

У него был острый политический ум, редкая способность к предвидению, меткость в схватывании алгебраических формул истории. Мне случалось встречать людей, которые считали его человеком желчным, эгоистическим, колючим. Между тем сохранились тысячи — без преувеличения — свидетельств, говорящих о том, что он был удивительно добр, внимателен, отзывчив. Эти свидетельства — огромная сохранившаяся переписка, охватывающая необъятный круг вопросов — от личных просьб до обсуждения событий мирового размаха. Самое понятие эгоизма выглядит смешным по отношению к человеку, который жил и работал без оглядки, не щадя себя, ежедневно помогая другим, глубоко равнодушный к своему здоровью, отдыху, развлечениям. Отзывчивость была тщательная, входившая в подробности. Он не упускал ни одной возможности, несмотря на то что подчас силой обстоятельств они сводились до ничтожно малых пределов...

Мои воспоминания растянулись бы до бесконечности, если бы я стал рассказывать всю историю наших многолетних отношений. Но вот несколько «моментальных снимков».

Дождливый мартовский вечер в затемненной военной Москве 1942 года, возникающие в сумерках, скользящие по мостовой слабые, лиловатые отблески фар, прикрытых козырьками. Эренбург в берете и рыжем, набухшем от времени и дождя пальто прогуливает собаку вдоль фасада гостиницы «Москва». Фронтовая, закамуфлированная машина останавливается у подъезда, усталый немолодой офицер вылезает, расправляя затекшие руки и ноги. Взгляд его падает на сгорбленную, озябшую фигуру Эренбурга, терпеливо ожидающего, пока собака сделает свое несложное дело.

— Черт знает что! — с возмущением говорит офицер.— И откуда еще такие берутся? Просто уму непостижимо!

Он говорит это самому себе, но отчасти и мне — я стою под крышей подъезда.

— А вы знаете, кто это? Эренбург!

— Ну да?

— Честное слово!

— Да вы шутите!

Я заверил его, что отнюдь не шучу, и тогда он вернулся к машине, сказал что-то водителю, и, перешептываясь, они смотрели на Эренбурга, пока он не исчез в темноте.

Все было прощено мгновенно: и до неприличия штатский, тыловой вид, и то, что кому-то, видите ли, еще до собак, и старый берет, из-под которого торчали давно не стриженные седоватые лохмы.

Кстати сказать, это был первый вечер, который я провел у Эренбурга в годы войны. Наш разговор начался с воспоминания о том, с какой непостижимой точностью он предсказал дату ее начала. Первого июня 1941 года мы вместе поехали навестить Ю. Н. Тынянова в Детское Село, и на вопрос Юрия Николаевича: «Как вы думаете, когда начнется война?» — Эренбург ответил: «Недели через три».

Теперь в его номере (он жил в гостинице «Москва», потому что его квартира на Лаврушинском была разрушена бомбой) я напомнил об этом Илье Григорьевичу. Он буркнул:

— Не помню.

С первого же слова он набросился на меня. Почему я в Москве, а не на фронте? Я успокоил его, сказав, что работаю военкором «Известий» на Северном флоте и только что приехал из Мурманска.

— Не сердитесь,— смеясь, сказала мне Любовь Михайловна,— так он набрасывается на всех.

На окнах, на столе, на полу, на диване лежали рукописи — Эренбург был как бы «вписан» в этот своеобразный пейзаж. Он похудел, был бледен, очень утомлен. В середине разговора, не допив свой чай, он расстелил на столе большую грязную карту и стал рассматривать ее с карандашом в руках, что-то прикидывая, соображая. Впечатление человека потрясенного, отдалившегося от всего случайного, неотступно думающего о том, что происходит *там,* на линии фронта, еще усилилось, когда оказалось, что он не помнит о своей статье, которую я слышал утром по радио. Он стал уверять меня, что я ошибаюсь. Потом вспомнил и рассмеялся. В этот день он написал шесть статей.

10

Можно с уверенностью сказать, что любому из участников войны запомнилось впечатление, которое производили эти статьи, передававшиеся по радио и почти ежедневно печатавшиеся в наших газетах. Маршал Баграмян недаром считал их «действеннее автомата», и недаром

Илья Григорьевич был зачислен «почетным красноармейцем» в 1-й танковый батальон 4-й гвардейской бригады.

Знаменитое суворовское «быстрота и натиск» в полной мере можно отнести к этой публицистике с ее стремительностью, меткостью и размахом.

Маршал Баграмян прав: иные статьи напоминают пулеметную очередь, причем пули уходили не в «молоко», а прямо в намеченную цель. Особенность их заключается в том, что они обращены к товарищам по оружию. Вот почему Эренбург с такой уверенностью шагает через всеобъединяющее понимание чудовищности фашизма и необходимости победы. Он — не только вровень, но рядом со своими читателями, ему не приходится напрягать голос, чтобы быть услышанным. Его поймут с полуслова.

Совершенно иначе написаны статьи, которые Илья Григорьевич регулярно посылал через Информбюро зарубежным газетам и агентствам: французской «Марсельезе», американским «Юнайтед Пресс» и «Нью-Йорк таймс», английским «Ньюс-Кроникл» и «Ивнинг стар» и многим другим газетам, выходившим в Стокгольме, Бейруте, Каире и т. д. Голос другой — неторопливый, убеждающий, напряженный. Задача другая: второй фронт.

По самым скромным подсчетам, для зарубежных изданий он написал свыше трехсот статей. Рукописи их считались потерянными. В настоящее время они обнаружены в архиве Эренбурга, и журнал «Вопросы литературы» (№ 5 за 1970 год) оказал бесспорную услугу истории советской публицистики, напечатав некоторые из них на своих страницах (публикация Л. Лазарева).

Статьи расположены в хронологическом порядке — от июля 1941-го до января 1945-го. Это — хронология терпения, мужества, упорства и снова терпения.

Все пригодилось Эренбургу для этих статей — не только опыт испанской войны, не только глубокое понимание психологии зарубежного читателя, не только знание западноевропейской истории, ее поэзии и живописи. Статья от 10 июня 1943 года представляет собой тройной анализ. Позиции иностранных обозревателей, ломающих головы над загадкой: почему немцы до сих пор не начали наступления в России? Политики близкого прицела как характерной черты гитлеризма. Морального состояния вооруженного советского народа, который «в дни затишья мечтает о боях... Кипит возмущенная совесть России. Если на весах истории что-либо значат чувства, если весит не только золото, но и кровь, если совесть имеет право голоса на совещаниях государственных деятелей, то веско прозвучит слово России: пора!»

Для зарубежного читателя не могли пригодиться «быстрота и натиск», стремительность пулеметной очереди, расчет на понимание с полуслова. Надо было растолковывать, трезво объяснять, расчетливо доказывать. Надо было умело сражаться с немецкой пропагандой, пугавшей союзников «призраком коммунизма».

Мнимая «тайна» русского сопротивления, роль самовнушения в немецком упорстве, уверенность в том, что фашисты, предвидя военный разгром, уже думают о реванше, чувство времени как необходимая черта полководца — вот малая доля в том охвате, который связывает эти статьи. Они написаны с блеском. «Откуда у русских солдаты? Это все равно что спросить, откуда в России люди». Вся статья от 14 января 1943 года пронизана этим рефреном, вдохновенным и трезвым, как стук метронома во время тревоги в годы ленинградской блокады.

11

Последние годы мы часто бывали у Эренбургов, проводили у них вечера, а летом ездили в Новый Иерусалим, на дачу. В моей памяти эти вечера соединяются, сплетаются, и, хотя каждый из них был зеркальным отражением времени, разделить их немыслимо, да и не нужно. Ежедневное, обыкновенное скрещивалось в наших разговорах с мировым, особенным, необычайным. Но, может быть, самым важным было то, что эти вечера происходили в эренбурговском доме.

На первый взгляд он мог бы показаться музеем или картинной галереей — так много в нем первоклассных произведений искусства. Ложное впечатление! Почти все эти произведения связаны с личными отношениями — с дружбой, уважением, признательностью, признанием. Бесценные холсты, рисунки, керамику, скульптуру дарили друзья. И эта дружба продолжалась годами, десятилетиями, всю жизнь. В описании этой коллекции не найдется, к сожалению, места для тех трогательных, значительных, а иногда и забавных воспоминаний, которые можно было услышать лишь из уст самого Эренбурга. На варшавской встрече сторонников мира Пикассо за чашкой кофе набросал карандашом черта, который радостно встречает Эренбурга (в переписке Пикассо в шутку называл себя Чертом — прозвище, которое дал ему Эренбург). На бумажной салфетке остался оттиск, который хозяин кафе продал за крупную сумму.

Свидетельство другой встречи с Пикассо — раскрашенные фотографии, в которых он несколькими беглыми, подчеркнуто грубыми линиями надел на Эренбурга цветной цилиндр, а себя изобразил с бородой и в кольчуге.

Единственная коллекция, которую Илья Григорьевич собирал (в молодости), была коллекция трубок — о ней он написал свою широко известную книгу. Бесценные произведения искусства привела в его дом сама жизнь.

Хозяин этого дома должен был обладать глубокими познаниями, безошибочным вкусом, талантом человечности, который привлекал к нему сердца людей, нуждавшихся в нравственной опоре.

И еще одно: жизнь меняет людей. Одни намеренно ставят между собой и жизнью невидимый заслон, обходят ее — так легче избежать ошибок. Заботясь о своей внутренней неприкосновенности, они не замечают роковых перемен в собственном сознании, перемен, ведущих к неподвижности, окостенению.

Эренбург всегда шел на приступ, любое из его произведений — будь то политическая статья, очерк, роман — было нападением. Вот почему он всегда оставался самим собой. Его крупно прожитая жизнь требовала последовательности, единства. На своем шестидесятилетии он прочел подпольную листовку, написанную им, когда ему было шестнадцать лет.

— Я готов,— сказал он,— и теперь подписаться под каждым ее словом.

12

Он был превосходным рассказчиком, спокойным, неторопливым, но отнюдь не стремившимся «приковать» слушателя,— напротив, ничуть не заботившимся об успехе своего рассказа.

Так, однажды Илья Григорьевич полтора часа рассказывал о какой-то несчастной женщине, обратившейся к нему как депутату Верховного Совета. Мало было редкой памяти, чтобы запомнить каждую подробность этой истории. Так говорят о сестре, о близком друге. Все интересно, все важно — и вовсе не только потому, что это была действительно необыкновенная история, вобравшая в себя всю мировую сутолоку, все несбывшиеся надежды, все грустные сны неудавшейся жизни. Для Эренбурга в этой истории, как в осколке зеркала, отразилась картина века.

В другой раз он стал рассказывать, как он нашел своего друга Савича в деревушке под Фигерасом в последние дни проигранной испанской войны,— и мы своими глазами увидели комнату в крестьянском доме, ярко освещенную пламенем огромного камина, в который Савич швырял русские книги. Психологический портрет Савича, комнатного, тихого человека, который оказался в испанской войне храбрейшим из храбрых, был дан пространно, с юмором, легко, блестяще. Ощущение «пропади все пропадом», презрение к опасности — все было в этом изображении страстного книжника, сперва с отчаяньем, а потом с детским увлечением швырявшего в огонь книгу за книгой. Мне дорого минутное сожаление, с которым Савич, помедлив, швырнул в огонь мой роман «Два капитана».

— Не оставлять же фашистам!

Да, Эренбург был собеседник, помогавший, а иногда и заставлявший вглядываться в себя, постигший редкое и драгоценное искусство — ставить себя на место других.

Вот почему «Люди, годы, жизнь» оказались для меня чем-то вроде продолжения его рассказов. Разумеется, я узнал и очень много нового. Кинокадры, остановившиеся перед беспощадно внимательным объективом, сменяются размышлениями, так или иначе связанными с мыслью, пронизывающей книгу: «Приподымая занавеску исповедальни, скажу, что книга «Люди, годы, жизнь» родилась только потому, что я сумел в старости осуществить сказанные мною давно слова — победить то, что сделала со мной жизнь, и если не родиться заново, то найти достаточно сил, чтобы идти в ногу с молодостью». В книге десятки портретов — Пикассо, Модильяни, Бальмонт, Жолио Кюри, Бабель, Панаит Истрати, Маркиш, Фальк, Мате Залка, Кольцов, Пастернак, Алексей Толстой,— всех не перечислишь. Круг тех, с кем он был близок, расширяется с каждой страницей. Впрочем, не только близок — иногда далек. Иногда — враждебен и далек.

Люди войны, труда, науки. Портреты, занимающие целые главы, сменяются контурами, беглыми рисунками — и это не поспешность, а манера.

Но больше всего — встреч с самим собой, со своим детством в Киеве, с революционной юностью, с Парижем и поисками призвания. Автопортреты — беспристрастны.

Сопоставление взглядов, впечатлений, своего места в разные эпохи истории показалось бы утомительным, если бы не было тесно связано с неукротимой жаждой новизны, заражающей читателя и объясняющей мировой успех книги.

В глубине книги — ни на мгновенье не прерывающийся спор с самим собой. Нельзя недооценивать всю глубину, прямоту, откровенность этого спора.

«Люди, годы, жизнь» — рубеж, с которого видно многое, виден век страстей, надежд, неожиданностей и роковых развязок. Это не только воспоминания, это — размышления о воспоминаниях, о своем месте на мировой сцене в течение более полувека. Эренбург не пользуется красками, в книге почти нет сцен. Картины даны без красок, как в черно-белом кино, но вдруг мелькает выполненный с удивительным искусством графический рисунок. Красок нет, но психологические краски усиливаются от страницы к странице. Портретов так много, что в конце концов читателю начинает казаться, что он идет вдоль длинной, однако ничуть не утомительной картинной галереи. И многие портреты необыкновенно хороши,— Волошин, Пикассо, Модильяни. Этическое начало неразрывно связано с эстетическим — верная порука тому, что книга останется в литературе.

«Время проходит? — гласит печальная мудрость Талмуда.— Время стоит. Проходите вы».

Эренбург был живым отрицанием этой мысли. Движение времени он ощущал физически, как те редко встречающиеся люди, которые, не глядя на часы, определяют время. Его историзм веществен, заземлен. Он не стремится к обобщениям, более того — он их избегает. Он убежден, что любые доктрины, как бы они ни были бесспорны, не могут избегнуть доброго и строгого судьи — человеческого сердца. Он знает, что жизнь опрокидывает любые предсказания, а история — умнее наших размышлений о ней...

1982

ВОИНСТВУЮЩАЯ ДОБРОТА

1

При воспоминании о покойном друге невольно подступают слезы. Не то с Паустовским. Он был человек светлый, веселый, беспрестанно радовавшийся жизни и умевший внушать эту радость другим.

Я долго знал его только по книгам. Впрочем, первые его страницы, которые я прочитал, сразу же показали мне, что наша литература обогатилась новым талантом. Это были «Далекие годы». А в сцене, которая остановила мое внимание, был рассказ о том, как Паустовский едет к умирающему отцу. Так начинается книга. Нет, я вспоминаю теперь, что прочел резко отрицательную рецензию на книгу Паустовского «Далекие годы» — это было в тридцатых годах — и по цитатам, которые приводил рецензент, понял, что это — превосходная книга. Мои предположения сразу же оправдались. Напомню первую главу, в ней есть, кажется, черты, характерные для всего творчества Паустовского в целом.

Гимназистом последнего класса он получает телеграмму: отец умирает в усадьбе Городище, недалеко от Белой Церкви. «Привези из Белой Церкви священника или ксендза — все равно кого, лишь бы согласился ехать». Телеграмма кажется гимназисту странной, он знает, что отец — атеист. Но все странно, все как бы немного сдвинуто в этой лаконичной главе. Никто не соглашается ехать в Городище через реку Рось, бурную, широко разлившуюся, с грохотом кидавшуюся вниз с каменной плотины. «Согласился только молодой ксендз. Он предупредил меня, что мы заедем в костел за святыми дарами для причащения умирающего и что с человеком, который везет святые дары, нельзя разговаривать».

Насмешливый, с голубыми кошачьими глазками карлик-еврей — «самый отпетый старик» в Белой Церкви — везет гимназиста и ксендза в Городище. Надо молчать, и молчание *изображено* шумом дождя, дароносицей, завернутой в черную саржу, воспоминаниями об отце, которого гимназист знал очень мало. В картину опасного путешествия вступает природа — в дыму дождя поднимаются знаменитые Александрийские сады графини Браницкой, в воде отражаются пролетевшие галки. Подъезжают к реке — и природа вмешивается в поездку, делая ее смертельно опасной. Стремнина преграждает путь, лошади дрожат, упираются, почти ложатся на воду, чтобы она не сбила их с ног. Наконец с берега бросают канат, и фаэтон въезжает на остров...

И в последнюю встречу с умирающим отцом не вписана, а врезана тишина. Отец не может говорить, он умирает от рака гортани. Говорит дождь, звезды, угрюмо сверкающие за окном, река, которая вздымается с каждым часом. Единственные слова, которые удается произнести отцу, поражают обыкновенностью, за которой угадывается загубленная жизнь. «Он попытался обнять меня за шею, но не смог и сказал свистящим шепотом:

— Боюсь... погубит тебя... бесхарактерность».

Потом похороны, трагическое появление матери, которая опоздала и бьется в рыданиях на той стороне реки — переправиться невозможно,— и ксендз, тихо говорящий о вечной тоске по счастью и о долине слез. И снова — не семнадцатилетний гимназист хоронит отца, а весь мир, пролетающие синицы, старые вязы: «Шумела река, осторожно свистели птицы, и гроб, осыпая сырую землю и шурша, медленно опускался на рушниках в могилу».

...Я с намерением так подробно пересказал эту главу. Паустовский весь сказался в ней, художник, вслушивающийся в молчание и дающий слово природе.

2

Паустовского не погубила бесхарактерность. Он был человек одновременно и мягкий и твердый. Мягкий, когда жизнь сталкивала его с необходимостью помочь (подчас даже незнакомому человеку), твердый, когда встречался с очевидной несправедливостью, которой надо было противопоставить решимость и волю. Он был поэтом в широком смысле этого слова, призвание обязывало его, профессию он понимал как нравственную задачу. Я всегда чувствовал в нем тихую радость, источником которой было сознание, что он — художник, писатель. Недаром он говорил мне, что нельзя *совсем* оставлять работу, ни на день, ни на час. Разумеется, он не понимал это буквально. «Надо, чтобы в душе всегда звенела пусть даже еле слышная нота, к которой можно прислушаться на другой день,— говорил он,— и, прислушиваясь, продолжать работу».

Совет был, как ни странно, практический. Осуществить его, как выяснилось, было трудно. Но по временам мне это, кажется, удавалось.

Мы познакомились в Ялте, в 1939 году. Туда весной съезжались по уговору Евгений Петров, В. Гроссман, Е. Габрилович, А. Гайдар, К. Паустовский.

Все мы были рассказчиками; Габрилович — острым, быстрым, смешливым; Гроссман — медленным, заставляющим слушателей задумываться над тем, о чем он говорил. Сильная воля была его главенствующей, покоряющей чертой. Но лучше всех все-таки рассказывал Паустовский. И сейчас, когда я пишу эти страницы, мне слышится его тихий, хрипловатый, увлеченный голос. Необыкновенное он подавал как случающееся ежедневно. Влюбленность в людей и природу так и звенела в его рассказах. Пряча себя (из скромности), самые удивительные из своих историй он приписывал кому-нибудь из близких друзей — чаще других Р. Фраерману, автору «Дикой собаки Динго».

Видно было, что ему самому просто дьявольски интересно то, что он рассказывает, и это, кстати сказать, было важной особенностью его работы.

В этом было что-то детское. И вообще он относился к числу тех людей, для которых юность является главной чертой. Молодостью, верой в человека, изяществом, рыцарством полны его книги.

После войны, когда я переехал в Москву, мы часто встречались. Он был председателем секции прозы, я — его заместителем. Возможно, что в архивах Союза писателей сохранились его выступления, хотя многое растаяло в воздухе, его слабый голос слышал, пожалуй, только один я. Он говорил о литературном языке, в который грубо вторгались канцеляризмы, о наивном невежестве одних писателей, о нравственном падении других, бесстыдно и жадно рвущихся к власти. Он говорил о том, что понятие «призвание» и понятие «карьера» не только противоположны, но враждебны друг другу. Он говорил о «ножницах» между талантом и положением, когда известность опирается на должность, а не на дарование. Нет, слова его не растаяли в воздухе! Он двадцать лет преподавал в Литературном институте, у него было много учеников, в нравственной позиции лучших из них воплощены его убеждения.

Мы сошлись не только потому, что я разделял их. Среди моих друзей он был самым обаятельным, внутренне изящным,— твердость и чистота души сливались в нем, поддерживая друг друга.

Нетрудно, мне кажется, ответить на вопрос — почему так любят Паустовского: за то, что он изящен, артистичен. За то, что он будит в сердцах воспоминания молодости, которая как бы идет за ним по пятам. За его влюбленность во все исключительное, необычайное, особенное, что происходит в стране. За то, что он заставляет задуматься над собой.

Его трудно было не любить. Он был обаятельным человеком, придававшим глубокое значение не поверхностной стороне жизни, а тому, что совершается на глубине. Так, его превосходные описания природы хороши не потому, что они изящно и талантливо написаны, а потому, что они написаны с тургеневской глубиной. Ту же любовь он неизменно ощущал и ценил в человеческих отношениях.

Понятие литературного успеха сложно. Бывает успех стремительный, охватывающий беспредельный круг читателей, но поверхностный, быстро тающий. А бывает медленный успех, успех неторопливого чтения, размышления, успех тайного влияния книги на человека, влияния, которое заставляет его к ней возвращаться. Лучшие вещи Паустовского именно таковы. В них воплощена любовь к жизни, напоминание о том, что вопреки любым трудностям, горестям, заботам жизнь все-таки прекрасна.

Как ни странно, но в его произведении вы не чувствуете авторской заботы о том, чтобы рассказанное ворвалось в душу и стало настоятельно распоряжаться ею. Паустовский видит в читателе друга, а с другом нужно быть по возможности простым, искренним и достоверным. Я бы сравнил его с Короленко, который никогда не терял надежды, который во всем, происходившем вокруг, умел найти хорошую сторону и который каждой строчкой радовался жизни, как бы она ни была грустна.

В Ялте, которую он нежно любил, мы встречались ежегодно, осенью и весной, и редкий вечер проходил без чтения вслух своего или чужого, без воспоминаний, без размышлений, без разговора о том, на что надеяться, о чем жалеть, в чем сомневаться. Устраивали вкусный вечерний чай и вели длинные, интересные разговоры. Однажды его позвали к телефону: звонила его жена Татьяна Алексеевна. Он неохотно спустился вниз, неохотно ответил на какие-то деловые вопросы, а потом сказал: «Извини, Таня, я занят. Мы с Вениамином Александровичем пьем чай». Впоследствии Татьяна Алексеевна со смехом рассказала мне об этом.

Он любил розыгрыши, острые шутки. Однажды он с двумя молодыми писателями убедил меня, что за мною, чтобы отвезти меня в Севастополь на мой литературный вечер, идет миноносец. Я человек доверчивый, и уж кому-кому, а Паустовскому не мог я не поверить. В Севастополе был мой знакомый по Северному флоту, начальник политуправления вице-адмирал Николай Антонович Торик. Это подкрепило мою уверенность. Однако в семь часов утра уборщица разбудила меня и сказала, что миноносец не придет. «Горючего мало,— сказала она,— придет машина». Я не рассердился на К. Г. На него невозможно было сердиться.

После вечернего чая мы расходились, и, засыпая, я думал о Паустовском: старый человек в темноте, поздней ночью лежит и думает не о себе, хотя следовало бы, следовало бы подумать о себе, о своих делах, о своей болезни — тяжелая астма мучила его годами. Он думает о том, что непризнанные, но подлинные таланты должны занять в литературе то место, которое принадлежит им по праву. Он думает о том, найдет ли необъятный народный опыт свое отражение в наших книгах и что может сделать он, чтобы это произошло, свершилось, утвердилось.

Мы испытали многое. Мы десятилетиями жили, как бы заслоняя себя от самих себя, избегая внутреннего взгляда. Паустовский в эти ночи не мог сказать себе ни единого слова упрека.

3

Я поехал в Болгарию с единственной целью — отдохнуть. Но вот снова пишу, и, как ни странно, на этот раз привычное дело не утомляет меня, быть может потому, что оно продиктовано вдруг вспыхнувшим чувством восхищения.

Я — в Созополе, складывавшемся веками, где люди

терпеливо и нежно берегут свою старину, где улицы, как в сказке, носят имена морских птиц и животных — Пеликан, Чайка, Тюлень, Альбатрос, Морская Ласточка.

Где дома, деревянные, на высоких каменных фундаментах, напоминают птиц, присевших отдохнуть на прибрежных скалах.

Где на каждом углу вы встречаетесь с отслужившими свою службу старыми ржавыми якорями, неопровержимо доказывающими, что город живет морем, опоясавшим его со всех сторон.

Где многие живут в домах, на которых висят дощечки с надписью: «Памятник архитектуры XVIII века».

Где несходство с другими городами мира не поражает, а успокаивает, потому что люди дышат стариной, не замечая ее, как дышат воздухом, пахнущим рыбой и морем.

Где на каждом шагу — розарий, принадлежащий всем и потому пышно и торжественно цветущий.

Где понятие «мир», ставшее почти машинальным, возвращаясь к людям, пережившим самую страшную войну XX века, приобретает неожиданную свежесть, потому что город живет фантастически-спокойной и одновременно деятельной жизнью.

В этом прекрасном городе я спросил своего нового друга, который за десять дней стал казаться мне старым другом,— известного поэта Славчо Чернишева:

— Здесь много рыбаков?

И он ответил:

— Здесь все рыбаки.

С моря видны их хижины, они стоят на острых, врезавшихся в море мысах,— впрочем, слово «хижина» не подходит к этим каменным зданиям, как будто вросшим в голые скалы. Это маленькие крепости, защищающие от трамонтаны и греоса — холодных штормовых ветров, дующих с севера и северо-востока.

Весной и осенью в них живут рыбаки, а недалеко в море ставятся таляны. Экипаж таляна — большого невода, устроенного просто и остроумно,— десять человек, считая капитана, его помощника и кока. Течение, которое рыбаки называют «дьявольским», идет вдоль берегов Черного моря — косяки ставриды, скумбрии, пеламиды — весной от Босфора к Одессе, осенью от Одессы к Босфору. Невод ставится навстречу косяку, рыба попадает в капкан, и в установленный срок туда же заходит на большой лодке экипаж таляна. Искусно подтягивая сеть, рыбаки собирают добычу в узкий мешок и вываливают ее в лодку. С высокого берега талян похож на гигантскую, намеченную пунктиром букву «Т», он графически неподвижен среди набегающих, ежеминутно меняющих оттенки волн.

Один из этих домиков непохож на другие — и не только потому, что бережно обшиты досками его каменные стены. У входа крупная надпись: «Мемориал «Константин Паустовский». Талян, который каждой весной и осенью пользуется этим домиком, тоже носит имя писателя, и это имя — гордость экипажа. Перед нами единственный в мире музей, в котором прошлое и настоящее сливаются в остром и неожиданном сочетании.

Что же произошло? Почему жители маленького болгарского приморского городка решили превратить в музей одно из этих рыбацких убежищ, находящееся на мысу Колокита, напротив острова Святого Ивана? Неужели только потому, что здесь побывал Паустовский?

Уже в маленькой передней вы находите ответ на этот вопрос. Слева на стене — фото кабинета Паустовского в Москве и его дома в Тарусе, справа — короткая, все объясняющая надпись: «После своего возвращения в Советский Союз Паустовский написал два очерка — «Живописная Болгария» и «Амфора» — плод его общения с Болгарией и одним из ее старинных городов. Без преувеличения можно сказать, что благодаря этим произведениям, которые переведены на многие языки, Созопол привлекает тысячи людей и утверждается в их сознании как романтический город с мировой известностью и база прибрежного рыболовства. В одном из своих писем Паустовский сказал: «Мечтаю о Болгарии со страшной силой. Все время в больнице мне снился Созопол. Это — одно из наилучших мест на земле». Городской Совет культуры учредил этот мемориал как выражение нашего преклонения перед всем творчеством писателя, в честь пребывания его в Созополе и в знак особой признательности за поэтическое воплощение нашего города».

На столе — книга отзывов, которая открывается записями, сделанными 10 августа 1975 года, в день открытия музея. Эти отзывы принадлежат участникам международной студенческой археологической бригады, студентам Кубанского университета, учителям, врачам, корреспондентам советских газет и журналов, туристам с Сахалина, экипажам советских судов. Русские, итальянцы, французы, немцы, поляки, чехи. Есть пространные записи, есть и короткие, не менее выразительные: «Был Паустовский, остался Паустовский, здесь Паустовский». Или «Здравствуйте, Константин Георгиевич! Вот где мы с вами встретились!» Или единственное восторженное слово: «Много», что на русский можно перевести: «Здорово!»

Одна благодарность за другой — и среди них самая трогательная оставлена советскими моряками-черноморцами, которые благодарят Славчо Чернишева за участие в создании музея.

Последний отзыв принадлежит другу Паустовского, артистке Марии Григорьевне Спендиаровой. По просьбе Татьяны Алексеевны Паустовской она привезла трость Константина Георгиевича, его берет и рукопись очерка «Амфора». Секретарь Созопольского горкома Георгий Луков при мне бережно спрятал эти вещи в несгораемый шкаф. Музей будет расширен. К двум комнатам присоединится третья, где найдут свое место и трость, и берет, и диковинные раковины — экипаж таляна намерен по-своему украсить мемориал.

Из прихожей мы входим в светлую, просторную, прохладную комнату, и восклицанье: «Паустовский здесь!» — получает новое неопровержимое подтверждение. У левой стены — витрина, в которой под стеклом лежат собрания сочинений писателя на русском и французском языках, книга воспоминаний о нем, изданная в Москве, отзывы о произведениях Паустовского в иностранной печати. Над витриной — краткая биография. Фото: Паустовский — гимназист, студент, санитар в годы первой мировой войны; цитаты из «Амфоры», из писем к друзьям: «Я буквально влюблен в Созопол. В нем есть что-то от приморских городов Александра Грина...»

Это может показаться странным, но, читая эти цитаты, разглядывая эти фото, я подумал, что весь музей представляет собой редкое воспроизведение того материала, которым воспользовался писатель.

Паустовский в матросской тельняшке, с детским от радости, смеющимся добрым лицом.

Он же среди капитанов рыболовецких судов, с которыми познакомился в казино.

Он же у церкви святой Богородицы — ему хотелось пожить в пристройке у церкви, в монастырской тишине, располагающей к размышлениям.

Он же в берете, оживленно разговаривающий с помощником капитана таляна.

Он же на балконе Дома писателей, в котором он жил.

Все это — фотографическое воспроизведение материала, который вдохновил Паустовского и заставил его взяться за перо.

Что же представляют собой его очерки «Живописная Болгария» и «Амфора»? В чем их сила? Почему они получили такое неслыханное по своей трогательности признание?

4

От осликов, «задумчиво хлопающих пыльными ушами», к «Золотому сокровищу из Панагюрищ» — восемнадцать выкованных из чистого золота кубков и амфор с барельефами, изображающими эллинских богов. От низенького, седого, похожего на серебряного ежа деда Иордана Чолакова, который охраняет руины города Никополиса и восторженно, с глазами, сияющими от счастья, говорит о развалинах города, «жизнь которого отшумела навсегда»,— к следам войны 1878 года, к Шипке, вершина которой под снегом «походила на голову ветерана с седыми висками». От Тырнова, на который как бы брошен только один, но все заметивший, все оценивший взгляд,— к новым дорогам, к промышленному строительству, к быстро растущим курортам. От крепостной стены в Несебре, написанной микроскопически точно,— к панораме города, к его базиликам, к спектаклю, который Бургасский театр поставил под открытым небом в одной из базилик и на который пришли празднично одетые жители острова.

Таков очерк «Живописная Болгария».

Совершенно иначе написан очерк «Амфора». Это небольшое, удивительное по своему изяществу произведение и похоже на амфору — более того, именно на ту амфору, которую Славчо Чернишев подарил Константину Георгиевичу: «Очевидно, самую форму амфор древние гончары заимствовали у женского тела — узкого в талии и широкого в бедрах, уходящих книзу стройными, смыкающимися линиями». Паустовский провел в Созополе только пять дней, и, если по форме очерк напоминает амфору, его содержание можно выразить словами: «Вот город, который как будто создан для того, чтобы я мог в нем работать и жить».

Так Поль Гоген нашел Таити — остров, на котором были созданы его лучшие творения.

Из быстро пролетевших пяти дней не было потеряно ни минуты, а между тем неторопливая рука художника выписывала одну деталь за другой, и перед читателем с необычайной отчетливостью встает город, в который действительно невозможно не влюбиться. «Амфора» — это и есть рассказ о том, как Паустовский влюбился в Созопол. Только влюбленный мог сказать, что «чистое, почти священное ощущение земли, воздуха, неба, рощ и тихо шумящих морей, свойственное древней Элладе, нужно целиком взять себе для обогащения нашей культуры». Мечтать о том, чтобы чувство (что может быть мимолетнее, бесплотнее чувства?) не пропало напрасно, осталось людям, обогатило их душевный мир,— вот Паустовский!

Влюбленный добр — очерк проникнут добротой. Влюбленный смел — и портрет города написан оригинально, смело.

И это не слепая влюбленность юноши, которой свойственна расплывчатость, мечтательная неопределенность. Это мудрая влюбленность старости, которая видит все и неуклонно стремится запечатлеть то, что она видит.

Так написан дом Елены Батиньоти — его фото, висящее на стене в мемориале, не передает и сотой доли впечатления, которое производит одна посвященная дому страница:

«Итак, это было прежде всего нагромождение коротких деревянных лестниц, мешающих друг другу. Куда они вели? В косые комнаты, в коридоры, в нижние полуподвальные кухни с очагами, на крошечные антресоли и еще в какие-то комнатушки, может быть, в тайники.

Чтобы вернуться, например, на кухню за забытой солью (соль почему-то забывают чаще всего) и не ступать второй раз по своим следам (это считается дурной приметой), можно занести ногу через низкие перильца одной лестницы и переступить на другую — она тоже ведет в кухню, но откуда-то с чердака или с крыши.

Все эти лестницы почернели от старости, весь день скрипели сами по себе и пахли кипарисом.

Ходить по этим лестницам надо было осторожно, но не из-за их ветхости (они простоят еще сотню лет), а потому, что всюду на ступеньках стояли вазоны с цветами, главным образом с пеларгонией.

Столы, стулья, кресла, скамейки, диванчики, кровати и комоды были сдвинуты так тесно, что оставались только узкие проходы для людей.

...Раковины лежали повсюду... над раковинами висели пожелтевшие кружева, а в иных местах — гирлянды белых, как снежинки, цветов. Цветы спускались из глиняных плошек, подвешенных к потолку.

Удивительно, что сами плошки — жилища цветов — совершенно походили на жилища созопольских людей. В старой садовой земле этих плошек виднелись поломанные клешни крабов и блестящие камешки...

Рядом с плошками висели модели гемий (рыболовные суда.— *В. К.*) и ветряных мельниц... В шкафах, столах и даже в деревянных стенах было множество ящичков. Один из них был случайно открыт, и я увидел там пучок маленьких птичьих перьев, связанных шерстинкой. Должно быть, это были перья, колибри или попугая. Они переливались разными красками. Рядом с ними лежал оловянный наперсток.

Все жилище пропитал вечный запах кофе. Действительно, вечный. Он пережил века, поколения, гибель и возрождение государств, пиратские набеги и войны».

Я не стану пересказывать очерк. Многие страницы его живут собственной жизнью — так изображено, например, шествие рыбаков по городу с большой свернутой коричневой сетью, которая,«как удав», переползала из улицы в улицу. Так написан выход в море на гемии, вечер у корабельного мастера, когда «бутылки с белым вином чуть поблескивали на столе, как бы улыбаясь гостям», когда молоденькая, застенчивая киноактриса спела английскую песню о Мэри, которая напомнила Паустовскому блоковское стихотворение «Мэри». «Я благословил в душе этот простой вечер в чужой стране, благословил заодно и скитания, полные светлых случайностей, таких, как эта тихая песня».

Как в картинной галерее, вы останавливаетесь то перед одним, то перед другим холстом. Каждый из них можно разглядывать, в каждом своя особенная прелесть. Но они неразрывно связаны между собой ощущеньем Созопола, из которого Паустовский не хотел уезжать.

Я думал об этом в радушном доме известного художника Яни Хрисопулоса, который никогда не писал и не пишет ничего, кроме родного города, в котором он родился и вырос.

5

Паустовский принадлежал к старшему поколению советских литераторов, он начал печататься еще до революции. Он раньше, чем я, подошел к тому рубежу, с которого видно многое — и то, что совершено, и то, что еще не начиналось. Когда он писал «Амфору», для него было ясно, что жизнь писателя со всеми ее тревогами, сомнениями, разочарованиями в конечном счете направлена к тому, чтобы выразить себя, отдать себя другим. Это удается немногим. Но есть среди нас счастливцы, которые работают не повторяясь, люди сильной, непреклонной души, подлинные властители дум, потому что их книги принадлежат всем поколениям. Паустовский был одним из этих счастливцев. Умение восхищаться — о, какая это редкая, драгоценная черта!

Мы были друзьями — и, быть может, именно поэтому строго и беспристрастно судили друг друга. Он упрекал меня за излишнюю лаконичность, за отсутствие впечатлений живой природы, запахов, красок — и не встречал с моей стороны возражений. Я в свою очередь упрекал его за «красивости», за восторженность там, где она была совсем не нужна,— и он соглашался. «Опять слишком красиво?» — с доброй улыбкой спрашивал он — и не менял ни слова.

Его можно было слушать часами, не уставая. И сейчас, когда я с сердечной болью вспоминаю о нем, мне слышится его негромкий, хрипловатый голос, умевший говорить все, ни от чего не отказываясь и ничего не скрывая. Нужна ли внутренняя сила для того, чтобы не стыдиться своей доброты, чтобы сражаться за нее, чтобы бесповоротно отдать ей свое дарование? Да. И Паустовский, хрупкий человек, которого за тридцать лет знакомства и дружбы я никогда не видел здоровым, не только обладал, но властно распоряжался этой внутренней силой. С рыцарским достоинством защищал он в своих произведениях нравственную чистоту, воинствующую совесть и веру в добро.

И все же: почему так любят Паустовского? Почему его книги неизменно вызывают чувство нежности, глубокой симпатии? Можно по-разному ответить на этот вопрос: его любят, потому что он художник с головы до ног; его любят, потому что по каждой строке, по каждой странице видно, что ему самому необычайно интересно писать — это мгновенно передается читателю. Но дело не только в этом.

Чтобы пробудить такую любовь, надо находить в человеческом сердце то самое светлое, что давно потеряно в шуме времени, в сутолоке ежедневных забот.

Паустовского нежно любят и помнят в родной стране. Стоит ли писать о том, как я был счастлив, убедившись в том, что память о нем хранится в далеком Созополе? Его жизнь — часть моей собственной жизни. Мемориал «Константин Паустовский» — еще недавно «рыбацкий стан, низкий домик из дикого камня, открытый всем ветрам»,— трогательное доказательство человечности, живое воплощение признательности, глубоко характерной для болгарского народа.

1965—1978

РАЗМАХ

Критики были знаменитыми, и два или три года тому назад их слушали бы, вероятно, с уважением. Они сидели друг против друга на маленькой эстраде Кафе поэтов и говорили по очереди. Молодой поэтической банде, наполнившей в этот вечер маленький, причудливо раскрашенный зал, они казались старомодно вежливыми в своих белых твердых воротничках и отглаженных костюмах.

— Считаю своим долгом заметить, что уважаемый коллега...— начинал один.

— Что касается меня, то, будучи глубоко убежден в том, что уважаемый коллега...— возражал другой.

Сперва этот академический стиль казался довольно забавным, потом надоел, и, когда один из критиков, доказывая, что творчество Льва Толстого не имеет ничего общего с утилитаризмом, сказал: «Анна Каренина кладет свою красивую голову на рельсы»,— многие, в том числе и я, встали и пошли в соседнюю комнату пить желудевый кофе с печеньем из мороженой картошки. Это было в 1920 году.

Но мы вернулись, потому что пришел Маяковский. Он вошел и остановился в дверях, расставив ноги и опустив голову, очень похожий на известный фотопортрет, который теперь висит в Доме его имени в Ленинграде. У него была внешность знаменитого человека. Именно он — в этом можно было не сомневаться — написал «Флейту-позвоночник», именно он оскорбил хрестоматийную поэзию, назвав свою поэму «Облако в штанах», именно с ним произошло то, что рассказано в его «Войне и мире».

Поглядывая исподлобья, он сперва послушал критика, утверждавшего, что от искусства до утилитаризма один шаг, потом критика, утверждавшего, что, если бы это было так, Лев Толстой не заставил бы Анну Каренину положить свою красивую голову на рельсы,— и улыбнулся. Должно быть, ему стало смешно, что они сидят за столиками и так длинно-вежливо обращаются друг к другу.

Он пришел с женщиной, и она сразу стала что-то говорить ему шепотом. Он слушал ее очень вежливо, но, кажется, равнодушно. Потом открылись прения, Маяковский выступил, и я впервые услышал этот голос, который, как мне теперь кажется, связан с многими стиховыми «Америками», открытыми Маяковским,— голос, рассчитанный на широкий размах улиц и площадей, голос человека, писавшего стихи, которые невозможно читать шепотом.

Нельзя сказать, что он высоко оценил значение диспута под названием «Искусство и агитация» в московском Кафе поэтов. Он приблизительно подсчитал, сколько времени потеряно даром, и получилось довольно много — около ста восьмидесяти человеко-часов.

— Что можно сделать за сто восемьдесят человеко-часов? — очень серьезно спросил он.— Многое.

И он предложил нам убирать снег вдоль трамвайных линий,— мероприятие, в котором крайне нуждалась Москва,— когда в другой раз нам захочется пойти на подобный диспут.

— Вот этот Коган, сидящий справа,— сказал он и показал на критика, который сидел справа и действительно был Коганом,— утверждает, что искусство... А этот Коган, сидящий слева,— продолжал он и показал на критика, который сидел слева, но был Айхенвальдом, а вовсе не Коганом,— утверждает, что искусство...

Это было так неожиданно после всей академической вежливости, с которой противники так долго опровергали друг друга, что критики еще немного посидели, не зная, как поступить, а потом обиделись и ушли.

А по эстраде стал расхаживать Маяковский. Он один занял эстраду, причем не только в пространстве, но и во времени, заменив собою весь длинный список еще не выступивших ораторов. И это было концом диспута, который должен был решить вопрос о совместимости агитации и искусства, и началом другого, который действительно решил этот вопрос.

— Маяковский! Прочтите «150 000 000»! — крикнул кто-то.

Он остановился и объяснил, что это невозможно, потому что поэма выходит без имени автора, а если он станет читать, все сразу же догадаются, кто ее написал:

150 000 000 мастера этой поэмы имя.

Тут же он пожалел, что его имени не будет — столько труда!

— А так не догадаются? — крикнули из зала.

— А так — нет.

— Володя, прочтите,— негромко сказала женщина.

Он исподлобья посмотрел на нее и послушно стал читать...

Поздней ночью мы возвращались из Кафе поэтов. Москва была таинственная, снежная, огромная. Карты висели на площадях, красная нитка, поддерживаемая флажками, проходила где-то между Курском и Харьковом, и видно было, что уже давно никто не переставлял флажки. Охотный ряд, низенький, длинный, деревянный, раскрашенный, был похож на персидский базар. Мы шли и громко читали Маяковского:

Эй, вы!
Небо!
Снимите шляпу!
Я иду!
Глухо.
Вселенная спит,
положив на лапу
с клещами звезд огромное ухо.

Прошло несколько лет, и, вернувшись из Америки, Маяковский приехал в Ленинград читать доклад о своей поездке. Это был памятный вечер. Студенты ломились в филармонию. Их было так много, что трамваи вдоль Михайловского сквера шли очень медленно и беспрестанно звонили. У подъезда дежурила конная милиция, но и она не могла сделать ничего с людьми, которые хотели видеть и слышать Маяковского. Наконец барьер на лестнице был сломан, и через десять минут в большом зале филармонии уже стояли в проходах, сидели на спинках кресел.

Маяковский, изменившийся, стриженный наголо, вышел на эстраду.

Я думаю, что все большие поэты обладают даром предвидения. Эккерман в своих «Разговорах с Гете» рассказывает о том, как Гете предсказал, или, точнее, почувствовал, мессинское землетрясение. «Мы переживаем очень важные минуты,— сказал он слуге.— Или сейчас уже происходит землетрясение, или оно вскоре начнется». В том, что говорил Маяковский, чувствовался автор «Войны и мира», поэмы, предсказавшей революцию с фантастической силой. Он говорил, и все яснее становилась беспощадная мысль о том, что мир расколот и что борьба между старым и новым неизбежна. Маяковский от имени поэзии снова доказал это. «Пушкина и теперь не пустили бы ни в одну порядочную гостиницу или гостиную Нью-Йорка, потому что у него были курчавые волосы и негритянская синева под ногтями».

В перерыве, боясь, что меня прогонят, я осторожно пробрался за сцену. Я был уверен, что Маяковский окружен читателями и почитателями, что его трудно будет увидеть за этой восторженной, шумной толпой. Но у крайних колонн, там, где были сложены горы пюпитров, опустив голову и заложив за спину руки, один-одинешенек шагал Маяковский. Большой, мрачноватый, широкоплечий, он шагал и насвистывал «чижика».

Это было непостижимо, что никто не подошел к Маяковскому. Как будто какая-то отталкивающая сила исходила от него, действовавшая на расстоянии и останавливавшая суетных и равнодушных. Как будто он был наказан уже за то, что ничем не походил на других.

Как соединить это с тем звоном, который всегда сопровождал его имя? Не знаю.

Но был вечер, когда я снова столкнулся с этим ощущением трагической пустоты вокруг Маяковского, причин которой я не понимал. Это было у Тихонова и тоже после какого-то публичного диспута,— кажется, в Институте истории искусств.

В доме Тихонова в двадцатых годах господствовала атмосфера необычайности, оригинальных выдумок, поэтических вечеров, бескорыстия молодости. Мне казалось тогда, что этот дом не похож на все другие дома в Ленинграде и что люди, которые бывали в нем, просто обязаны были хоть чем-нибудь отличаться от всего остального человечества. Впрочем, так оно, вероятно, и было!

В тот вечер среди гостей мне запомнился Константин Вагинов, поэт тонкий, своеобразный и, к сожалению, давно забытый, как забыты многие, едва успевшие явиться в литературе тех лет. Трудно вообразить себе что-нибудь более противоположное поэзии Маяковского, чем поэзия Константина Вагинова. Да и сам он — хрупкий, маленький, бледный — казался антиподом Маяковского с его широким шагом, широкими плечами, взглядом, окидывающим с головы до ног, с его щедрой манерой оценивать собеседника выше, чем он того заслуживал, как это бывает с добрыми и доверчивыми людьми.

Впрочем, в этот вечер он говорил очень мало, а потом и вовсе замолчал, лишь повторяя время от времени все ту же строку только что появившегося тихоновского стихотворения. «Козлом воняет рыжий базар»,— говорил он и через некоторое время повторял строку задумчиво и даже как бы с досадой.

Завязался спор, и, как ни странно, это был тот же самый спор, который несколько лет тому назад Маяковский прекратил одним своим появлением. Но старый спор выступил в новом обличье. Право на сложность в поэзии, право на своеобразие, отказ от нарочитой простоты, если эта простота не помогает поэту,— вот в чем теперь была сущность дела. Но если это требование простоты во что бы то ни стало казалось почти смешным летом двадцатого года, то теперь с ним нельзя было не считаться.

Спор у Тихонова не мог не задевать Маяковского, потому что за этим требованием уже тогда постепенно вырисовывалась фигура мещанина, любителя тех «кудреватых митреек», против которых впоследствии Маяковский выступил в своей последней поэме. Это была уже та простота, которая «хуже воровства», как говорит русская пословица, простота, близкая к тому, чтобы вот-вот превратиться в пароль для входа в поэзию. Но Маяковский молчал. «Козлом воняет рыжий базар»,— в сотый раз повторял он, уткнувшись в эту строку и не замечая, по-видимому, насколько многозначительным было его молчание.

Потом я узнал, что в этот день Маяковский встретился с читателями на одном из ленинградских заводов, где его снова — в тысячный раз — упрекнули в ненужной сложности, в неумении или нежелании выразить свои мысли просто, ясно и доступно для всех.

Кто-то попросил его прочитать стихи, и он, даже не спросив, что прочитать, тотчас же согласился. Я уже говорил о том, какое впечатление производил его голос. Но никогда не забуду той сдержанной силы, той безнадежности, с которой он прочел в тот вечер свое стихотворение

«Памяти Есенина». Стали просить еще что-нибудь. Он отказался.

Мы разошлись поздно,— должно быть, часа в три ночи. Ворота были закрыты, и, пока ходили за дворником, один актер, которому было, вероятно, лет двадцать, подтянулся на большом воротном крюке и попытался сделать «лягушку». Единственный раз за весь вечер Маяковский улыбнулся — доброй улыбкой очень усталого человека.

Большой проспект Петроградской стороны был пуст. Шел мелкий дождь. Трамваи давно не ходили. Весь вечер мне хотелось подойти к Маяковскому. Но проклятая застенчивость, еще долго отравлявшая мне жизнь, помешала — и теперь я молча шел рядом с ним, сердясь на себя и думая о том, что Маяковский, без сомнения, даже не слышал моей фамилии. Я ошибался. Именно в этот день, когда читатели упрекали Маяковского в ненужной сложности, какой-то глупый человек прислал ему записку, в которой хвалил мой слабый роман «Девять десятых», и Маяковский, отвечая, пренебрежительно отозвался об этой книге, хотя, как он сам признался вскоре, он ее не читал. Ничего этого я не знал в тот вечер и был поражен, когда, прощаясь (мы наконец нашли извозчика, дремавшего на козлах где-то на углу Пушкарской), Маяковский крепко пожал мою руку и сказал:

— Не сердитесь на меня. Я еще буду читать ваши книги.

Немного лет прошло после этого вечера, и его имя снова бросило тысячи людей на улицы Ленинграда. Снова очень медленно, с тупым, оглушительным звоном шли трамваи, на этот раз через Фонтанку, у Дома печати. Гражданская панихида! Она была назначена в Доме печати, но народу было так много, что кроме панихиды, происходившей внутри здания, открылась другая — на набережной, где поэты говорили о Маяковском с балкона. Говорили о том, что он был «великим чернорабочим в поэзии», говорили о знаке равенства, который он поставил между гражданским и поэтическим долгом...

Впервые в русской поэзии Маяковский выдвинул стихи как документ, и этот документ был подписан полностью — именем, отчеством и фамилией. Это не было поэтической позой, которая часто становится полноправным оружием поэзии. Это было большое хозяйство, большой поэтический дом, по которому, засучив рукава, ходил, думая вслух и требуя подвига, суровый мастер русского стиха.

1958

ТРЕТЬЯ ЭЛОИЗА

Вопрос о «второй профессии», обязательной для писателя, был поставлен В. Шкловским. Но когда я познакомился с ним, у него была только одна профессия — историка современности в широком смысле слова, а в узком — и теоретика литературы.

В квартире Тынянова на Греческом проспекте была коммуна. Мы жили весело и голодно. Шел двадцать первый год. Трамваи еще не ходили, потом пошли. Сначала мы ездили бесплатно, потом за билет надо было заплатить три копейки. Можно было за три копейки купить белую булочку, и мы предпочитали ходить с Греческого в университет или в Мариинку пешком. В Мариинке пел Шаляпин.

Хлеба было маловато, крошки мы высыпали в чай, подслащенный сахарином, получалась тюря, вкусная вещь. В передней стоял шкаф, а в шкафу неприкосновенный запас овощей, из которых мы каждый день варили неизвестно что, съедавшееся без остатка. Обед готовили по очереди, и однажды, когда я варил мясной суп, а мяса было очень мало, я недолго думая добавил в суп сушеной рыбы. На этот раз ел только я.

Прежде в квартире жил сбежавший за границу крупный чиновник. Мебель была безвкусная и роскошная, и казалось — свойство молодости,— что самым главным в квартире был солнечный, крупный, веселый, как мы, просторный воздух.

В этот молодой и голодный мир врывался Шкловский. Он не приходил, а именно врывался, каждый раз с новой мыслью, от которой начинала кружиться голова.

«Сюжет возникает самопроизвольно,— иначе нельзя

объяснить одновременное возникновение одинаковых сюжетов в разных концах мира».

«Сумма художественных приемов передается в литературе не от отца к сыну, а от дяди к племяннику».

«Очень важен литературный фон».

Шкловский являлся с заплечным мешком — так ходили тогда почти все. Казалось, что он высыпает из этого мешка рабочие гипотезы, предположения, доказательства, догадки. Однажды, когда Елена Александровна Тынянова пожаловалась, что в коммуне не хватает посуды, он принес в заплечном мешке большой музейный столовый сервиз.

Разговаривая, Шкловский не сомневался в том, что его собеседнику ничего не стоит перемахнуть вслед за ним через пропасти, которых он даже не замечал. Он существовал в атмосфере открытий. Тех, кто не умел делать открытий, он учил их делать. А тех, кто не хотел,— презирал.

Одна из его первых книг обрывалась словами: «Еще ничего не кончилось». Ими же он мог бы закончить любую из своих последующих книг. И действительно, ничего не может кончиться для писателя, который рассчитывает на то, что он всегда начинает. Тогда, в начале двадцатых годов, он начинал с особенным блеском. Он выпускал книги — в том смысле, что не только писал их, а набирал, переплетал и развозил на саночках по книжным магазинам.

Все в мире делилось для него (и для нас) на две большие группы понятий: «интересно» и «неинтересно». Это было начало литературного взлета двадцатых годов, и в Ленинграде Шкловский был уверенным, веселым участником этого взлета[1].

Потом он написал о любви. У каждого из нас есть дорогая книга, иногда непризнанная, полузабытая и все-таки самая близкая тому, кто ее написал. Я думаю, что Шкловский больше других своих книг должен ценить «Zoo, или Письма не о любви».

В самом названии его книги заключена игра («Zoo» — зоологический сад в Берлине). На титульном листе книга названа снова: «Посвящаю эту книгу Эльзе Триоле и даю ей имя «Третья Элоиза».

Первая «Элоиза» принадлежит Абеляру, знаменитому религиозному философу средних веков (1079—1142), вто-

---

[1] Об этом подробно см. в моей кн.: Освещенные окна. Часть третья. Петроградский студент//Собр. соч.: В 8 т. М., 1983. Т. 7. С. 7.

рая — эпистолярный роман, состоящий из 163 писем,— Жан-Жаку Руссо. Все они — автобиографичны, но лишь книга Шкловского непосредственно связана с теорией литературы. «Для романа в письмах необходима мотивировка — почему именно люди должны переписываться,— пишет в предисловии к первому изданию автор.— Обычная мотивировка — любовь и разлучники. Я взял эту мотивировку в ее частном случае: письма пишутся любящим человеком, у которого нет для этого времени. Тут понадобилась новая деталь: так как основной материал книги — не любовный, то я ввел запрещение писать о любви. Получилось то, что я выразил в подзаголовке,— «Письма не о любви».

Теоретическая книга была смелым шагом в художественную прозу. Личная интонация была новостью для теории литературы. Самонадеянное «я» заменялось подчеркнуто безразличным «мы» — и часто заменяется до сих пор, едва лишь полет критической мысли переходит в тяжелую поступь литературоведа. В автобиографической естественности «я», на которое решился Шкловский, таилось многое. Оно было связано с характерной для футуристов идеей самоутверждения.

«Я» теоретических статей Шкловского в «Zoo» получило новое назначение. За «я» появился характер, личность, рассказчик. Это и было главной удачей книги. Второе предисловие, написанное через год после первого, опрокидывает поразительное по своей бессердечности предположение, что полуотвергнутая, мучительная и по-своему изящная любовь к женщине — только «обычный прием для эротических вещей», как сказано в первом предисловии.

К счастью, женщина существует. К счастью, ее туфли действительно разговаривают с водой, добравшейся до ее квартиры (в Берлине — наводнение). К счастью, она любит — если не автора, так, по меньшей мере, того, кого она действительно любит.

Выход в художественную прозу удался не потому, что Шкловский «взял мотивировку» и «взял запрещение писать о любви». Она удалась потому, что он любил, а также потому, что ему мучительно хотелось вернуться на родину из «Zoo», вокруг которого жили русские эмигранты.

В книгу ворвалась эмоциональность, читатель оценил манерность женских писем, он пожалел автора, он разделил его одиночество. Не так уж важно стало для него, что автор — один из основателей ОПОЯЗа, что ему принадлежат известные книги и статьи. Возможно, что все это не входило в намерения автора. В таком случае перед нами был нередко встречающийся в искусстве пример «закрепления случайного результата».

И когда в одном из писем (двадцать второе) Шкловский утверждает, что книга представляет собой «попытку уйти из рамок обыкновенного романа», читатель радуется, что эта попытка не помешала ему с волнением прочитать удавшийся роман.

МУЖЕСТВО

Я давно хочу рассказать о своей дружбе с М. М. Зощенко. Впрочем, это были, пожалуй, даже не дружеские, а братские отношения, недаром мы оба входили в литературную группу «Серапионовы братья» в двадцатые годы. В сущности говоря, можно написать по меньшей мере восемь-девять романов, по числу членов этого «ордена», как мы его называли, потому что близость, связывающая нас, дробилась и как бы представляла собой смену движущихся кадров, причем движущихся не только в период существования «ордена», но, в сущности, всю жизнь.

1

Однажды за столом у Горького зашла речь об «Энциклопедии весельчака» — было такое издание (как ни странно — многотомное) в конце XIX века. Горький отозвался об «Энциклопедии» с похвалой, как о занимательном и, отчасти, поучительном чтении. Я вспомнил, что у меня есть том, изрядно потрепанный, и рассказал один из анекдотов — кстати, в XIX веке под этим словом подразумевалась коротенькая история, не предназначенная для того, чтобы непременно рассмешить зрителя: скорее заинтересовать, развлечь.

История была следующая: к знаменитому парижскому врачу приходит красивый, изящно одетый молодой человек, который жалуется на непреодолимую скуку, дурное настроение, меланхолию, переходящую в полное нежелание существовать. Но тщательный осмотр показывает, что пациент совершенно здоров, и тогда доктор начинает советовать ему изменить образ жизни:

— Может быть, немного вина?

— У меня лучшие винные погреба в Париже.

— Женщины? Разумеется, в разумных границах.

— Мне давно надоели лучшие женщины Франции, Италии, Германии.

— Коллекционирование, рыбная ловля, наука?

— Нет, нет и нет.

Пауза.

— О, я придумал,— говорит наконец обрадованный доктор,— вам надо пойти в цирк и посмотреть гениального клоуна и фокусника Кларетти. Его бесподобные шутки — лучшее средство против меланхолии. Ручаюсь, что на другой день вы будете здоровы.

— Увы, доктор! У меня нет возможности воспользоваться вашим советом. Перед вами — этот бесподобный Кларетти.

Казалось бы, какое отношение имеет этот старинный анекдот к Михаилу Михайловичу Зощенко. Однако я рассказал его не случайно. За годы многолетней дружбы я никогда не слышал его смеха: маленький рот с белыми ровными зубами редко складывался в мягкую улыбку. Читая свои рассказы, он был вынужден иногда останавливаться — ему мешал оглушительный, почти патологический хохот аудитории, и тогда взгляд его красивых черных глаз становился особенно задумчивым и грустным. Мягкость и твердость — эти два противоположных понятия ничуть не противоречили в нем друг другу. Но было и что-то еще, сторонящееся, глубоко спрятанное,— склонность к одиночеству, к уединенности размышлений? Что-то напоминающее весело-печальный анекдот из «Энциклопедии весельчака» о фокуснике Кларетти.

2

Соммерсет Моэм в автобиографической книге «Эшенден, или Британский агент» рассказывает о том, как он с профессиональной целью подвергал себя рискованным испытаниям. Он поступил в Интеллидженс Сервис и изучал себя, выбирая то, что могло когда-нибудь пригодиться для повести или рассказа. Он выполнял граничившие с подлостью ответственные поручения.

Те события, которые произошли с Зощенко, не были избраны с профессиональной целью.

«В 13-м году я поступил в Университет,— пишет Зощенко.— В 14-м — поехал на Кавказ. Дрался в Кисловодске на дуэли с правоведом К. После чего почувствовал немедленно, что я человек необыкновенный, герой и авантюрист,— поехал добровольцем на войну. Офицером был...» (Ему еще не было двадцати двух лет, когда, многократно награжденный за храбрость, он дослужился до звания штабс-капитана.) «А после Революции скитался я по многим местам России. Был плотником, на звериный промысел ездил к Новой Земле, был сапожным подмастерьем, служил телефонистом, милиционером служил на станции «Лигово», был агентом уголовного розыска, карточным игроком, конторщиком, актером, был снова на фронте добровольцем в Красной Армии.

Врачом не был. Впрочем, неправда — был врачом. В 17-м году после Революции выбрали меня солдаты старшим врачом, хотя я командовал тогда батальоном. А произошло это потому, что старший врач полка как-то скуповато давал солдатам отпуска по болезни. Я показался им сговорчивее.

Я не смеюсь. Я говорю серьезно.

А вот сухонькая таблица моих событий:

Арестован — 6 раз.

К смерти приговорен — 1 раз.

Ранен — 3 раза.

Самоубийством кончал — 2 раза.

Били меня — 3 раза.

Все это происходило не из авантюризма, а просто так — не везло...»

Если бы в этом (далеко не полном) перечне он не научился различать явления, если бы не поднялся он над ними с несравненным талантом человечности, мы не прочитали бы его грустно-смешных рассказов, без которых невозможно вообразить литературу двадцатых годов.

3

Уже и тогда, среди едва намечавшихся отношений, была заметна близость между Зощенко и Слонимским. «Зощенко — новый Серапионов брат, очень, по мнению

Серапионов, талантливый»,— писал Слонимский Горькому 2 мая 1921 года.

Зощенко был одним из участников студии переводчиков, устроенной К. И. Чуковским и А. Н. Тихоновым для будущего издательства «Всемирная литература». «В тот краткий период ученичества,— пишет Чуковский,— он перепробовал себя во многих жанрах и даже начал однажды, как он мне сказал, исторический роман... Своевольным, дерзким рефератом, идущим вопреки нашим студийным установкам и требованиям, он сразу выделился из среды своих товарищей... Здесь впервые наметился его будущий стиль: он написал о поэзии Блока слогом заядлого пошляка Вовки Чучелова, который стал одной из любимых масок писателя.

Но почему Зощенко не сразу появился на наших субботах, как другие студисты — Лунц, Никитин, Познер? Мне кажется, что это связано с решающим переломом в его работе.

«Когда выяснилось, что два-три моих способных опыта были всего лишь счастливой удачей, и что с литературой у меня ничего не выходит, и что я пишу удивительно плохо,— писал Бабель в своей автобиографии,— Алексей Максимович отправил меня в люди. И я на семь лет — с 1917 по 1924 — ушел в люди».

Ничего преднамеренного не было в том беспримерном «путешествии в люди», которое совершил Зощенко между 1915 и 1920 годами. Возможно, что ему хотелось (как Борису Житкову) «научиться всему».

Однажды он рассказал мне, что в молодости зачитывался Вербицкой, в пошлых романах которой под прикрытием женского равноправия обсуждались вопросы «свободной любви».

— Просто не мог оторваться,— серьезно сказал он.

Он был тогда адъютантом командира Мингрельского полка, лихим штабс-капитаном, и чтение Вербицкой, по-видимому, соответствовало его литературному вкусу. Но вот прошли три-четыре года, он вновь прочел известный роман Вербицкой «Ключи счастья», и произошло то, что он назвал «чем-то вроде открытия».

— Ты понимаешь, теперь это стало для меня пародией, и в то же время мне представился человек, который читает «Ключи счастья» совершенно серьезно.

Возможно, что это и была минута, когда он увидел своего будущего героя. Важно отметить, что первые поиски, тогда еще, может быть, бессознательные, прошли через литературу. Пародия была трамплином. Она и впоследствии была одним из любимых его жанров: он писал пародии на Е. Замятина, Вс. Иванова, В. Шкловского, К. Чуковского. Это была игра, но игра, в которой он показал редкий дар свободного воспроизведения любого стиля, в том числе и пушкинского («Шестая повесть Белкина»), что, кстати сказать, далось ему с немалым трудом. Он оттачивал свое перо на этих пародиях: перечитайте их — и вы увидите живых людей, отчетливо просвечивающих сквозь прозрачную ткань стилизации. Характеры схвачены проницательно, метко — и, может быть, именно в этом сказался многосторонний жизненный опыт. Как Зощенко «наслушался» своих героев, так он «начитался» и с блеском воспроизвел изысканный стиль Евг. Замятина, парадоксальный В. Шкловского, «лирически-многоцветный» Вс. Иванова.

Вопреки своей отдаленности друг от друга, все они, с его точки зрения, писали «карамзиновским слогом» — и он дружески посмеялся над ними. Дружески, но, в сущности, беспощадно, потому что его манера, далекая от «литературности», в любом воплощении была основана на устной речи героя.

Кто же был этот герой?

Тынянов в одной из записных книжек набросал портрет мещанина и попытался психологически исследовать это понятие.

«Лет 20—25 тому назад в Западной Руси слова «хулиган» не существовало, было слово — «посадский». В посадах, в слободах оседали люди, вышедшие за пределы классов, не дошедшие до городской черты или перешедшие ее...

Мещанин сидел там на неверном, расплывчатом хозяйстве и косился на прохожих. Он накоплял,— старался перебраться в город, пьянствовал, тратился, «гулял» (обыкновенно злобно гулял). Чувство собственности сказывалось не в любви к собственному хозяйству, а в нелюбви к чужим.

Стало быть: оглядка на чужих, «свои дела», иногда зависть. Почти всегда — равнодушие. Пес, этот барометр социального человека, старался у мещанина быть злым. Крепкий забор был эстетикой мещанина. Внутри тоже развивалась эстетика очень сложная. Любовь к завитушкам уравновешивалась симметрией завитушек. Жажда симметрии — это была у мещанина необходимость справедливости. Мещанин, даже вороватый или пьяный, требовал от литературы, чтобы порок был наказан — для симметрии...

...Все это нужно как заполнение пространства, которого мещанин боится. Пространство — это уже проделанный им путь от деревни к городу, и вспомнить его он боится. Он и город любит из-за скученности. Между тем дисимметрия, оставляя перспективность вещей, обнажает пространство. Любовь к беспространственности, подспудности — всего размашистей и злей сказывается в эротике мещанина. Достать из-под спуда порнографическую картинку, карточку, обнажить уголок между чулком и симметричными кружевами, приткнуть, чтобы не было дыханья, и наслаждаться частью женщины, а не женщиной».

В «Рассказах Назара Ильича господина Синебрюхова» Зощенко не только понял это всепроникающее явление, но проследил лицемерно-трусливый путь мещанина через революцию и гражданскую войну. В этой книге было предсказано многое. У нового мещанина (времен нэпа) не было «забора», он жил теперь в коммунальной квартире, но с тем большей силой развернулась в нем «оглядка на чужих», зависть, злобная скрытность. Беспространственность утвердилась в другом, эмоциональном значении.

«Рассказы Назара Ильича...» писались, когда Зощенко пришел к Серапионам. Расстояние между автором и героем было в нем беспредельным, принципиально новым. Каким образом это «двойное зрение» не оценила критика, навсегда осталось для меня загадкой.

4

Утверждая, что «все мы вышли из гоголевской «Шинели», Достоевский ошибся даже по отношению к своим современникам. И все же, если исключить всеобщность этих слов, они наметили ту традицию в истории русской литературы, которая в XX веке привела к знаменательному появлению Зощенко. Именно он написал нового «маленького человека», духовный мир которого ограничен самым фактом его существования. О близости между

Гоголем и Зощенко говорить не приходится, недаром второй относился к первому с таким болезненным интересом. Для обоих литература в конечном счете была единственным средством самопознания, и если бы в руке оказалось не перо, а резец скульптора или кисть художника,— ничего бы не изменилось. Для обоих это было явлением, возникшим на заре творчества, развивавшимся в поисках самого себя, то отступавшим, то наступавшим и в конце концов определившимся как главная черта их духовного мира. Литература сама по себе, не связанная с безотвязным стремлением понять себя, в конце концов для них почти не существовала.

Известно, какие муки испытал на этом пути Гоголь, взваливший на себя ношу ответственности за собственный талант. Не сладко пришлось и Зощенко, который от поисков здоровья («Возвращенная молодость») пришел к поискам духовного здоровья для всего человечества («Перед восходом солнца»). Во второй части этой книги он сознательно отстранил несравненный дар «художественной информации», достигший под его пером необыкновенной изобразительной силы. Но поставим рядом два великих открытия, которые были сделаны Гоголем в XIX, а Зощенко — в XX веке. Они объединяются в понятии «маленький человек»!

Акакий Акакиевич — мастер, художник, всецело поглощенный тайнами своего скромного дела. В его переписывании ему видится «какой-то свой разнообразный и приятный мир... некоторые буквы у него были фавориты, до которых если он добирался, то был сам не свой: и подсмеивался, и подмигивал, и помогал губами, так что в лице его, казалось, можно было прочесть всякую букву, которую выводило перо его». Он беден и беззащитен, он сам почти превращен в те «ровным почерком выписанные строки», которые занимают его воображение и на службе, и на улице, и дома. Но за его ничтожностью, незаметностью его отличают не только «значительные лица», но и товарищи по работе, и эта нота ответственности, переходящей в сочувствие, звучит в глубине рассказа с нарастающей силой. Вот почему так потрясен молодой чиновник, посмеявшийся над Акакием Акакиевичем и услышавший в ответ лишь простые слова: «Зачем вы меня обижаете?» Вот почему молодой чиновник останавливается, «как пронзенный», и много раз «содрогался он на веку своем», видя, «как много в человеке бесчеловечья». Подчеркнутое преувеличение, с которым написаны эти строки, рассказывающие *историю совести,* звучат, как проповедь, предсказывая «Выбранные места из переписки с друзьями».

И эта нота сочувствия не только слышится все сильнее, но звучит как набат на последних страницах, когда шинель украдена и Акакий Акакиевич смертельно, непоправимо обижен. Вместе с шинелью от него отнимают жизнь. Но хотя «Петербург остался без Акакия Акакиевича, как будто в нем его никогда и не было», остается идея совести, принимающая фантастические очертания. Как будто для того, чтобы показать, что безвинная гибель маленького человека не осталась неотмщенной, развертывается панорама ночного Петербурга, в котором «мертвец в виде чиновника» сдирает «со всех плеч, не разбирая чина и звания, всякие шинели: на кошках, на бобрах, на вате, енотовые, лисьи, медвежьи шубы». Все соотнесено в «Шинели», все выстраивается перед невидимым взглядом, обличающим «скрытое бесчеловечье даже в том человеке, которого свет признает благородным и честным».

5

Этой внутренней связи нет в мире, который встает со страниц ранней прозы Зощенко. Его герои, даром что они живут в коммунальных квартирах, существуют отдельно, идея совести отнюдь не мучает их, она полностью вытеснена идеей собственности. «Вот в литературе существует так называемый «социальный» заказ,— писал он.— Предполагаю, что заказ этот в настоящее время сделан неверно. Есть мнение, что сейчас заказан красный Лев Толстой. Видимо, заказ этот сделан каким-нибудь неосторожным издательством. Ибо вся жизнь, общественность и все окружение, в котором живет сейчас писатель, заказывает, конечно же, не красного Льва Толстого. И если говорить о заказе, то заказана вещь в той неуважаемой мелкой форме, с которой, по крайней мере, связывались раньше самые плохие литературные традиции... Мне хочется передать нужный мне тип, тип, который почти не фигурировал раньше в русской литературе. Я взял подряд на этот заказ. Я предполагаю, что не ошибся».

Он не только не ошибся. Он первый почувствовал силу нового мещанина, для которого нравственность была только обузой. Он первый написал Борьку Фомина в полосатых подштанниках, у которого жизнь то возносится на необозримую высоту, то падает, как камень в воду, в зависимости от того, что происходит с пятью тысячами, которые он выиграл — по займу или в лотерею («Голубая книга», «Трагикомический рассказ про человека, выигравшего деньги»).

Психологический мир этого героя, в сущности несложный, исследован Зощенко во всех оттенках — и это почти анатомическое исследование происходит в присутствии автора, который делится с читателем своими размышлениями, ничего не скрывая. В «Голубой книге» он попытался даже «систематизировать» отношения между многочисленными представителями этого мира, пять разделов недаром называются «Деньги», «Любовь», «Коварство», «Неудача» и «Удивительные истории» — названия говорят за себя.

Но есть у Зощенко и другой герой, тоже безоглядно погруженный в собственные интересы, но не стремящийся к корыстной любви, довольствующийся малым и менее всего склонный к коварству. Уже в самом начале своей деятельности (1922) он написал повесть «Коза», уж такую гоголевскую во всех отношениях, что даже странно, что никем еще не отмечено это сходство. Герой рассказа бухгалтер Забежкин, мечтающий о собственной козе,— почти зеркальное отражение Башмачкина, мечтающего о новой шинели. Весь рассказ написан в гоголевском «ключе».

«А шел Забежкин всегда по Невскому, хоть там и крюк ему был. И не потому он шел по Невскому, что на какую-нибудь встречу рассчитывал, а так — любопытства ради: все-таки люди разнообразные и магазины черт знает какие, да и прочесть смешно, что в каком ресторане люди кушают.

А что до встреч, то бывает, конечно, всякое... Вот ведь, скажем, дойдет Забежкин до Садовой, а на Садовой... дама вдруг... черное платье, вуалька, глаза... И подбежит эта дама к Забежкину: «Ох,— скажет,— молодой человек, спасите меня, если можете... Ко мне пристают, оскорбляют меня вульгарными словами и даже гнусные предложения делают...» И возьмет Забежкин даму эту под руку, так, касаясь едва, и вместе с тем с необыкновенным рыцарством, и пройдут они мимо оскорбителей презрительно и гордо...»

«Неуважаемая мелкая форма», которая была нужна Зощенко для того, чтобы показать нового «маленького человека», неразрывно связана в рассказе с «неуважаемым мелким героем». Забежкин так же одинок, как Башмачкин, и так же, если не более, беззащитен: Акакию Акакиевичу не грозит сокращение штатов. Оба не чувствуют трагической незаметности своего существования, оба мечтают о неизмеримо малом счастье, и оба гибнут, когда это ничтожное счастье отнимут у них.

В «Сентиментальных повестях», написанных в конце двадцатых годов, Зощенко возвращается к этой теме в новом повороте. Мелкий герой задумывается над смыслом своего существования — опасная затея! Тапер Аполлон Перепенчук («Аполлон и Тамара»), обманутый любимой девушкой, доведенный до нищеты, осмеливается предположить, что человек «так же нелепо и ненужно существует, как жук или кукушка», и о том, что человечество должно изменить свою жизнь, чтобы найти покой и счастье и чтобы не подвергаться таким страданиям, которые произошли с ним».

В «Страшной ночи» эта тревожная мысль развивается. Герой рассказа — Борис Иванович Котофеев — музыкант, играющий в симфоническом оркестре на треугольнике: «Читателю, наверное, приходилось видеть в самой глубине оркестра, вправо, сутулого какого-нибудь человека с несколько отвисшей челюстью перед небольшим железным треугольником. Человек этот меланхолически позвякивает в свой нехитрый инструмент в нужных местах».

Такой профессии не существует — ударные инструменты, в число которых входит и треугольник, занимали свое, существенное место в симфоническом оркестре, когда Зощенко писал свою повесть. Треугольник важен своей «ничтожностью». Более жалкого занятия придумать, кажется, невозможно, а между тем Борис Иванович неразрывно связан с треугольником, «прикреплен к нему» и без него существовать не может.

И вот нехорошая мысль начинает мучить музыканта — мысль о том, что «жизнь не так уж тверда в своем величии». Что в жизни все случайно и что, стало быть, «все завтра же может измениться». Он убеждается в этом, встретив бывшего учителя чистописания, дошедшего до полного падения, потому что «предмет этот был исключен из программы». Но ведь в один несчастный день может быть отменен и треугольник?

Страшное волнение охватывает Бориса Ивановича. В его неподвижный, устоявшийся мир врывается идея цели. Зачем он жил? Он как бы переносится в свое будущее — «электрический треугольник давным-давно изобретен и только держится в тайне, в страшном секрете, с тем, чтобы сразу, одним ударом, свалить его». Он уже не «прикреплен», в жизни нет ничего, что прежде служило опорой, и ничего не остается, как просить на улицах подаяния. «Борис Иваныч постоял на углу, потом, почти не отдавая себе отчета в том, что он делает, подошел к какому-то прохожему и, сняв шляпу, глухим голосом сказал:

— Гражданин... Милости прошу... Может быть, человек погибает в эту минуту...

Прохожий с испугом взглянул на Котофеева и быстро пошел прочь.

— А-а,— закричал Борис Иванович, опускаясь на деревянный тротуар,— граждане... Милости прошу... На мое несчастье... На мою беду... Подайте, кто сколько может!»

Его принимают за пьяного, улюлюкающая толпа преследует его, загоняет в церковь. «Но Бориса Ивановича в церкви не было. И когда толпа, толкаясь и гудя, ринулась в каком-то страхе назад, сверху, с колокольни, раздался вдруг гудящий звон набата. Сначала редкие удары, потом все чаще и чаще поплыли в тихом ночном воздухе. Это Борис Иванович Котофеев с трудом раскачивал тяжелый медный язык, бил по колоколу, будто нарочно стараясь этим разбудить весь город, всех людей».

Так «мелкий герой» впервые восстает против своей машинальной, замкнутой жизни. Уже не позвякивает меланхолический треугольник. Колокольный звон разносится по городу, возвещая, что больше так продолжаться не может. Но это — погребальный звон по проснувшемуся сознанию. Не может, но будет. Выхода нет.

6

Зощенко был небольшого роста, строен и очень хорош собой. Глаза у него были задумчивые, темно-карие, руки — маленькие, изящные. Он ходил легко и быстро, с военной выправкой — сказывались годы в царской, потом в Красной Армии. Постоянную бледность он объяснял тем, что отравлен газами на фронте. Но мне казалось, что и от природы он был смугл и матово-бледен.

Не думаю, что кто-нибудь из нас уже тогда разгадал его — ведь он и сам провел в разгадывании самого себя не одно десятилетие. Меньше других его понимал я — и это неудивительно: мне было восемнадцать лет, а у него за плечами была острая, полная стремительных поворотов жизнь. Но все же я чувствовал в нем неясное напряжение, неуверенность, тревогу. Казалось, что он давно и несправедливо оскорблен, но сумел подняться выше этого оскорбления, сохранив врожденное ровное чувство немстительности, радушия, добра.

Думаю, что он уже и тогда был высокого мнения о своем значении в литературе, но знаменитое в серапионовском кругу «Зощенко обидится» было основано и на другом. Малейший оттенок неуважения болезненно задевал его. Он был кавалером в старинном, рыцарском значении этого слова — впрочем, и в современном: получил за храбрость четыре ордена и был представлен к пятому в годы первой мировой войны.

Он был полон уважения к людям и требовал такого же уважения к себе.

7

Мало кто помнит о стремительном взлете его славы в двадцатых годах. Уже в 1928 году издательство «Academia» выпустило посвященный ему сборник статей, в котором участвовали В. Шкловский и В. Виноградов.

«Сделанность вещей Зощенко, присутствие второго плана, хорошая и изобретательная языковая конструкция сделали Зощенко самым популярным русским прозаиком. Он имеет хождение не как деньги, а как вещь. Как поезд»,— писал Шкловский.

Я был свидетелем воплощения этой формулы в жизнь. На перегоне Ярославль — Рыбинск находчивый пассажир продавал за двадцать копеек право почитать маленькую книжечку Зощенко — последнюю, которая нашлась в газетном киоске.

К концу 1927 года Михаил Михайлович напечатал

тридцать две такие книжечки, среди которых были и повести «Страшная ночь» и «Аполлон и Тамара».

Десятки самозванцев бродили по стране, выдавая себя за Михаила Михайловича. Он получал счета из гостиниц, из комиссионных магазинов, а однажды, помнится, повестку в суд по уголовному делу. Женщины, которых он и в глаза не видел, настоятельно, с угрозами требовали у него алименты. Корреспонденция у него была необъятной. На некоторые значительные письма он отзывался, тысячи других оставались без ответа, и в конце концов, отобрав из них три-четыре десятка, он опубликовал «Письма к писателю», книгу не столько объяснившую, сколько подтвердившую его успех, нимало не нуждавшийся в подтверждении.

Его огромный читательский успех был связан с открытиями в русской прозе; его слова и выражения вошли в разговорный язык. Однако в хоре похвал пробивалось и бессознательное непонимание. Для этого нужно было только одно: не чувствовать юмора. Впрочем, для того, чтобы не почувствовать зощенковского юмора, нужна полная глухота,— такие люди едва ли могут отличить музыку от уличного шума.

Характерное для Зощенко гордое достоинство соединялось с полным бесстрашием, более того, небоязнью смерти.

Мы сближались медленно, поначалу даже и ссорились — моя мальчишеская самоуверенность, мои резкости на собраниях «Серапионовых братьев» не нравились ему — человеку, о котором Шкловский метко сказал, что «у него осторожная поступь, очень тихий голос... манера человека, который хочет очень вежливо кончить большой скандал...» (Мастера культуры. Academia, 1928).

Однажды Михаил Зощенко явился на очередное чтение «Серапионовых братьев» с двумя или тремя актрисами какого-то южного театра, гастролировавшего в Ленинграде. Актрисы писали стихи, и наше заседание вдруг стало напоминать «Звучащую раковину» — в Петрограде был такой поэтический салон, к завсегдатаям которого у нас было дружеское, но несколько ироническое отношение.

Напомню, что мне было тогда только двадцать лет, иначе я, вероятно, не принял бы приглашение этих ни в чем не повинных девушек как бестактность по отношению к «литературному ордену Серапионовых братьев».

Стихи были прочтены, началось обсуждение. Я первый взял слово и с мальчишеской самоуверенностью принялся терзать, крушить и уничтожать эти милые, но действительно пошловатые произведения.

Девушки обиделись и ушли. Мы остались одни, и тогда Зощенко, которого я впервые увидел в бешенстве, весь белый, но не повышая голоса, сказал, что я вел себя как ханжа,— помню, меня в особенности оскорбило это слово,— и потребовал, чтобы товарищи осудили мое возмутительное поведение. Я ответил, что очень удивлен тем, что он, требуя от меня ответа, обращается к другим, и что не позволю устраивать над собой суд, тем более что ни в чем не считаю себя виноватым.

— Полагаю, что вопрос может решить только та встреча лицом к лицу,— сказал я холодно,— с помощью которой еще недавно решались подобные споры и от которой я ни в коем случае не намерен уклониться.

Гордо подняв голову, я вышел и, не помня себя, помчался по Невскому. Мы деремся! Правда, Зощенко промолчал, и у меня не было уверенности, что он понял, что я его вызываю. Он промолчал, а кто-то (кажется, Федин) улыбнулся. Все равно, мы деремся! Завтра нужно ждать секундантов. Вызван он,— следовательно, он и предложит условия. Десять шагов — и до результата. Секунданты едва ли могли прийти ночью, но я не уснул. Я ждал секундантов.

Это были трудные для меня дни января 1921 года. В университете у меня не был сдан минимум за второй курс, в Институте восточных языков нельзя было не посещать занятий. Я зубрил римскую литературу, рвал горло на гортанных арабских звуках, но из дому не выходил — ждал секундантов. Я вскакивал на каждый звонок, прикидывал, кто из друзей может выступить в этой тяжкой, но благородной роли, сочинял предсмертные записки — предсмертные, потому что не сомневался в том, кто из нас будет убит. Зощенко недавно снял военную форму, был известен своей храбростью — можно было не сомневаться в том, кто из нас падет в этой встрече. Но секундантов не было.

Юрий Тынянов (я жил у него в студенческие годы), серьезно отнесшийся к нашей ссоре и даже уговаривавший меня извиниться перед Зощенко, стал подсмеиваться надо мной и вдруг притащил откуда-то толстый «Дуэльный кодекс». Я рассердился, потом прочел кодекс. Он был написан (или издан) сыном известного Суворина. В пространном послесловии автор рассказывал длинную историю о том, как он получил пощечину, был вызван на дуэль, но уклонился и теперь, чтобы доказать свою доблесть, издает этот кодекс. К сожалению, мне трудно проверить это несколько парадоксальное впечатление: редкая книга пропала в числе других в годы ленинградской блокады.

Итак, я ждал секундантов. Скучный учебник Модестова по римской литературе был изучен вдоль и поперек; из Института восточных языков позвонили и сказали, что я буду исключен, если не явлюсь на очередное занятие.

Прошло несколько дней, и после долгих колебаний — идти или нет? — взволнованный, с горящими щеками, я отправился на первую годовщину «Серапионова братства». Зощенко пришел туда поздно, когда мы играли в какую-то игру вроде «телефона». Это было в комнате Мариэтты Шагинян. Поклонившись хозяйке, он стал неторопливо двигаться вдоль ряда играющих, здороваясь, и, дойдя до меня, остановился. Я вскочил, и, как Ивана Иваныча и Ивана Никифоровича, нас стали мирить, уговаривая и толкая друг к другу.

Наконец мы поцеловались, и Зощенко сказал мне с доброй улыбкой:

— Знаешь что, а ведь я все эти дни почти не выходил. Думал: черт его знает, мальчишка горячий. Ждал секундантов.

...Вечера в первые серапионовские годы устраивались часто, и это были вечера, полные остроумия, изобретательности, безыскусственности и неудержимого, почти фантастического веселья. Наша молодость сложилась счастливо, но даже в этой счастливой молодости они кажутся чем-то особенным, запомнившимся навсегда. На этих вечерах по заранее написанным сценариям (чаще всего за полчаса до начала) разыгрывались целые истории — и разыгрывались талантливо, остроумно. Иногда это были инсценированные биографии «Серапионовых братьев», иногда — полемика со статьями, появившимися вскоре после выхода первого (и последнего) нашего альманаха.

Вечера носили название: «Памятник Михаилу Слонимскому» или «Фамильные бриллианты Всеволода Иванова». Устраивал их почти всегда Лев Лунц, который выступал одновременно и как артист, и как конферансье, и как режиссер, и как театральный рабочий. Над чем только не смеялись мы на этих вечерах! И над собой, и над казавшимися тогда необыкновенно смешными попытками администрирования в литературе. Осмеянию бюрократов в те годы Слонимский посвятил талантливую одноактную пьесу, в которой вокруг поваленной кем-то тумбы возникает целое учреждение, а Лунц — рассказ, в котором канцелярист постепенно сам превращается в одно из собственных «отношений». Рассказ был смешной. Прислушиваясь к поразительным переменам, происходящим в его организме, герой рассказа с ужасом сообщал читателям, что «его левая нога уже начинает шуршать».

Но, конечно, среди этих запомнившихся вечеров особое место занимали наши годовщины. К ним начинали готовиться заранее. У Тихонова, в доме которого обычно они отмечались, вырезывались из журналов и монтировались забавные фотографии, нелепые газетные заметки, рисовались карикатуры, писались пародийные статьи, иронические пожелания. Все это составляло содержание выходившей один раз в году стенной газеты «Красный Серапион».

Вот некоторые статьи и пожелания из номера, посвященного нашему пятилетию.

Передовая статья «Наши итоги»: «Прошло пять лет. Мы — на высоте. Наши дети частью родились, частью выросли. Наши книги идут уже на обертку. Наши бабушки омолодились и вышли вторым изданием. Одно время мы находились *вне закона*[1], но, покинув обезьянник ДИСКа[2], мы переехали на буржуазные квартиры и обзавелись собственной мебелью. Но заветы пустынника Серапиона до сих пор близки нашим сердцам. Так, иные издательства кажутся нам Фиваидской пустыней... Наша пища — уже не селедка Дома ученых, но дикий сорокаградусный мед...»

Под передовой шел отдел «Серапионы и совкритика», который открывался небольшим рисунком крокодила с подписью «Виды критики»: «Земноводные». Выдержки из сборника критических статей под названием «Сухие водолазы» гласили следующее: «Тихонов крадет у мертвых и у живых. Он имел нахальство в «Шахматах» писать о

---

[1] Название пьесы Лунца.

[2] Комнаты Слонимского и Лунца в Доме искусств.

шахматной доске, когда у всех с детских лет в памяти бессмертные строчки лермонтовского «Демона»: «Вот над шахматной доскою ряд солдатиков из воску» и пр. Какая беззастенчивость!»

Отдел «Героическое прошлое» состоял главным образом из рисунков, фотографий, вырезок из журналов и т. д. Одна из них изображала дикаря, замахивающегося огромным камнем. Подпись сообщала, что это напостовец, вступивший в первый бой против «Серапионовых братьев».

Федин был изображен в виде комического баса в Нюрнбергском театре, Всеволод Иванов — в виде факира, который питается булками и дымом без огня, Михаил Зощенко (в молодости) впереди своего полка отбивал химическую атаку превосходящих сил противника («С картины Верещагина»,— гласило примечание).

В центре этого отдела была помещена превосходная карикатура на Горького с подписью: «Добрый гений Серапионов». «Полезные подарки Серапионам и их гостишкам ко дню пятилетия братства» состояли в следующем: Виктору Шкловскому — Нобелевскую премию за добродетель, Тынянову — перо Грибоедова, Полонской — комплект «Задушевного слова», Шварцу — электрический счетчик острот и т. д.

В отделе «Наш быт всюду» редакция газеты «Красный Серапион» подсмеивалась над собой в таких подписях под рисунками и фотографиями, о которых трудно или даже невозможно рассказать, потому что почти каждая из них требует подробного объяснения. Здесь и Тихонов после восхождения на Арарат в костюме и в котелке Чарли Чаплина, и Зощенко «в погоне за материалом», окруженный множеством хорошеньких женщин, и Константин Федин, или «Записки ружейного охотника в Смоленской губернии» — серия карикатур, вырезанных из какого-то старинного журнала.

Были и другие отделы: «Киноглаз», «Местная хроника», «Наши за границей». В другой газете — «Вечерний Серапион»,— вышедшей 1 февраля 1927 года, сообщалось, что некоторые «Серапионовы братья», в связи со слухами о войне, приготовили ряд корреспонденций с фронта, что председателем комиссии по борьбе с мещанским укладом назначен Михаил Зощенко, что к десятилетию Октября небезызвестный критик и мыслитель Воронский переименовывается в Белинского, о том, что на днях выходит книга «Тайны серапионовского двора». Коллективный рассказ «Герой нашего времени», составленный из подлинных цитат, взятых из произведений «Серапионовых братьев», заканчивал этот, кажется последний, номер серапионовской стенной газеты.

Но не только газеты висели на стенах во время серапионовских годовщин. У меня сохранилась, например, афиша, изображавшая «серапионов» через тридцать лет. Это фотографии весьма известных деятелей русской и мировой культуры и литературы, отдаленно напоминавших членов нашей группы, причем как-то очень забавно напоминавших. Невозможно было без смеха смотреть на старого, бородатого, носатого Фета, под которым стояла подпись: «И. Груздев». Изящный, тонкий, с офицерской выправкой Зощенко был изображен в виде добродушного, почтенного, умильно улыбающегося старичка с седой бородкой, в очках,— кажется, какого-то известного немецкого химика. Под портретом Гете, вырезанным, очевидно, как и другие, из старой «Нивы», стояла подпись: «К. Федин».

Пожалуй, еще забавнее была афиша, изображавшая проекты памятников, «заказанные отделом монументальной пропаганды» к столетию со дня рождения «Серапионовых братьев».

Рассматривая теперь все эти старые газеты, афиши, фотографии, статьи, заметки, все эти «почтовые ящики», «подарки», «пожелания», поражаешься тому, как, беспощадно смеясь над собой, мы умели оставаться друзьями. Да, это была настоящая творческая среда, тесно связанная с жизнью литературы — жизнью молодой, полной надежд и не боявшейся смеха. Это была среда, пришедшая на смену литературной среде символистов с ее многозначительностью, с ее стремлением придать глубину ежедневному, машинальному, совершавшемуся независимо от человеческой воли. Именно это ощущение возникает при чтении дневников Блока или переписки между Блоком и Белым.

Конечно, в известной мере это было подготовлено «Лефом», футуристами, которые громили «высокие» литературные традиции с принципиальных высот. Мы их не громили. Мы просто не думали о них. Вот почему, кстати сказать, у нас не удержалась и та серапионовская обрядность, о которой я упоминал выше. Революция переломила быт, и в литературу пришли люди не из кабинетов, а с фронтов гражданской войны.

Горький писал Слонимскому 31 марта 1925 года: «Тут про вас разные мудрые люди, вроде Степуна Ф. А. (известный белогвардейский писатель.— *В. К.*), пишут и публично читают, что вы все контрреволюционеры. Спорю, утверждаю, что вы в глубокой, органической ненависти вашей к «быту» — истинные бунтари-революционеры...»

Вот почему нам были так чужды мудрствовавшие философы из Вольфилы (Вольная философская ассоциация), в которой решались весьма сложные на первый взгляд вопросы человеческого существования, но сводившиеся, в сущности, лишь к наивному противопоставлению: Революция и я. Вот почему мы смеялись над литературной чопорностью старшего поколения. Вот откуда взялись прямота и чистота, которыми были озарены наши споры, лишенные малейшей предвзятости, без задней мысли, без каких-либо отношений, кроме чисто литературных. И ведь казалось, что так будет всегда!

8

Я любил Михаила Михайловича Зощенко искренне, восхищался и восхищаюсь его творчеством, еще далеко недооцененным, но «токов», о которых он писал М. Шагинян[1], между нами не было. Этому мешало несходство характеров и вкусов. Трудно поверить, что этот автор книг, изящно смешных и одновременно без промаха разящих пошлость, был глубоко разочарованным в себе, всю жизнь перестраивающим себя человеком. Это было неустанным трудом, полным надежды отделаться от дурного настроения, от глубокой меланхолии, от нежелания жить,— недаром он писал в своей автобиографии, что дважды пытался покончить с собой. Но в конце концов он убедился, что надо жить. И тогда началась и всю жизнь продолжалась мужественная борьба с самим собой, которая привела его сперва к «Голубой книге», написанной по совету Горького, а впоследствии — к удивительному по силе и точности труду (своего рода «исповеди») — «Перед восходом солнца». Полностью

[1] См.: Новый мир. 1982. № 12.

эта примечательная книга была напечатана с разрывом в тридцать лет. Первая часть появилась в журнале «Октябрь», а вторая под другим названием («Повесть о разуме») — в журнале «Звезда»[1].

Бывают книги, значение которых остается непонятым десятки лет. К ним принадлежат, например, некоторые поэмы Хлебникова. К ним относится и последняя книга Зощенко — «Перед восходом солнца».

Неудачи шли за ней по пятам. Первая часть появилась в годы войны, когда просто не было времени размышлять о назначении человека, о прошлом и будущем человечества. Пожалуй, можно понять людей, которые в те годы самой судьбой были призваны не столько размышлять, сколько действовать. Надо было дождаться окончания второй части книги, потому что она умно и метко дискредитировала самую идею фашизма.

Ю. Олеша на Первом съезде писателей выступил с речью, которая потрясла всех присутствующих. Он единственный говорил не о литературе, не о своем положении в ней. В воображении он видел себя нищим, протягивающим руку, прося подаяния. По-видимому, он считал, что его творчество исчерпано и будущее ничего хорошего не сулит.

Эта речь вспомнилась мне, когда я читал те страницы книги Зощенко «Перед восходом солнца», где рассказывается о том, как он после смерти отца пришел с матерью к известному художнику, президенту Академии художеств — Чистякову. Пришли, чтобы просить пособие. Эта сцена, в которой унизительность просьбы была подчеркнута высокомерием Чистякова, навсегда осталась в памяти писателя.

Думаю, что и Олеше было знакомо и также на всю жизнь тяжело ранило его это чувство. Это было глубокое испытание души унижением.

Полную рукопись книги «Перед восходом солнца» прислала мне уже после смерти Зощенко его вдова Вера Владимировна. Она приложила к ней запись из своего дневника:

«Я спросила его, почему он такой грустный и печальный. Он ответил, что бывает веселый только тогда, когда что-нибудь хорошее напишет, а сейчас он почему-то не может и не хочет писать, хотя есть масса сюжетов.

---

[1] Надеюсь, что она войдет в готовящееся собрание сочинений.

Я говорила, что он просто устал, переутомился от непрерывной умственной работы, что он совершенно не живет своей жизнью, обыкновенной человеческой жизнью, что он слишком отдался своему творчеству и из-за него совершенно забыл живую человеческую жизнь. Я советовала ему отдохнуть, развлечься, не думать вечно о своей работе.

На это он ответил, что его ничто не интересует. Если он не пишет, он или играет в карты, хотя и это ему начинает надоедать, или сидит в пивной. Идти в гости, слушать разговоры простых, обыкновенных людей — ему невыносимо скучно. Все, что они говорят, ему неинтересно и ненужно, а нужного и интересного он ни от кого не слышит. Его звал к себе Сологуб — он не пошел. Был у Ходотова — постоял, постоял и ушел. Стало скучно.

Женщины его еще иногда волнуют, но и то, пока незнаком с ними, а познакомится — и скучно, и ненужно.

Читать он совсем не может — противно. Сейчас может читать одного Пушкина. Даже Достоевский для него невыносим.

Что он любит? «Слово люблю, хорошую фразу, хороший сюжет люблю», то есть все то же, только свое искусство. Сейчас мучается над поисками новой формы, потому что для новых рассказов ему нужна и новая форма, писать все в одном тоне он не может.

Говорит, что за это время проделал огромную, незаметную еще для других работу, создал совершенно новый, страшно сжатый, короткий язык.

Говорил, что его до сих пор никто не понимает, как нужно, смотрят на него, в большинстве случаев, как на рассказчика веселых анекдотов, а он совсем не то. Как он часто любит это делать, проводил параллель между собой и Гоголем, которым он очень интересуется и с которым находит очень много общего. Как Гоголь, так и он совершенно погружен в свое творчество. Муки Гоголя в поисках сюжета и формы ему совершенно понятны. Сюжеты Гоголя — его сюжеты. Наконец, они оба юмористы. Даже происхождение одно — хохлацкое: «Может быть, одна кровь сказывается».

Даже в некоторых жизненных мелочах он находит сходство со своей судьбой. Гоголя часть критиков не признавала, считала «жалким подражателем Марлинского», а часть при жизни произвела в гении. И с ним то же — одни считают анекдотистом, подражателем Лескова, другие, наоборот,— «говорят такое, что неловко становится». (Его собственное выражение.)»

Эта запись относится к очень раннему времени (16 июля 1923 года), когда его книги имели неслыханный, все возрастающий успех. Но ее смело можно отнести ко всей его жизни. В книге «Перед восходом солнца» он попытался вернуться к нормальному, естественному существованию. Но судьба решила иначе.

В годы войны многие писатели отправились на фронт в качестве военных корреспондентов, многие были ранены, многие погибли. Зощенко, в прошлом боевой офицер (ему было 47 лет), избрал другую — нравственную форму борьбы с фашизмом.

«Что заставляет меня писать эту книгу? Почему в тяжкие и грозные дни войны я бормочу о своих и чужих недомоганиях, случившихся во время оно?

Зачем говорить о ранах, полученных не на полях сражений?

Может быть, это послевоенная книга? И она предназначена людям, кои, закончив войну, будут нуждаться в подобном душеспасительном чтении?

Нет. Я пишу мою книгу в расчете на наши дни. Я приравниваю ее бомбе, которой предназначено разорваться в лагере противника, чтобы уничтожить презренные идеи, рассеянные там и сям».

Книга направлена против бессознательного страха. Именно бессознательного. Смелость Михаила Михайловича была широко известна. Он дрался на дуэли, сделал блестящую военную карьеру.

В годы первой мировой войны, как он пишет, его оставил на время неопределенный, необъяснимый, терзающий его страх, о котором никто никогда бы не догадался. Это был не физиологический страх, это было невнятное беспокойство, причину которого он в течение многих лет не мог себе объяснить.

Можно смело сказать, что исповеди, подобной «Перед восходом солнца», в литературе еще никогда не бывало. Причину своей душевной муки он ищет последовательно сперва в юности, вспоминая множество случаев, которые могли бы, как ему казалось, подсказать ему причину этого состояния. Вслед за юностью он направляет свою мысль на воспоминания детства, потом — раннего детства и, наконец, грудного возраста. Все это не отвлеченные размышления, а реальные случаи, которые постепенно приводят его к мысли, что именно тогда проявились те черты, которые так глубоко исказили его жизнь, изменили характер, наложили печать тоски, недовольства собой.

Перелистывая свою жизнь, Зощенко находит их. Одна из них — боязнь воды. Он вспоминает, например, что, командуя батальоном, должен был перейти вброд небольшую реку, но прежде чем решиться на это, он велел найти брод, потому что переход через реку по шею в воде бессознательно страшил его. Брода не нашлось, и он отдал приказание. Я не буду приводить других примеров, относящихся к другим инстинктивным страхам, смысл которых был для него загадкой.

«Я отсылаю читателя к моим скудным воспоминаниям, своим маленьким рассказам о своей жизни,— пишет он.— Теперь в них можно увидеть почти все.

В них можно увидеть мой неосознанный страх. Можно увидеть защиту, притворство, бегство. И ту горечь, которой была полна моя жизнь.

И то отношение к женщине, которое было ими незаслужено.

Какую горькую и печальную жизнь я испытал!

Какое закрытое сердце надо было раскрыть заново!»

Пересказывать эту книгу невозможно. Но, прочитав ее, можно сделать вывод, что все его рассказы, которые и поныне существуют как образец комедийного жанра, в сущности, глубоко грустны. И это относится не только к книге «Перед восходом солнца». Трагически грустна «Голубая книга». Унизительно грустен ухажер, что у него не хватит денег заплатить за пирожное, которое взяла его дама. Грустен рассказ, в котором жених на свадьбе не может найти невесту, потому что он видел ее только один раз в трамвае. Грустен рассказ о даме с цветами, в котором героиня тонет и ее долго не могут найти, а когда находят, муж с брезгливым отвращением относится к мертвой, которую он нежно и верно любил.

Если задуматься и пересказать эти рассказы без глубоко своеобразной, открытой Михаилом Михайловичем литературной манеры, они говорят о скупости, невежестве, низости, грубости и дикости ничтожной души его героев. Зощенко не понимали и до сих пор считают писателем-юмористом. Он недаром сравнивал себя с

Гоголем. Это — юмор страшный именно потому, что он невольно заставляет смеяться.

В конце тридцатых годов, когда его слава достигла самого высокого уровня, она не только не радовала его, но была чужда ему и почти неприятна. Если представить себе все, что случилось с ним в 1943 году, когда исповедь, которую он писал в течение восьми лет, была опубликована только до середины (что, кстати, совершенно меняет ее смысл), если представить себе, что после 1946 года он, человек редкого благородства, мужества и доброты, был представлен в газетах ничтожеством, если представить себе, что к внутренним мукам присоединились внешние, трудно вообразить, как он мог выдержать все это и продолжать бороться. Бороться, не отказываясь от себя, не признаваясь в своих мнимых политически вредных проступках. В сущности говоря, это состояние продолжалось долго, до самой его смерти, в течение одиннадцати лет.

Нельзя сказать, что эти 11 лет были однозначны. В конце концов ему предложили работу в «Крокодиле», в маленьких юмористических изданиях. Но он уже не мог писать в прежнем, мнимокомическом жанре. Оставались переводы.

В конце тридцатых годов, когда его еще не ругали, Ленинградское отделение Союза писателей решило устроить открытые вечера в честь самых видных писателей — Тынянова, Зощенко, Германа, Шишкова. На своем вечере Михаил Михайлович сказал, что ему в жизни приходилось делать все — он был дегустатором, сапожником, милиционером. И он умеет делать все: однажды на пари сшил пиджак — «только скособочил немного». С таким же чувством, вероятно, принялся он за переводы с финского, армянского. Он не знал этих языков, но для него было достаточно познакомиться с содержанием, чтобы угадать стилистическую манеру, а с ее помощью, безошибочно угадать атмосферу действия, характер героя, внутреннюю связь эпизодов. Это была профессиональная черта, проявившаяся очень рано.

У меня сохранились его пародии на Всеволода Иванова, на Пильняка, на Корнея Чуковского.

Это дарование впоследствии развилось в творчестве Зощенко и необычайно пригодилось ему в ту пору, когда судьба заставила его взяться за переводы. Как видно из его писем[1], я устраивал для него переводы из армянского классика Демирчяна.

Для того чтобы перевести два знаменитых произведения Лассила, мне казалось, надо было провести в Финляндии годы. Я не знаю, был ли он в Финляндии, но атмосфера, образ мысли, черты характера, свойственные именно финнам, и никакому другому народу, с необыкновенной отчетливостью видны в переводах книг Лассила «За спичками» и «Воскресший из мертвых».

Конечно, этим даром он широко пользовался и в своих оригинальных произведениях. Я хочу напомнить, что его стиль, оставаясь лаконичным, менялся с годами. Чтобы убедиться в этом, достаточно сопоставить «Рассказы Назара Ильича господина Синебрюхова» с книгой «Перед восходом солнца». Его талант по своеобразию не укладывается в рамки традиции. Можно смело сказать, что в великой русской литературе проза Зощенко — неповторимое явление.

О нашей единственной ссоре, едва не кончившейся дуэлью, я рассказал в начале этой статьи. С тех пор (1921 год) мы никогда не ссорились, хотя между нами — если говорить о характере — не было ни малейшего сходства. Но противоположности сходятся — я всегда надеялся на лучшее, в самые трудные для Зощенко годы я верил, что справедливость восторжествует. В конце концов моя преданность, мое восхищение его необычайным умом и талантом тронули его, и мы стали не только друзьями, но братьями, готовыми на многое друг для друга.

Мне кажется, что он отказывался судить людей, легко прощал им подлости, пошлости, даже трусость. Его особенно интересовали люди ничтожные, незаметные, с душевным надломом,— это видно, кстати, по его книге «Письма к писателю», где авторский комментарий показывает, в какую сторону был направлен этот самобытный оригинальный ум.

Внутренняя напряженность, которая была видна в нем с первых дней нашего знакомства, усилилась, когда он стал знаменитым писателем.

Но он был щедр, внешне открыт, несмотря на то что часто находился в «болезненно нервическом раздражении» («Письма к писателю»), несмотря на то что подчас естест-

---

[1] См. мою кн.: Письменный стол. М.: Сов. писатель, 1985.

венная, обыкновенная жизнь казалась ему настоящим открытием, чудом. Он никогда не острил, его милый мягкий юмор сказывался не в остротах, а в почти неуловимой интонации, в маленьких артистических импровизациях, возникающих по неожиданному, мимолетному поводу,— это-то и было прелестно.

Он радовался удачам друзей, как бы далеки ни были их произведения от его литературного вкуса. Зависть была глубоко чужда ему и даже, кажется, непонятна,— не говорю уж о его доброте, ненавязчивой, деликатной,— он мог, оставшись без гроша, броситься помогать полузнакомым людям...

1965—1988

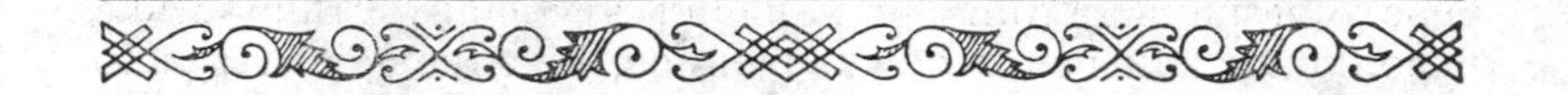

БРАТ АЛЕУТ

1

Самые необыкновенные из профессий, перечисленных Фединым в книге «Горький среди нас»[1], принадлежали Всеволоду Иванову,— все-таки никто, кроме него, не протыкал себя булавками и не глотал огонь перед изумленной аудиторией. Впоследствии он рассказывал мне, что это не так уж и сложно.

Но сразу вспыхнувший интерес к нему вовсе не был связан с необычностью его биографии. Напротив, каждый его рассказ,— а он приходил по меньшей мере раз в месяц на «серапионовские чтения» с новым рассказом,— поражал своей «обыкновенностью», которая потому и была его силой, что представляла собой первую живую запись того, что происходило в стране. Тогда я не понимал, что это — мнимая обыкновенность. Девятнадцатилетний студент, увлеченный возможностью устроить в литературе свой мир, а в этом мире свой беспорядок, я не понимал тогда, что «бытовизм» Иванова бесконечно далек от сознательного самоограничения натуралиста, от раскрашенной фотографии в литературе.

Он как раз не боялся раскрашивать, но что это были за фантастические, смелые, рискованные цвета! В книге, которая недаром так и называется «Цветные ветра», эта смелость достигает размаха, который подлинным «бытовикам» показался бы кощунством.

Без сомнения, уже тогда Иванова больше всего интересовала та неожиданная, явившаяся как бы непроизвольно, фантастическая сторона революции и гражданской войны, которая никем еще тогда не ощущалась в литера-

[1] «Восемь человек олицетворяют собою санитара, наборщика, офицера, сапожника, врача, факира, конторщика, солдата, актера, кавалериста».

туре. Он раньше Бабеля написал эту фантастичность в революции как нечто обыкновенное, ежедневное. Именно эта черта и сделала его «Партизанские рассказы» литературным фактом принципиального значения. На фоне необычайности того, что происходило в стране, история, рассказанная в «Дитё», кажется естественной, хотя она глубоко противоречит представлениям устоявшегося дореволюционного мира. Вот почему, когда в 1922 году я спросил Иванова, кто, по его мнению, пишет сейчас лучше всех, он ответил: «Разумеется, Бабель».

Это показалось мне шуткой. Имя Бабеля я услышал впервые.

Иванов был человеком, редко удивлявшимся, почти не принимавшим участия в спорах, но умевшим слушать,— за его тогдашней молчаливостью скрывалась огромная, вскоре сказавшаяся жажда познания.

В те дни, когда он писал на оборотной стороне географических карт, вырванных из Британской энциклопедии,— впоследствии он рассказал об этом в своей автобиографии,— ему казалось, что он может работать в любом жанре, не только в прозе. Однажды он явился к нам с поэмой и от души удивился, когда мы в один голос сказали, что она никуда не годится. Как известно, Л. Н. Толстой дважды начинал своих «Казаков» стихами. Эти стихи относятся к гениальной прозе «Казаков» примерно так же, как поэма Иванова, которую мы добродушно, но беспощадно раскритиковали, к его «Партизанским рассказам», которые были встречены нами с восторгом.

Я упомянул, что он писал на оборотной стороне географических карт, но, без сомнения, среди его ранних рукописей найдутся и толстые, разлинованные листы бухгалтерских книг. Мы все писали тогда на конторской бумаге. На Большой Морской, очень близко от Дома искусств, где мы собирались, был банк, в котором никто не работал — саботаж — и куда мог зайти любой прохожий через распахнутые настежь огромные двери. Это было навсегда запоминавшееся зрелище неизвестной, сложной, остановившейся на полном ходу, полной самоуважения жизни. Темный, сумрачный свет стоял в высоких залах с тяжелыми люстрами, с высокими, пыльными, лакированными барьерами. Отодвинутые кресла еще хранили, казалось, движение быстро, в испуге или негодовании, вскочивших людей. И везде на столах лежали толстые, как Библия, гроссбухи — бумага, бумага, прочная, линованная, довоенная, дореволюционная, забытая, как забыт был тогда вкус белого хлеба.

Мы писали на ней долго, годами. Помнится, зайдя к Тихонову в 1928 году, я удивился, увидев, что его новые стихи написаны на этой бумаге.

2

Мне кажется, что Иванов как писатель сложился в те молодые годы. Уже тогда его героями были глубоко задумавшиеся люди, правдолюбцы, пытающиеся найти единственную в мире, выкованную в муках справедливость. Уже тогда они искали ее, путаясь в снежной пыли, как путается и не может уйти от заколдованного селезня Богдан в рассказе «Полынья».

В книге «Тайное тайных», составившейся из рассказов первой половины двадцатых годов, талант Иванова высказался с определенностью и силой. Дело было не только в том, что Иванов первый в советской литературе соединил опыт гражданской войны с глубоким знанием сибирской деревни. И это немало. Но главное все-таки заключалось в том, что этот опыт был окрашен любовью к необычному, глубоко свойственной русскому характеру и русской литературе. Быт интересовал Иванова не сам по себе, а как путь к «тайному тайных», к глубоко запрятанной сущности человеческих отношений, загадочно и остро раскрывшихся в годы исторического перелома. Иногда это — широкий путь, по которому, сидя в автомобиле с женой неподвижно, как перед фотоаппаратом истории, ведет своих партизан Вершинин. Иногда — извилистая, теряющаяся в песках Тууб-Коя тропинка Омехина, выбирающего между совестью, долгом и острой жаждой любви.

Нарушение традиционных представлений возникло в его творчестве как отражение тех неожиданностей, которые пришли с революцией. Жизнь предстала перед ним как галерея неограниченных возможностей — о них он и стал писать, вдохновленный Горьким, который понимал и поддерживал его дарование.

Вот откуда взялся его интерес к русской фантастике, к Владимиру Одоевскому, к Вельтману, произведения которых он собирал годами. Он искал и находил любимую традицию и в прошлом русской литературы.

На месте будущего историка я попытался бы проследить развитие этой традиции, начиная с загадки гениального «Носа», через трагическую иронию драматургии Сухово-Кобылина и сказок Салтыкова-Щедрина — к Михаилу Булгакову, показавшему в «Дьяволиаде» и «Роковых яйцах» образцы гротеска, твердо стоявшего на бытовой основе. Тогда нетрудно было бы доказать, что искусство Чаплина, парадоксально смешавшего бесконечно далекие жанры, во многом предсказано русской литературой. Впрочем, мне уже случалось писать об этом.

3

Частые встречи с Ивановым оборвались, когда в середине двадцатых годов он переехал в Москву, но дружеские отношения остались, и не на год или два, а на всю жизнь. Чистота, озарявшая наши молодые споры, была порукой этих отношений. Юность шла за нами по пятам. Наши отношения, лишенные малейшей предвзятости, всегда были проникнуты интересом и вниманием друг к другу. Главной чертой его характера была прямота, сливающаяся с глубоким интересом к людям.

Я не помню, чтобы какие бы то ни было обстоятельства заставили его назвать черное белым. Он вовсе не был холоден, равнодушен. Напротив: однажды я был свидетелем его смелого выступления, когда в короткой и сильной речи он горько упрекнул в равнодушии тех, кто из осторожности или трусости стремился обойти события, взволновавшие всю страну.

Что сказать о его трудной писательской судьбе? В рассказе «Сизиф, сын Эола» солдату Полиандру не очень повезло в жизни, потому что он служил царю Кассандру, «соединившему в себе рядом с беспощадной вспыльчивостью еще более беспощадное честолюбие». Он хотел, чтобы Кассандр думал о нем хорошо, но «Кассандр не верил солдату Полиандру, всем солдатам — он боялся его щита, его широкой красной шеи, его огромного голоса, к раскатам которого любили прислушиваться другие солдаты». И вот нищий, израненный, но еще полный надежд солдат отправляется на родину. В горах он встречает Сизифа, который некогда правил Коринфом и который — как в знаменитом мифе — должен вечно вкатывать в гору обломок скалы.

В рассказе Иванова древнегреческий миф приобретает странные, смутно знакомые очертания. За фигурой могучего и прямодушного солдата, которого боятся именно потому, что он прямодушен, чудятся нелицемерные черты моего старого друга, идущего вперед «при любых обстоятельствах и при любых силах, ибо добродетель — главная и всеединая цель человеческого существования». Но и сам Сизиф — этот друг, уже немолодой, в старости, когда его лицо «наполнено тем победным избытком дней, который... указывает на необыкновенную силу и умелое и терпеливое расходование этой силы». Он писал о судьбе Сизифа, но думал о своей судьбе.

Некоторые романы и повести Иванова, долго пролежавшие в письменном столе и лишь теперь появляющиеся в свет,— нелегкое чтение. Но не для того он отдал годы труда, чтобы читатель нашел в этих книгах развлечение или забаву. Они связаны с судьбой страны, с ее историей. Путь солдата Полиандра, мечтавшего о легкой жизни, о том, чтобы «спать на пуху, под песнопения красавиц», не прельщал автора «Сизифа».

Вот почему, входя в его дом, я неизменно чувствовал дыхание страны с ее радостями и горестями, надеждами и трудами. За большим столом Всеволода Иванова собирались люди, значение которых неоспоримо в истории нашей культуры. Русские ходоки в далекие чужие земли вспоминались, когда он рассказывал о своих путешествиях,— а путешествовал он всю жизнь — верхом, пешком, на плотах, на лодках, по воде и по суше. С молодых лет он отправился в «Индию литературы», и путешествие, полное загадок, опасностей и открытий, продолжалось ни много ни мало — до самой смерти.

Ходоком, искателем нового, пытливо всматривающимся в неведомую жизнь, в непостижимые ее взлеты и беспощадные приговоры, он был — и останется — в нашей литературе.

1965—1982

ЗАБЫТЫЙ ПИСАТЕЛЬ

«Мерзавец поклонился. В руках у него был сверток с конфетами Би-Ба-Бо. Все кругом радостно закричали:

— А, мерзавец, мерзавец!

Папа вынул запонки из манжет. Одна запонка изображала Золя, другая Дрейфуса. У Дрейфуса были усы. Папа сказал задумчиво:

— Исправник, наверное, умер.

Он съел конфету Би-Ба-Бо. Мадам Лунд сказала:

— Рыба у бр. Клуге — тово-с».

Эта коротенькая пародия заслуживает пространного объяснения. Она характерна и для Тынянова (ее автора), и для Добычина. Для первого — потому что выразительно передает его манеру отзываться на новое явление в литературе эпиграммой, карикатурой, шуткой. А для второго — потому что определяет черты очередной новинки: стиль Л. Добычина в начале тридцатых годов был предметом оживленных споров.

Пародия — полстраницы, исписанные крупным, косо летящим почерком Юрия Николаевича, нашлась в моей «тетради планов» — я обдумывал в ту пору роман «Исполнение желаний». Видимо, Тынянов приехал, застал меня за этим занятием, и мы разговорились о Добычине — только что появилась его книга «Портрет». Пародия, без сомнения, была написана с маху, как наглядный пример отношения к прозе Добычина. Отношение было серьезное, заинтересованное — иначе оно обошлось бы без примеров.

В моей книге «Собеседник» (1973) Л. И. Добычину посвящена одна главка. В ней скупо рассказывается о том, что и как он писал, и еще более скупо о том, как он жил.

Это был талантливый оригинальный писатель, от которого остались только три маленькие книги — «Встречи с Лиз», «Портрет» и «Город Эн» (две первые в значительной мере повторяют друг друга). Вот что я писал о нем в «Собеседнике»: «Крошечные, по две-три страницы, рассказы написаны почти без придаточных предложений и представляют собой как бы бесстрастный перечень незначительных происшествий. Однако они читаются с напряжением, и это не напряжение скуки. Это — поиски тех внутренних, подчас еле заметных психологических сдвигов, ради которых автор взялся за перо. Иногда это — обманутая надежда («Дориан Грей»), иногда — ненависть к мещанскому равнодушию («Встречи с Лиз»). Но чаще всего — просто промелькнувшее и исчезнувшее душевное движение: привязанность, сочувствие, доброта».

Добычин писал о том, что в обыденной жизни проходит незамеченным, о мимолетном, необязательном, встречающемся на каждом шагу. Его крошечные рассказы представляют собой образец бережливости по отношению к каждому слову. Пересказать их невозможно.

В «Собеседнике» я привел один из них целиком. Здесь, чтобы не повторяться, приведу другой. Он называется «Пожалуйста».

«Ветеринар взял два рубля. Лекарство стоило семь гривен. Пользы не было.— Сходите к бабке,— научили женщины,— она поможет.— Селезнева заперла калитку и в платке, засунув руки в обшлага, согнувшись, низенькая, в длинной юбке, в валенках, отправилась. Предчувствовалась оттепель. Деревья были черны. Огородные плетни делили склоны горок на кривые четырехугольники.

Дымили трубы фабрик. Новые дома стояли — с круглыми углами. Инженеры с острыми бородками и в шапках со значками, гордые, прогуливались. Селезнева сторонилась и, остановясь, смотрела на них: ей платили сорок рублей в месяц, им — рассказывали, что шестьсот. Репейники торчали из-под снега. Серые заборы нависали.— Тетка, эй,— кричали мальчуганы и катились на салазках под ноги. Дворы внизу, с тропинками и яблонями, и луга и лес вдали видны были. У бабкиных ворот валялись головешки. Селезнева позвонила. Бабка, с темными кудряшками на лбу, пришитыми к платочку, и в шинели, отворила ей.

— Смотрите на ту сосенку,— сказала бабка,— и не думайте.— Сосна синелась, высунувшись над полоской леса. Бабка бормотала. Музыка играла на катке.— Вот соль,— толкнула Селезневу бабка: — вы подсыпьте ей... Коза нагнулась над питьем и отвернулась от него. Понурясь, Селезнева вышла.— Вот вы где,— сказала гостья в самодельной шляпе, низенькая. Селезнева поздоровалась с ней.— Он придет смотреть вас,— объявила гостья.— Я — советовала бы. Покойница была франтиха, у него все цело — полон дом вещей.— Подняв с земли фонарь, они пошли, обнявшись, медленно.

Гость прибыл — в котиковой шапке и в коричневом пальто с барашковым воротником.— Я извиняюсь,— говорил он и, блестя глазами, ухмылялся в сивые усы.— Напротив,— отвечала Селезнева. Гостья наслаждалась, глядя.

— Время мчится,— удивлялся гость.— Весна не за горами. Мы уже разучиваем майский гимн.

Сестры,—

посмотрев на Селезневу, неожиданно запел он, взмахивая ложкой. Гостья подтолкнула Селезневу, просияв,—

наденьте венчальные платья,
путь свой усыпьте гирляндами роз.—

Братья,—

раскачнувшись, присоединилась гостья и мигнула Селезневой, чтобы и она не отставала:

раскройте друг другу объятья:
пройдены годы страданья и слез.

— Прекрасно,— ликовала гостья.— Чудные, правдивые слова. И вы поете превосходно.— Да, кивала Селезнева. Гость не нравился ей. Песня ей казалась глупой.— До свиданья,— распростились наконец.

Набросив кацавейку, Селезнева выбежала. Мокрым пахло. Музыка неслась издалека. Коза не заблеяла, когда загремел замок. Она, не шевелясь, лежала на соломе.

Рассвело. С крыш капало. Не нужно было вести пить. Умывшись, Селезнева вышла, чтобы все успеть, устроить до конторы. Человек с базара подрядился за полтинник, и, усевшись в дровни, Селезнева прикатила к ним.— Да она жива,— войдя в сарай, сказал он. Селезнева покачала головой. Мальчишки выбежали за санями.— Дохлая коза,— кричали они и скакали. Люди разошлись. Согнувшись, Селезнева подтащила санки с ящиком и стала выгребать настилку.

— Здравствуйте,— внезапно оказался сзади вчерашний гость. Он ухмылялся, в котиковой шапке из покойницкой муфты, и блестел глазами. Его щеки лоснились.— Ворота у вас настежь,— говорил он,— в школу рановато, дай-ка, думаю.— Поставив грабли, Селезнева показала на пустую загородку. Он вздохнул учтиво.— Плачу и рыдаю,— начал напевать он,— егда вижу смерть.— Потупясь, Селезнева прикасалась пальцами к стене сарая и смотрела на них. Капли падали на рукава. Ворона каркнула.— Ну что же,— оттопырил гость усы: — Не буду вас задерживать. Я вот хочу прислать к вам женщину: поговорить.— Пожалуйста,— сказала Селезнева».

В своем страстном отрицании мещанства Добычин был близок к М. Зощенко, хотя оба писателя пришли бы в ужас от подобного сопоставления. Добычин — сдержанность, подчеркнутый лаконизм, мозаичность, недоговоренность. Зощенко — разговорность, развязность, влечение к целому, интонационная свобода. Но герои Добычина могли бы расположиться в произведениях Зощенко, как в собственном доме.

В пародии Тынянова, состоящей из нескольких строк, верно схвачена самая характерная черта Добычина: он писал без придаточных предложений, ничего не подсказывая и не объясняя. Автор в его прозе не только отсутствовал, но как бы никогда не существовал. Отдаленность одного «кадра» от другого была беспредельной — отсюда мнимая бессвязность. При всей своей простоте его проза кажется изысканной, трудной для чтения.

...Мы переписывались, и у меня сохранились его короткие, парадоксальные письма. Однажды он прислал мне три свои переписанные от руки миниатюры — это был подарок. «Город Эн» он прислал мне с приклеенной на фронтисписе студенческой фотографией. Он был человек легко ранимый, опасавшийся любых оценок и считавший их — не без оснований — бесполезными, потому что все равно иначе писать не умел и не мог. Инженер-технолог по образованию, он работал в Брянске, но, занявшись литературой, часто и подолгу живал в Ленинграде. Он был прямодушен, благородство его было режущее, непримиримое, саркастическое, неуютное. Он не «вписывался» психологически в литературный круг Ленинграда и был дружен, пожалуй, с одним только Н. К. Чуковским. Душевное богатство его было прочно, болезненно, навечно спрятано под семью печатями иронии, иногда прорывавшейся необычайно метким прозвищем, шуткой, карикатурой. Впрочем, он никого обижать не хотел. Он был зло, безнадежно, безысходно добр.

В 1936 году Л. И. Добычин покончил с собой, оставив строго деловую записку Н. К. Чуковскому, в которой не упоминалось о его трагическом решении.

Почему в литературе тех лет его место — пусть небольшое — считалось особенным, отдельным? Потому что у него не было ни соседей, ни учителей, ни учеников. Он никого не напоминал. Он был сам по себе. Он существовал в литературе — да и не только в литературе,— ничего не требуя, ни на что не рассчитывая, не оглядываясь по сторонам и не боясь оступиться.

1938—1978

ЛАНЦЕЛОТ

1

Помнится, мы с тобой говорили, что иным людям удается прожить не одну, а две жизни. Биография Артюра Рембо появилась тогда в русском переводе, и мы были поражены историей поэта, который двадцати лет уехал в Африку и стал рабовладельцем, безжалостным добытчиком золота, носившим это золото в кожаном ремне, который он никогда не снимал. Он умер от опухоли, образовавшейся вследствие постоянного трения этого пояса о голое тело, умер, не зная, что вся Франция зачитывается его молодыми стихами. Если бы он это знал, ему пришла бы в голову простая мысль, что удалась-то как раз его первая, нищая, беспокойная жизнь и не удалась вторая, с ее пиратской роскошью и гаремами невольниц.

Ты не стал богатым человеком, как Артюр Рембо, и не променял свою поэзию на торговлю рабами.

Я вспомнил о нашем разговоре только потому, что все та же горькая мысль приходит всем, кто любил тебя: слава явилась к тебе, когда мы тебя потеряли...

2

Мне всегда казалось, что подлинный писатель бессознательно открывается, когда он еще не умеет не только писать, но читать.

До литературы письменной, воплощенной в романе, рассказе, пьесе, возникает литература устная, и подчас переход от второй к первой затягивается на годы. Так случилось с Евгением Шварцем. Он был писателем уже тогда, когда пятилетним мальчиком попал в кондитерскую и испытал чувство, для которого (вспоминая свое детство) не нашел другого выражения, как «чувство кондитерской». «Сияющие стеклом стойки, которые я вижу снизу, много взрослых, брюки и юбки вокруг меня, круглые маленькие столики. И зельтерская вода, которую я тогда назвал горячей за то, что она щипала язык. И плоское, шоколадного цвета, пирожное, песочное. И радостное чувство, связанное со всем этим, которое я пронес сквозь пятьдесят лет, и каких еще лет! И до сих пор иной раз в кондитерской оно вспыхивает всего на миг, но я узнаю его и радуюсь».

Он был писателем, когда после первого посещения театра «вежливо попрощался со всеми: со стульями, со сценой, с публикой. Потом подошел к афише. Как называется это явление, не знал, но, подумав, поклонился и сказал: «Прощай, писаная».

Если бы уже тогда у него не было способности по-своему относиться к явлениям внешнего мира, он не испытал бы запомнившегося на всю жизнь «чувства кондитерской» и не стал бы прощаться с афишей.

И когда девятнадцатилетним юношей я впервые встретился с ним, он еще не был писателем в общепринятом смысле этого слова, потому что ничего не писал. Но «устным писателем» он был — и выдающимся, талантливым, оригинальным.

Он приехал в Петроград вместе с маленьким Ростовским театром, вскоре распавшимся, и быстро сблизился с молодой группой «Серапионовых братьев».

На вечере, которым московский Литературный музей отметил восьмидесятилетие Шварца, выступила К. Н. Кириленко, много лет занимающаяся мемуарами Евгения Львовича, хранящимися в ЦГАЛИ. Из отрывка, который она прочитала, я впервые узнал, что знакомство с Серапионами было связано с одной из его бесчисленных попыток подойти к возможности работать в литературе.

«Я шагал по улице и увидел афишу: «Вечер Серапионовых братьев». Я знал, что это студийцы той самой студии Дома искусств, в которой я пытался учиться. Я заранее не верил, что услышу там нечто человеческое. Дом искусств помещался в бывшем елисеевском особняке. Мебель Елисеевых, вся их обстановка сохранилась. С недоверием и отчужденностью глядел я на кресла в гостиных, пневматические, а не пружинные, на скульптуры Родена, мраморные, подлинные, на атласные обои и цветные колонны. Заняв место в сторонке, стал я ждать, полный недоверия, неясности в мыслях и чувствах. Почва, в которую пересадили, не питала. Вышел Шкловский, и я вяло выслушал его. В то время я не понимал его лада, его ключа. Когда у кафедры появился длинный, тощий, большеротый, огромноглазый, растерянный, но вместе с тем как будто и владеющий собой М. Слонимский, я подумал: «Ну вот, сейчас начнется стилизация». К моему удивлению, ничего даже приблизительно похожего не произошло. Слонимский читал современный рассказ, и я впервые смутно осознал, на какие чудеса способна художественная литература. Он описал один из плакатов, хорошо мне знакомых, и я вдруг почувствовал время. И подобие правильности стал приобретать мир, окружающий меня, едва я попал в категорию искусства. Он показался познаваемым. В его хаосе почувствовалась правильность, равнодушие исчезло. Возможно, это было не то, еще не то, но путь к работе показался в тумане. Когда вышел небольшой, смуглый, хрупкий, миловидный, вопреки суровому выражению лица, да и всего существа, человек, я подумал: «Ну, вот теперь мы услышим нечто соответствующее атласным обоям, креслам, колоннам и вывеске «Серапионовы братья». И снова ошибся. Был поражен, пришел уже окончательно в восторг, ободрился, запомнил рассказ «Рыбья самка» почти наизусть. Так впервые в жизни услышал я и увидел Зощенко. Понравился мне и Всеволод Иванов, но меньше. Что-то нарочитое и чудаческое почудилось мне в его очках, скуластом лице, обмотках. Он бы мне и вовсе не понравился, но уж очень горячо встретила его аудитория. Соседи говорили о нем как о самом талантливом. Остальных помню смутно. Не понравился мне Лунц, которого я так полюбил немного спустя. Но и полюбил-то я его сначала за живость, ласковость и дружелюбие. Проза его смущала меня, казалась очень уж литературной. Но потом я прочел «Бертрана де Борна» и «Вне закона» и понял, в чем сила этого мальчика. На вечере он читал какой-то библейский отрывок, где все повторялось «Моисей бесноватый», что меня раздражало. В конце вечера выступил девятнадцатилетний Каверин еще в гимназической форме, с поясом, с бляхой. Уже на первом вечере я почувствовал, что под именем «Серапионовых братьев» объединились писатели и люди, мало друг на друга похожие. Но общее ощущение талантливости и новизны объясняло и оправдывало их объединение».

С первого дня знакомства стало казаться, что не столько мы ему, сколько он нам близок и нужен. Он редко посещал серапионовские субботы, а если и приходил, никогда не высказывал своего мнения по поводу прочитанного рассказа. Зато он сразу стал душой наших, запомнившихся кино-театральных вечеров, на которых ставились импровизированные спектакли: «Памятник Михаилу Слонимскому», «Фамильные бриллианты Всеволода Иванова», «Женитьба Подкопытина». Пользуясь гоголевскими характерами, Шварц коварно изображал Серапионовых братьев. Вместе с Лунцем и Зощенко он сочинял эти импровизации, а потом мгновенно превращался то в режиссера, то в конферансье, то в актера, а когда это было необходимо, становился театральным рабочим.

Он был красивый, стройный, легкий тогда, с хохолком чуть вьющихся волос над высоким лбом, с неизменной тонкой улыбкой на изящно очерченных губах, с умными, проницательными глазами. Его знаменитое остроумие никогда не было взвешенным, заранее обдуманным, рассчитанным на успех. В этом смысле он был прямой противоположностью толстовскому Билибину из «Войны и мира». Острословие окрашивало его отношения с людьми, заставляя догадываться, что оно в чем-то отражает самый способ его существования. Необычайно располагая к нему, оно и было тогда его «устной литературой».

Серапионовские вечера в Доме искусств прекратились — в 1922 году он закрылся, и тогда сценой для бесчисленных импровизаций стали редакции детских журналов. Там под руководством С. Маршака работали Е. Шварц, Н. Олейников, Д. Хармс, Н. Заболоцкий.

Об атмосфере театральности, царившей в детском отделе Гослита, пишут многие участники книги «Мы знали Евгения Шварца».

«Детский отдел помещался на шестом этаже Госиздата, занимавшего дом бывшей компании «Зингер», Невский, 28, и весь этот этаж ежедневно в течение всех служебных часов сотрясался от хохота,— вспоминает в этой книге Н. К. Чуковский.— Некоторые посетители Детского отдела до того ослабевали от смеха, что, кончив свои дела, выходили на лестничную площадку, держась руками за стены, как пьяные. Шутникам нужна подходящая аудитория, а у Шварца и Олейникова аудитория была превосходнейшая».

Никто не мешал сотрудникам выпускать два детских

журнала в атмосфере острых мистификаций, и любой из ленинградских писателей, поднимаясь на шестой этаж, сталкивался с чудачествами, от которых рукой подать было до чуда.

В журналах «Еж» и «Чиж» «устная» литература впервые потребовала реального, закрепленного воплощения. И Шварц стал записывать ее. В том сложном пути, который ему предстояло пройти до драматургии, это было важным этапом. Но почему так долго продолжался «инкубационный период»? «Как-то я пристал к нему с этим вопросом,— пишет в своих воспоминаниях Слонимский,— и он ответил:

«Если у человека есть вкус, то этот вкус мешает писать. Написал — и вдруг видишь, что очень плохо написал. Разве ты этого не знаешь?»[1]

В своем дневнике Шварц развивал и углублял эту мысль: «Разговоры о совокупности стилистических приемов как о единственном признаке литературного произведения наводили на меня уныние и окончательно лишали веры в себя. Я никак не мог допустить, что можно сесть за стол, выбрать себе стилистический прием, а завтра заменить его другим... Я сознавал, что могу выбрать дорогу, только органически близкую мне...»

Для того чтобы выбрать эту дорогу, нужен был не только тонкий и беспощадный вкус — следовало побороть в себе то «не пишется», которое в жизни Шварца было всегда сложным чувством, соединявшим неуверенность с такой высокой требовательностью, что рука невольно роняла перо.

3

За редкими исключениями, он не хотел публиковать свою прозу. В ней открывался реальный мир современных явлений, герои ее, подчас не названные, были живые, а некоторые живут и здравствуют доныне. Но после его смерти были напечатаны «Детство»[2], «Печатный двор»[3], отрывки из писем к А. П. Крачковской[4], и «Страницы дневника»[5]. Из оставшихся в рукописи материалов мне извест-

---

[1] См. в сб.: Мы знали Евгения Шварца. Л.; М., 1966. С. 11.
[2] Искусство кино. 1962. № 9.
[3] Там же.
[4] Детская литература. 1976. № 10.
[5] Редактор и книга. М., 1963. С. 250—257.

ны «Превратности характера» (ЦГАЛИ) и дневники (1942—1944), которые я получил от Е. В. Заболоцкой.

Казалось бы, этого мало, чтобы дать читателю ясное представление о внутренней связи трех жанров, определяющих круг деятельности Шварца: проза — мемуары — драматургия. Без сомнения, он беспредельно расширится, когда будут опубликованы мемуары писателя, хранящиеся в ЦГАЛИ и насчитывающие около ста шестидесяти печатных листов — следовательно, четыре толстых тома.

Однако и по немногочисленным источникам можно судить о многом. Можно, например, убедиться в том, что, хотя проза и мемуары как бы сливаются, они — подобно рекам Куре и Арагви — разного цвета. Можно сопоставить прозаические жанры с его драматургией. В самом деле, что связывает их? Ведь на первый взгляд проза Шварца не только не похожа на его драматургию, но представляет собой как бы ее противоположность.

4

Да, теперь ты — знаменитый писатель, твои пьесы идут во многих театрах, не только на родине, но и за границей — в Лондоне и Варшаве, в Берлине и Париже. Не все, правда. Некоторые еще лежат в архиве. Но пойдут когда-нибудь и они.

Ты был бы счастлив, увидев, с какой любовью оформил книгу твоих пьес Н. П. Акимов. Книга толстая, солидная, в суперобложке, которую можно рассматривать долго, потому что на ней нарисованы и море с парусной лодкой, и дорога, по которой мчится всадник, и плавные повороты грубых крепостных стен, и замковая башня, на которой рыцарь стоит у знамени, привязанном к древку, небрежно, но прочно. На знамени написано: «Е. Шварц» — и сразу становится ясно, кто приглашает читателя стать под это знамя благородства и рыцарских дел.

Пьесы выходят маленькими тиражами, и убытки, как правило, подсчитываются заранее. Но твоя книга — вышло уже второе издание — была раскуплена мгновенно, и тебе, наверное, было бы приятно узнать, что достать ее, даже втридорога, решительно невозможно. И пишут о тебе совсем иначе, чем прежде.

5

Всю жизнь ему «не писалось». Горькая нота неуверенности в себе звучит в дневниках, как камертон, к которому прислушивается, настраивая свой инструмент, музыкант.

«Есть много ощущений сильных и ясных — вдруг увидишь цвет подбородка, тень на снегу, и никуда не возьмешь. Нечем» (18 апреля 1942 г.).

«Вчера не написал ни строчки, потому что у меня болела голова, все было безразлично, и мне казалось, что не стоит и пробовать взять себя в руки. За это время я ничего не сделал... Стою как голый под дождиком» (28 апреля 1942 г.).

«Боюсь, что рассказывать я никогда не научусь. Главное не кажется мне главным, потому что каждый пустяк — вовсе не пустяк. Почему он пустяк? Может быть, он как раз и окрашивает все, что происходило, именно в данный цвет» (28 декабря 1942 г.).

«Сегодня понедельник, работа все не клеится» (8 марта 1943 г.).

Впервые он рассказал о непреодолимости своего «ничегонеделания» еще в 1924 году в очерке «Печатный двор» — произведении, как бы рожденном понятием «не пишется» и одновременно опровергающем это понятие.

Сила очерка не в том, что психологическая точность соединяется в нем с почти этнографической вещественностью, а в том, что из этого соединения рождается авторская исповедь, и рождается почти самопроизвольно.

Шварц рассказывает о типографии «Печатный двор», куда он часто ездил в 1927 году на верстку журнала, о работе наборщиков, художников, и в особенности об известном графике и живописце Владимире Васильевиче Лебедеве, строго следившем за работой своих учеников. С этим целеустремленным, ощутимым, видимым трудом Шварц соотносит свою томительную, необъяснимую невозможность писания. «Недавно я с помощью Маршака как бы выбрался на дорогу, почувствовал, во что верю, куда и зачем иду. Но почему же я так мало работаю? Почему томятся и слоняются, словно не находя себе места, мои друзья? Потом, потом, это я потом пойму, а сейчас вернусь к наборщику, верстающему «Ежа». Это «томление духа» вставлено в описание энергично действующего устройства «Печатного двора» и повторяется как лейтмотив, все с большей силой показывающий душевное состояние писателя, который не в силах заставить себя взяться за перо. Сравнивая свою жизнь с историей легендарного наборщика Афиногена Максимовича, который жил, как ему вздумается, и тем не менее прекрасно работал, Шварц думает, что должен жить совершенно иначе. «А вдруг в этом и есть секрет, думаю я... Работа — и полная свобода! Я занимаюсь гимнастикой, бросил курить, обливаюсь холодной водой, а чтобы работать, может быть, нужна эта самая аристократическая свобода от обязанностей, когда только одни законы и признаются — законы мастерства... Не есть ли моя сдержанность — просто робость, холодность, отсутствие темперамента?»

Но и другой голос, поддерживающий веру в себя, слышится в этих признаниях: «Может быть, придет день, и исчезнет отвращение к письменному столу? И вернется тот поток, который так радовал меня в ранней молодости, когда писал я свои безобразные, похожие на ископаемых чудищ стихи? Конечно, он вернется! И я вижу, переживаю с массой подробностей себя в новом качестве. Я неутомимый работник! Я живу без вечного ужаса перед своей уродливостью! Я больше не глухонемой! Я слышу и говорю! У меня есть точка зрения, не навязанная, а найденная, органическая».

Так до последних строк идет разговор с самим собой, в котором звучит нота совести, душевной чистоты, исключительности призвания. Исключительность отбросить нельзя. Она близка к понятию закона. «Почему я так уж строг к себе? О какой, собственно говоря, работе я мечтаю? Почему я так сильно позавидовал графикам и наборщикам?.. Не о такой работе мечтаем мы... Все это так. Но и не работать во всю силу постыдно. И страшно».

Последняя страница написана с особенной силой. Здесь и строки шуточных стихов, складывающихся как бы сами собой, повторяющихся в разных вариантах, странная мысль об инвалидах гражданской войны, у которых «совесть чиста и все обязанности сняты судьбой», и озабоченные женщины с корзинками, входящие в решетчатые ворота Дерябкинского рынка. «И я сажусь в трамвай, с тем чтобы сегодня же непременно начать работу. Начать писать. Впрочем, сегодня я устал. Начну с понедельника. Нет, понедельник — тяжелый день. Но с первого непременно, непременно, во что бы то ни стало я начну новую жизнь. И скажу все».

6

Уже и в этом маленьком раннем очерке отчетливо видны особенности прозы Шварца. Она лаконична, в ней нет ничего приблизительного, она направлена к определенной цели. Шварц писал о своем учителе Маршаке как о писателе с абсолютным вкусом — это в полной мере относится к ученику. В очерке есть полстраницы, которые отданы художнику В. В. Лебедеву, и беглый набросок открывает беспредельную галерею портретов, которые Шварц писал всю жизнь.

Портретность — вот, быть может, самая сильная его черта, сливающая воедино дневники с художественной прозой. Он пишет портреты не только людей, но вещей, положений, обстоятельств. Он свободно владеет всеми особенностями этого жанра. В основе каждого портрета — характер, подчас давно изученный, хорошо знакомый, подчас схваченный с первого беглого взгляда.

Так схвачены характеры случайных попутчиков, соседей по дачному поезду в очерке «Пятая зона» — старшина с его простотой, понятливостью и здоровьем; усталый, сутулый, испуганный проводник, который жалуется на бригадиршу «с белым непоколебимым лицом, с подвитыми волосами, падающими на широкие мужские плечи»; семнадцатилетние влюбленные — они ссорятся, и разговор кончается тем, что мальчик на ходу мчащейся электрички прыгает с площадки.

В очерке, написанном как открытие знакомого, обновление привычного, за «инвентарем» подробностей угадывается почти незаметное, пунктирное, но глубоко небезразличное отношение автора к тому, что раскрывается перед его глазами. Но все это — рисунки карандашом, черновые наброски будущих глубоко продуманных портретов.

7

В своих воспоминаниях Л. Пантелеев пишет, что Шварц не любил слова «мемуары» и предпочитал этому выспреннему (как ему казалось) слову только первый его слог — «ме»: «Слово «мемуары» ему не нравилось, но так как другого названия не было (книга его не была ни романом, ни повестью, ни дневником), я назвал его новое произведение сокращенно — «ме», и он как-то постепенно принял это довольно глупое прозвище...» («Мы знали Евгения Шварца»).

Передо мной дневники Шварца, с апреля 1942 года до декабря 1944-го. Но это та часть, по которой можно судить о целом. О чем рассказывается на этих страницах?

Здесь и запись всего, что может пригодиться для будущей работы, и случайные встречи, и подхваченные на лету выражения (это сокровище я берегу как зенитку ока» или «чтобы рассердиться на ребенка, тоже надо силу иметь»). Здесь и замыслы будущих произведений. То и дело встречается: «Для сказки может пригодиться»... «хорошо бы написать сказку следующего содержания»... «надо в новой пьесе попробовать роль человека, скрытного до чудачеств».

Болезненно-острое ощущение безотлагательности работы, которая откладывается то по внешним, то по внутренним причинам, пронизывает дневники от первой до последней страницы. И вот итог: «Я почти ничего не сделал за этот год. Оправданий у меня нет никаких. «Дракона» я кончил 21 ноября 1943 года».

Оправдания были, и он сам много пишет о них. Но, очевидно, они казались ничтожными в сравнении с могущественной необходимостью работы.

Здесь и размышления, поражающие соединением глубины с простотой. Иногда они изложены от имени героя воображаемой пьесы. Но герой и шварцевское «я» совпадают. «Искусство вносит правильность, без формы не передашь ничего, а все страшное тем и страшно, что оно бесформенно и неправильно. Никто не избежит искушения тут сделать трогательнее, там характернее, там многозначительнее. Попадая в литературный ряд, явление как явление упрощается. Уж лучше сказки писать. Правдоподобием не связан, а правды больше».

Или: «Когда смотрят пьесу или читают книгу, расстраиваются в грустных местах, даже плачут. Смеются в веселых. А в жизни те же люди черствы и угрюмы, когда следовало бы растрогаться или посмеяться. Что это значит? Это значит, что они так же мало видят жизнь, как снимающийся в фильме актер видит фильм, пока он не смонтирован. Это первая причина. Вторая — когда человек мог бы увидеть в жизни больше, чем актер в своих кусках будущего фильма, он все-таки мало видит. Он ослеплен страстным интересом к самому себе. Он все равно не зритель, а участник, больше всего сосредоточенный на самом себе и больше всего понимающий себя. Он жалеет только себя и связанных с собой. А раз он видит только себя, то общая картина опять-таки неясна. В театре, в кино, в литературе он с помощью автора видит картину целиком, плачет и смеется и размышляет».

Здесь и впечатления, их особенно много: «Когда я выхожу на крыльцо, то мне вдруг начинает казаться, что все еще наладится. Больше того,— счастье, как мне кажется, ждет меня, вот-вот придет. Что это — предчувствие, воспоминание или просто после душной комнаты свежий воздух оживляет, туманит голову?»

Здесь и описания, неизменно скупые, лаконичные, но так же, как в очерках, о которых я рассказал, соотнесенные с собственным мироощущением. Таковы первые впечатления от Сталинабада — заинтересованность, радостная попытка понять чужую жизнь, ожидание счастья. Но «на душе смутно и не может быть иначе у человека, когда идет война».

Если бы я еще подробнее рассказал содержание немногих попавших в мои руки страниц дневника, я все-таки не сумел бы добраться до самого главного. Это главное — сам Шварц. Услышать его голос, понять глубину его ума, показать его поразительную способность читать в чужой душе — вот задача.

8

Пытаясь представить себе, как Шварц рисовал свои портреты, нельзя обойти «Превратности характера» — воспоминания о Житкове, написанные по просьбе сестры покойного писателя в 1952 году и хранящиеся в ЦГАЛИ. Едва ли подзаголовок «рассказ» принадлежит Шварцу. Однако главное место в этих воспоминаниях занимает ссора Житкова с Маршаком, и, как очевидец, хорошо знавший действующих лиц этой истории, я могу засвидетельствовать, что она написана с безупречной осмотрительностью, которая согрета и мыслью и чувством.

Однажды Маршак рассказал Шварцу, что появился новый удивительный писатель. Ему сорок один год...

Он и моряк, штурман дальнего плавания; и инженер — кончил политехникум; и так хорошо владеет французским языком, что, когда начинал писать, ему легче было формулировать особенно сложные мысли по-французски, чем по-русски. Он несколько раз ходил на паруснике вокруг света, повидал весь мир, испытал множество приключений.

...Гимназию окончил Борис Житков в Одессе вместе с Корнеем Чуковским и, попав в Ленинград, первую свою рукопись принес к нему. Была эта рукопись еще традиционна, литературна, мало что обещала. Но Маршак почувствовал, познакомившись с Житковым у Корнея Ивановича, силу этого нового человека. И со всей своей бешеной энергией ринулся он на помощь Борису Степановичу.

Целыми ночами сидели они, бились за новый житковский язык, создавая новую прозу, и Маршак с умилением рассказывал о редкой, почти гениальной одаренности Бориса. Талант его расцвел, разгорелся удивительным пламенем, едва Житков понял, как прост путь, которым художник выражает себя. Он сбросил с себя «литературность», «переводность».

«Воздух словно звоном набит!..» — восторженно восклицал Маршак. Так Житков описывал точную тишину.

Так начинается эта история — с влюбленного взгляда Маршака, который, как это впоследствии выяснилось, не разобрался в сложном характере нового друга. «По всем этим рассказам,— пишет далее Шварц,— представлял я себе седого и угрюмого великана — о физической силе и о силе характера Житкова тоже много рассказывал Маршак. Без особенного удивления убедился я, что Борис Степанович совсем не похож на все представления о нем. В комнату вошел небольшой человек, показавшийся мне коротконогим, лысый со лба и с длинными волосами чуть не до плеч, с острым носом и туманными, чтоб не сказать мутными, глазами. Со мною он заговорил приветливо... а главное — как равный. Я не ощутил в нем старшего, потому что он сам себя так не понимал. Да, я сразу почувствовал уважение к нему, но не парализующее, как рядовой к генералу или школьник к директору, а как к сильному, очень сильному товарищу по работе... Да, он был неуступчив, резок, несладок, упрям, но не было в нем и следа того пугающего окаменения, которое угадывается в старших. Какое там окаменение — он был все время в движении, и заносило его на поворотах, и забредал он не на те дорожки. Он жил, как мы, и это его сближало с нами».

Однажды он рассказал Шварцу, как «бродил по улицам какого-то городишки на Красном море, в тоске, без копейки денег.

— А как ты попал туда?

— Ушел с парусника.

— Почему?

— Превратности характера».

Именно эти превратности впоследствии стали сказываться в его отношениях с Маршаком. Но вначале отношения складывались счастливо. Мало сказать, что Маршак и Житков были друзьями. «Всюду появлялись они вместе, оба коротенькие, решительные и разительно непохожие друг на друга». Вместе, «титанически надрываясь», работали они в редакции «Воробья», маленького детского журнала. Оба были вдохновенны и ясны, а Житков еще и «сурово праздничен, как старый боевой капитан в бою. Маршак любовался им: вот как повернулась судьба человека! Сказка! Волшебство!»

После «Воробья» они стали работать в детском отделе Госиздата и там тоже действовали энергично, смело, охотно ввязываясь в ссоры с теми, кто осмеливался посягнуть на детскую литературу.

Но вот начались размолвки. «Осколки собственных снарядов стали валиться внутрь крепости и сшибать своих». И причины этих сперва незначительных, а потом все разгоравшихся ссор хотя и были, разумеется, связаны с делами литературными, однако в еще большей степени — с поразительным несходством самого способа существования. Оба отличались неукротимой энергией, оба работали с утра до ночи, но Маршак, жалея себя, ничего не имел против того, чтобы его жалели другие. Он понимал, что такое усталось, и не сердился, когда кто-нибудь жаловался на нее после целого дня выматывающей работы. Он не учился играть на скрипке (как Житков.— В. К.), «потому что на этом инструменте ноты надо было находить своими силами», и не думал, что «клавиши рояля действуют на учеников развращающе, изнеживающе».

«И вот к такому характеру Маршак стал все чаще, все откровеннее поворачиваться самой трудной стороной своего многостороннего существа,— пишет Шварц.— Он стал капризничать, что понимают и прощают другу женщины и мужчины женственного характера, а чего-чего, но женственности в Борисе не было и следа... И не желал он понимать, что капризы Маршака — единственный доступный для этой натуры вид отдыха. Все это было одной стороной существа его друга, но Житков даже как бы с радостью обижался и сердился. Эта дорожка была ему привычнее. И свободолюбие его подняло свой голос».

«Я останавливаюсь на этих событиях, на этой ссоре, глупости, безобразии, пытаюсь поймать самый механизм этого дела,— пишет Шварц,— потому что всю жизнь болезненнее всего переживал подобного рода беды. Их легко объяснить, если допустить существование черта. Без него события... тех дней выглядят просто загадочными. Что им было делить? Зачем расходиться? Зачем поносить друг друга усердно, истово, не сдаваясь ни на какие убеждения?»

Я привел здесь эти строки воспоминаний Шварца для того, чтобы показать, как окрепло и развилось его дарование писателя-реалиста. Это уже не беглые эскизы, с которыми мы встречаемся в «Печатном дворе» и «Пятой зоне». Характер Житкова тонко исследован и смело оценен как глубоко оригинальное явление. Показан он со всеми своими странностями, парадоксами, смешивающимися с незаурядной внутренней силой и бессознательным стремлением к самоутверждению. История ссоры повернута таким образом, чтобы в ее ракурсе был виден как бы очерченный одной линией человек бешеного, полубезумного, шагающего через любые отношения литературного труда. И становится ясно, что к этому труду Житков готовил себя всю жизнь. За 14 лет работы были созданы сто девяносто два произведения — очерки, повести, рассказы, статьи и трехтомный роман «Виктор Вавич». Это выглядит почти неправдоподобным, однако полностью соответствует той «громокипящей» личности, неутомимо действующей во имя ясности, смелости и чистоты, которую с такой правдивостью и любовью изобразил в «Превратностях характера» Шварц.

9

В нашей литературе были тяжелые времена. Трудно было прозе, еще труднее — поэзии. Но больше всего досталось, без сомнения, сказке. Твоя сказка надолго притаилась в самом незаметном уголке нашей литературы, мечтая только об одном: чтобы о ней — не дай бог — не заговорили. Но о ней говорили. Ее разбирали по косточкам. Над подвалом, где она ютилась, надстраивали целые этажи, и в просторных, светлых помещениях сидели хорошо одетые люди, называвшие себя педологами и утверждавшие, что «и без сказки ребенок с трудом постигает мир... Они отменили табуретки в детских садах, ибо табуретки приучают детей к индивидуализму, и заменили их скамеечками, не сомневаясь в том, что скамеечки разовьют... социальные навыки и создадут дружный коллектив. Они изъяли из детских садов куклу. Незачем переразвивать у девочек материнский инстинкт. Допускались только куклы, имеющие целевое назначение, например безобразно толстые попы́. Считалось несомненным, что попы разовьют в детях антирелигиозные чувства. Жизнь показала, что девочки взяли да и усыновили страшных священников. Педологи увидели, как их непокорные воспитанницы, завернув попов в одеяльца, носят их на руках, целуют, укладывают спать — ведь матери любят и безобразных детей» («Превратности характера»). Утверждая с полной серьезностью, что народ давно сочинил все сказки на свете, педологи пытались остановить литераторов, которые думали, что они могут прибавить хоть что-нибудь к бессмертному наследию.

Как же поступил ты в ответ на угрозы наших Самсонов Карраско, которые доказывали, что «последние достижения науки требуют, чтобы с безумцами обращались сурово»? Ты напечатал «Приключения Гогенштауфена» — историю о том, как в рядовом учреждении всеми делами заправляет Упырь, питающийся человеческой кровью, а уборщицей служит добрая Фея, которой, согласно утвержденному плану, разрешено совершать только три чуда в квартал. Дорогой мой, как нам тебя не хватает! Твоей доброты и терпения. Твоего мужества и иронии. Твоей скромности — ведь ты тихо и долго смеялся бы, если кому-нибудь пришла в голову мысль, что ты — первоклассный писатель. А между тем в наши дни то и дело слышишь, что твой «Дракон» — гениален.

Но пригодилась ли Шварцу трезвость и проницательность писателя-реалиста, когда он писал «Дракона» или «Тень»? Воспользовался ли этот сказочник, выдумщик, любитель магических происшествий, стремившийся столкнуть «обыкновенное с необыкновенным», своим искусством раскрывать жизнь с вещественной полнотой? Да. И более того: в основе первого лежит второе. Фантастические персонажи произведений Шварца наделены естественными человеческими чертами, и трудно представить себе, что они могли быть написаны без трезвого, беспристрастного знания жизни. И это не отвлеченное, алгебраическое знание. В нем нет устоявшихся оценок, готовых представлений. Оно как бы плывет, подчиняясь невидимой воле автора, размышляющего о мужестве, справедливости, чести. Так, в фигуру Бабы Яги вложены черты самодовольной, упоенной своими мнимыми достоинствами старухи, которые на каждом шагу встречаются в обыденной жизни. Разница заключается в том, что эти живущие не в избушке на курьих ножках старухи не стали бы с такой откровенностью восхищаться собой.

«Я умница, ласточка, касаточка, старушка-вострушка»,— говорит Баба Яга («Два клена»), а когда Василиса спрашивает ее: «А ты, видно, себя любишь?» — отвечает: «Мало сказать люблю, я в себе, голубушка, души не чаю. Тем и сильна». И дальше: «Меня тот понимает, кто мной восхищается».

В «Снежной королеве» Маленькая разбойница говорит Герде: «Даже если мы и поссоримся, то я никому не дам тебя в обиду, я сама тогда тебя убью, ты мне очень, очень понравилась».

В «Снежной королеве» Советник раскрывает себя, откровенно рассказывая о «ледяном» смысле своего существования. Его уверенность в том, что можно купить все, в том числе и «розовый куст», который не продается, его холодность, равнодушие, жестокость — все это черты, которыми пестрит обыкновенная обыденная жизнь.

Между понятиями «говорить» и «думать» устанавливается понятие антитезы — и здесь кроются многие открытия острой драматургии Шварца. Одни говорят то, что думают, и это производит ошеломляющее впечатление — комическое в одних случаях и трагическое в других. Другие говорят противоположное тому, что они думают, но зритель с помощью автора легко угадывает подлинный смысл. В классической драматургии был принят прием «à part» — «в сторону»: герой на мгновение как бы оставался наедине со зрителем, сообщал ему то, чего не должен был знать собеседник. Шварц раскрывает скобки, в которые ставилось это «à part». Ничего не говорится «в сторону»: напротив, мнимая или подлинная откровенность вхо́дит в художественную ткань пьесы.

В любом существовании, обусловленном множеством сплетающихся, связывающих отношений, подобная откровенность немыслима. Это — чтение собственных мыслей вслух.

Пьеса «Тень», мне кажется, в этом отношении характернее других произведений Шварца. Раздвоенность приобретает в ней философский смысл.

11

Летом 1813-го, тревожного года студент-медик Адельберт Шамиссо, француз по происхождению, бывший офицер немецкой армии, написал в несколько дней повесть для развлечения жены и детей своего друга, очевидно воспользовавшись сюжетом одной из датских народных сказок. Она называлась «Необычайные приключения Петера Шлемиля»; в ней рассказывалось о том, как некий господин в рединготе — волшебник или черт — купил у ничем не замечательного молодого человека его тень. Взамен Петер получает то, что в русском фольклоре называется «неразменный рубль»,— кошелек с золотыми дублонами, который невозможно опустошить. Он утопает в золоте, его принимают за путешествующего инкогнито прусского короля. Но когда он догадывается, что вместе с потерей тени он потерял и свое место в мире, волшебник или дьявол является снова и предлагает еще более страшную сделку: Петер получит обратно свою тень, однако с условием — он должен написать завещание, согласно которому его душа после смерти перейдет в полную собственность господина в сером рединготе.

Соблазн велик, в уговорах участвует и шапка-невидимка, и возможность жениться на любимой девушке, но Петер Шлемиль находит в себе силы отказаться от выгодного предложения.

Повесть еще далеко не кончена, но на этих страницах, в сущности, обрывается все, что связано с темой проданной тени. Шамиссо, без сомнения, не знал, как окончить свою повесть, и, оставив своего героя без тени и без денег, не нашел ничего лучшего, как вручить ему семимильные сапоги. Повесть теряет единство, расплывается, уходит в сторону, и остается только задуматься над причинами ее феноменального успеха. В 1919 году в Берлине вышла специальная «Шлемилевская библиотека», в которой описано — приблизительно за сто лет — сто восемьдесят девять немецких и иностранных изданий этой повести.

12

Андерсен вернулся к этой теме через несколько десятилетий, написав сказку «Тень», в которой до неузнаваемости преобразил историю Петера Шлемиля. Теперь на месте этого «неповоротливого, долговязого малого» — Ученый, добрый и умный человек, который пишет об истине, добре и красоте, но которого никто не желает ни читать, ни слушать. Господин в сером рединготе — волшебник или черт — не нужен Андерсену, ведь он сам волшебник. Никто не собирается покупать тень. Ученый сам посылает ее, чтобы узнать, что творится в доме напротив, откуда доносится музыка и где он однажды увидел стройную прелестную девушку, среди цветов, озаренных загадочным светом. Тень не возвращается, и это заставляет Андерсена вспомнить историю Петера Шлемиля. «Эта история была широко известна на его родине... и если бы Ученый рассказал свою, ее сочли бы подражанием». Но вот проходит много лет. Тень возвращается к своему владельцу, у которого (он побывал в жарких странах, где все растет очень быстро) выросла новая тень, и Андерсен внезапно поворачивает сюжет, придавая занимательной сказке психологический смысл.

Дело уже не в том, что Ученый потерял свою тень,

а в отношениях, которые возникают между ней и ее бывшим владельцем. Каким образом, побывав в доме, где жила Поэзия, тень Ученого стала человеком? Этого он не объясняет. Зато подчеркивает — и неоднократно,— что Тень не решилась сразу войти в «анфиладу ярко освещенных комнат». Свет убил бы ее, и она осталась выжидать своего чудесного превращения в полутемной передней. Вот почему так сильны в ней лакейские черты — ведь лакею всегда хочется видеть лакеем своего господина. Так начинается новая связь между Ученым и Тенью. Сперва она просит называть ее на «вы». Потом, явившись снова через несколько лет, предлагает своему бывшему владельцу путешествовать, но с условием: «Мне очень нужен спутник. Хотите ехать со мной в качестве моей тени? ...Беру на себя все расходы». Ученый отказывается, но его начинают преследовать заботы и горе, он заболевает, и в конце концов ему ничего не остается, как принять предложение. Они отправляются в путешествие. Тень становится господином, а господин — тенью. И когда на курорте они встречаются с Принцессой, обладающей «чрезмерной зоркостью», Тень легко доказывает, что у него есть тень, но необыкновенная. «...Некоторые наряжают своих слуг в ливреи из более тонкого сукна, чем то, которое носят сами, так и я дал своей тени обличье человека».

Ученый играет роль тени до тех пор, пока она не пытается отнять у него право называть себя человеком. «Ты не должен говорить, что когда-то был человеком, и раз в год, когда я сяду на балконе при солнечном свете, чтобы показаться народу, ты ляжешь у моих ног, как и подобает тени. Должен сказать тебе, что я женюсь на Принцессе. Сегодня будет свадьба». И лишь тогда Тень сталкивается с решительным сопротивлением. Ученый отказывается обманывать Принцессу и всю страну. Он погибает в тюрьме, а Тень женится на Принцессе.

13

Нужно было обладать большой смелостью, чтобы после Андерсена вернуться к этому сюжету. И Шварц прекрасно понимал всю рискованность своего замысла, всю его сложность. Ведь Андерсен невольно состязался с Шамиссо,— теперь Шварцу предстояло состязание с Андерсеном. В преобразовании сюжета всегда есть оттенок соперничества, а ведь трудно соперничать с любимым писателем, который с детских лет украшал твою жизнь! Но «чужой сюжет как бы вошел в мою плоть и кровь, я пересоздал его и тогда только выпустил в свет» — недаром Шварц взял для своей пьесы этот эпиграф из «Сказки моей жизни» Андерсена.

В чем же заключалось преобразование чужого сюжета? Прежде всего в том, что Шварц с удивительной рельефностью написал характеры, едва намеченные у Андерсена. Он увел их от неопределенности, в которой все могло случиться иначе. Он населил свою пьесу новыми персонажами, связанными между собой сложными, противоречивыми отношениями. В сказке Андерсена Ученый, проповедующий истину, добро и красоту, далеко не уверен в том, что все в конце концов будет прекрасно. Карьера Тени, в сущности, основана на его слабости, а первая же попытка борьбы кончается смертью. В пьесе Шварца Ученый — человек, желающий всем добра, мечтающий сделать всех людей счастливыми, и это основное. Его единственное оружие — здравый смысл и простота, помноженные на поэтическое отношение к жизни. Вот почему он не верит, что Тень может победить навсегда. Попадая в «совсем особенную страну, где то, что кажется у других народов выдумкой, происходит на самом деле», он один смело отказывается от необходимости лгать, хитрить, притворяться.

И Тень в пьесе Шварца совсем непохожа на андерсеновскую. Ведь Ученый упорно борется с ней,— стало быть, карьера Тени не может быть построена на отношениях между ними. Карьера опирается на мертвую закономерность канцелярской власти, которая беспрепятственно царит в «особенной стране», где лишь недавно умерла Спящая Красавица, а Мальчик с пальчик, женившийся на очень высокой женщине, ходит на базар и «торгуется, как дьявол». Но сказка скована, сказка живет среди стен, имеющих уши. И Тень опирается на эту скованную, связанную по рукам и ногам фантасмагорию. Недаром же с Ученым решено покончить, потому что он «простой, наивный человек» (а это страшнее шантажиста, хитреца, злодея). Недаром, когда Тень предлагает Первому министру свои услуги, он останавливает ее: «Что с вами, любезный? Вы собираетесь действовать, пока вас еще не оформили? Да вы сошли с ума!»

Быстрое возвышение Тени, которая из помощника лакея становится сперва чиновником особо важных дел, а потом руководителем всей, бесшумно, но безжалостно действующей, основанной на призрачном существовании, нерассуждающей канцелярской машины. Она внушает слепой, бессознательный страх, и недаром Доктор, тайно сочувствующий Ученому, рассказывает о том, как человек необычайной храбрости, шедший с ножом на медведя, упал в обморок, нечаянно толкнув тайного советника.

Однако для того, чтобы воспользоваться всей тупостью бумажной, но сильной власти, нужны хитрость и ум. И Тень в пьесе Шварца умна. Более того — талантлива. Для того чтобы подчинить себе легкомысленную Принцессу и ее министров, нужны коварство, изворотливость, ум. Но для того, чтобы убедить Ученого подписать заявление, в котором он отказывается от брака с Принцессой, необходим талант. «Ведь мы выросли вместе среди одних и тех же людей. Когда вы говорили «мама», я беззвучно повторял то же слово. Я любил тех, кого вы любили, а ваши враги были моими врагами. Когда вы хворали — и я не мог поднять головы от подушки. Вы поправлялись — поправлялся и я. Неужели после целой жизни, прожитой в такой тесной дружбе, я мог бы вдруг стать вашим врагом!» Этого мало, и Тень, притворяясь неразлучным другом Ученого, пытается разбудить в нем детские воспоминания: «Христиан, друг мой, брат, они убьют тебя, поверь мне. Разве они знают дорожки, по которым мы бегали в детстве, мельницу, где мы болтали с водяным, лес, где мы встретили дочку учителя и влюбились — ты в нее, а я в ее тень. Они и представить себе не могут, что ты живой человек. Для них ты — препятствие, вроде пня или колоды. Поверь мне, что и солнце не зайдет, как ты будешь мертв».

Что же представляют собой новые персонажи, которых читатель не найдет ни в «Истории Шлемиля», ни в андерсеновской «Тени»? Одни — на стороне Ученого (разумеется, тайно), Аннунциата и Доктор; другие — сторонники того установленного образа жизни, в котором говорить правду просто «не принято» и движениями души управляет единственный, в сущности, закон — людоедство. Людоедом может быть кто угодно — и изящный молодой человек (недаром, впрочем, получивший имя Цезаря Борджиа), и Хозяин гостиницы, Пьетро — отец Аннунциаты. Почему Шварц заставил их всех служить оценщиками в городском ломбарде? Потому что в традициях классической литературы (Диккенс, Достоевский) ломбард — место, где из человека тянут жилы, обманывают, бессовестно наживаясь. И еще одна черта лагеря людоедов, действующих в механическом, обусловленном мире,— пошлость. Недаром красавица Юлия Джули поет песенку под названием «Мама, что такое любовь» или «Девы, спешите счастье найти». В «избранном круге», к которому она принадлежит, все элегантны, лишены предрассудков и по возможности знамениты. От пошлости до подлости один шаг. Все, что подчиняется раз и навсегда установленному, застывшему, омертвевшему строю существования, безвкусно и ничтожно в нравственном отношении. Борьба Ученого против Тени — это борьба поэзии правды против пошлости лжи.

Кажется, я подробно разобрал пьесу Шварца, а между тем она заслуживает еще более тщательного разбора. Вопросы стиля остались в стороне, в то время как многие выражения из его сказок вошли в разговорный язык. «Детей надо баловать,— говорит Атаманша в «Снежной королеве»,— тогда из них вырастают настоящие разбойники». «Вы думаете, это так просто — любить людей»,— вздыхает Ланцелот. «Человека легче всего съесть, когда он болен или уехал отдыхать. Ведь тогда он сам не знает, кто его съел, и с ним можно сохранить прекраснейшие отношения»,— замечает Цезарь Борджиа. «Единственный способ избавиться от драконов — это иметь своего собственного»,— уверяет Шарлемань («Дракон»). Эти афоризмы тонко переплетены с общепринятыми поговорками, пословицами, образными выражениями, которым Шварц возвращает их первоначальный смысл. «Посмотрите на все сквозь пальцы,— советует Доктор, осматривая Ученого,— махните на все рукой. Еще раз». «В каждом человеке есть что-то живое. Надо его задеть за живое — и все тут»,— говорит Ученый. Это не только игра слов. Укрепившиеся, своеобразные, непереводимые обороты речи оживают в своем первоначальном значении. Они рассеяны по страницам драматургии Шварца, придавая ей остроту и оригинальность.

Пристально наблюдая за преображением «чужого сюжета, вошедшего в плоть и кровь», можно найти убедительные черты сходства и несходства в произведениях Андерсена и Шварца. Но есть и прямой спор, далеко идущий и заставляющий задуматься о многом.

Печальная сказка Андерсена кончается победой «теневой стороны вещей». Ученый приговорен к тюрьме, и Тень коварно жалеет «верного слугу». По-другому кончает свою пьесу Шварц.

Существует формула: «Тень, знай свое место» — Доктор нашел ее в старинных трудах о людях, расставшихся со своими тенями. И когда в последней схватке Ученый доказывает, что новый властелин пуст, что он «уже теперь томится и не знает, что ему делать от тоски и безделья»,— волшебные слова произнесены, и Тень падает к ногам Ученого, повторяя его слова и движения.

Зачем Шварцу понадобился этот эпизод? Ведь формула действует недолго, и Ученый лишь на несколько минут становится хозяином положения. Она понадобилась, чтобы показать нерасторжимость, неразлучность, естественное единство человека и его тени. И эта едва различимая нить единства полностью раскрывается в заключительных сценах. Ученый приговорен к казни, палач отрубает ему голову — в это мгновение слетает голова и у Тени. Живая вода — величайший фармакологический препарат сказочников всех времен и народов — приходит на помощь. Оживает Ученый, оживает и его Тень. Обоим больно глотать — подробность, подчеркивающая изящество замысла Шварца. А замысел заключается в том, что, как бы далеко ни уходила «теневая сторона вещей», повинуясь воле художника, в конечном счете она возвращается, чтобы «занять свое место».

Столкновение Ученого с его тенью — это столкновение героя с самим собой, с темным отражением собственной души в сложном, коварном и безжалостном мире Это — единство противоположностей, невольно уводящее мысль к идее двойника, которая была так важна для Гофмана, Достоевского, Кафки.

15

Ты знаешь, а ведь и я только теперь, перечитывая твои пьесы, понял *что* тебе удалось. Ты развертывался медленно, неуверенно, прислушиваясь не к искусству литературного слова, а к точности и честности детского зрения. В «Голом короле» все голы, не только король,— и улюлюкающий камергер, и марширующие фрейлины, и придворный поэт, который «просит то дачу, то домик, то корову».

...Спасибо тебе, дорогой, за Ученого, за Ланцелота, за Дон Кихота, за то, что вместе с ними ты ненавидел больших и маленьких драконов фашизма. За то, что ты нашел в себе силы, чтобы высмеять их, оставаясь серьезным. За то, что ты предсказал, как трудно будет с людьми, у которых «дырявые души, продажные души, прожженные души, мертвые души». За «очень жалобную книгу», которую пишет мир — горы, травы, камни, деревья, реки, видящие, что делают люди.

Знаешь ли, на что похожа эта книга, лежащая далеко в пещере, в Черных горах? На «Русскую Правду» Пестеля, зарытую в землю. Или, еще больше, на толстовскую «зеленую палочку». Ланцелот, как маленькие братья Толстые, отказывает себе в праве на равнодушие и легкую жизнь. «Я странник, легкий человек, но вся жизнь моя проходила в тяжелых боях. Тут дракон, там людоеды, там великаны. Возишься, возишься... Работа хлопотливая, неблагодарная».

Вот и ты был такой же легкий человек, умевший смешить и смеяться, любивший простые вещи — солнце, хорошую погоду, прогулку в лесу. Спасибо тебе за то, что твоя жизнь проходила в тяжелых боях.

Умирая, Дон Кихот видит перед собой Альдонсу, которая запрещает ему умирать: «Вы устали? А как же я? Нельзя, сеньор, не умирайте... Уж я-то сочувствую, я-то понимаю, как болят ваши натруженные руки, как ломит спину... Не умирайте, дорогой мой, голубчик мой».

Так и нам хотелось запретить тебе умереть.

Санчо старается доказать своему господину, что «умереть — это величайшее безумие, которое может позволить себе человек». Вот так и нам хотелось доказать тебе эту простую мысль.

Тебе некогда было умирать, когда на земле столько дела, и если уж несправедливо совершилось это «величайшее из безумств», ты знал или догадывался, что твои сказки помогут нам, «сражаясь неустанно, дожить, дожить до золотого века...».

1965—1978

МЕСТО В МИРЕ

1

Мы встречались сравнительно редко, и я не мог бы сказать, что это были запомнившиеся встречи. Савич был человеком, который не делал ни малейших усилий, чтобы запомниться, произвести впечатление. Он знал — это чувствовалось — цену показного блеска. При этом внешность его как раз запоминалась. Он был хорош собой — с бледным, матовым лицом, с седой шевелюрой, с мягкими движениями, неторопливый, сдержанно-ровный.

Не помню, когда мы познакомились,— должно быть, в конце сороковых годов, когда я переехал в Москву из Ленинграда. Знал я тогда о нем очень мало — близкий друг Эренбурга, в доме которого мы встречались, переводчик, участник испанской войны. И наши короткие, где-нибудь в стороне от шумного стола, разговоры почти ничего не прибавляли к этому знанию о нем, кроме, может быть, впечатления некоторой отстраненности, заставляющей догадываться о замкнутости душевного мира. Когда мы познакомились ближе, я понял, что ошибаюсь. Он был общителен, хотя и немногословен. То, что он говорил, вынимая трубку изо рта и попыхивая дымком, было направлено к собеседнику не для того, чтобы заставить его прислушаться, а для того, чтобы внимательно выслушать собеседника, а потом в двух-трех словах согласиться или не согласиться.

Что можно было сказать о Савиче по его внешности, по манере держаться? Он был похож на государственного деятеля западного типа — министра, дипломата. Сходство обманывало.

Его светлые глаза под глубокими надбровными дугами смотрели на мир задумчиво, внимательно, немного грустно — но однозначно.

2

Овадий Герцович Савич родился в 1896 году в интеллигентной семье, вырос без отца (родители рано разошлись) — и с детства был погружен в книги. Он рано начал писать стихи и еще в юности собрал редкую по содержательности и полноте библиотеку поэзии.

В 1915 году он поступил на юридический факультет Московского университета.

Он любил театр, проводил в Малом все вечера. Случай сделал его профессиональным актером.

Подыгрывая товарищу, поступавшему в театральное училище, он был отмечен экзаменаторами, среди которых были известные артисты.

— А вы не собираетесь посвятить себя театру?

— Нет.

— Очень жаль!

Этот короткий разговор решил судьбу Савича. В следующем, 1916 году подыгрывали ему. Он кончил театральную школу (при Театре имени Комиссаржевской) и сыграл десятки ролей. В те годы еще сохранились так называемые «амплуа». Для роли первого любовника у него не хватало трех-четырех сантиметров роста (хотя он был довольно высок), а глаза сидели в глазницах слишком глубоко.

Он был актером Театра имени Комиссаржевской, Государственного Показательного театра, а в революционные годы служил в разъездной красноармейской труппе. Сохранился рассказ о том, как, играя смертельно раненного красноармейца, или, точнее сказать, читая свою роль по тетрадке, он обнаружил нехватку нескольких страниц и сымпровизировал патетический монолог, заслужив глубокую признательность автора пьесы, который был одновременно комиссаром части.

Актерские скитанья Савича отразились в повести «По холстяной земле» (1923), написанной в беспокойной, беглой импрессионистической манере. На первый взгляд главные герои повести — актеры, а на деле — потревоженный приездом передвижного театра мещанский быт какого-то южного города (очевидно, Астрахани).

Лишь отдельные детали говорят о том, что повесть написана профессиональным актером. Был ли им Савич? Едва ли. Если вспомнить «Парадокс об актере» Дидро, легко предположить, что в Савиче не было той необходимой холодности, которая определяет расстояние между актером и лицом, которое он изображает. Думаю, что он принадлежал к тем артистам, которые хорошо играют только себя. Расстояние — это видно по его записным книжкам — пришло через много лет, и не для того, чтобы играть других, а для того, чтобы увидеть и понять себя.

В 1923 году Савич ушел из театра. Он жил в Париже, оставаясь советским гражданином и продолжая работать в нашей литературе. В 1927 году вышли две книги рассказов — «Короткое замыкание» и «Плавучий остров».

Они написаны в другой стилистической манере, чем повесть «По холстяной земле»,— от так называемого (в те годы) орнаментализма Савич пытался перейти к простоте классической прозы. И это удалось — по меньшей мере в лучших рассказах («Никитин день» и «Конокрады»). Заметны и другие влияния (Эренбург). Но не поиски стиля останавливают внимание читателя в наши дни, через много лет после выхода этих книг, а поиски характера. Что общего между Ванькой Смехом, участником банды зеленых, и аккуратным, безукоризненным, сдержанным Морисом Потье, проводником международного вагона? Но общее есть. Весело-равнодушный восемнадцатилетний бандит, бесшабашный головорез вдруг возвращается к тяжело раненному комиссару, взятому зелеными в плен и зарытому в землю по горло. Он спасает его, а потом, вернувшись в отряд, убивает своего атамана.

Магическая сила вырывает Мориса Потье из купе международного вагона и бросает в пространство, где он «взлетает и ныряет без карт»,— пока не попадает в революционные годы в Москву, а оттуда в Сибирь. Сражаясь против колчаковцев, он погибает с криком: «En avant, camarades!» Главная улица сибирского городка названа именем Мориса Потье, «жители зовут ее Ипатьевской».

Казалось бы, нет ни малейшего сходства в судьбах этих людей. Но общее есть: они выбирают. В грохоте разъятой, внезапно рухнувшей жизни, в сумятице случайностей, в «безумном круженье по горам, в провалах и скатах» они находят в себе душевные силы, чтобы выбрать свой единственный путь. Это — выбор нравственный, выбор света, поворот внутрь, к духовной глубине человека, к его «человечности». Об этом написаны и другие рассказы: «Иностранец из № 17», «Сказка о двух концах». Но выбирают не только герои. Выбирает автор — можно смело сказать, что, несмотря на подражательность, неуверенность, стилистическую шаткость первых произведений Савича, ему удалось наметить ту психологически-нравственную основу, в которой впоследствии органически слились и он сам, как личность, и его произведения.

3

Спокойный, положительный, порядочный, всеми уважаемый человек, специалист по сукну, Петр Петрович Обыденный неожиданно совершает очень странный поступок. Он берет из открытого ящика бухгалтерского стола сто червонцев (дело происходит в 1928 году), хотя они ему вовсе не нужны. Берет не думая, машинально — и на следующий день возвращает. Правда, не полностью. Пять червонцев он успел одолжить своему квартиранту, актеру Черкасу.

В губернском распределителе суконного треста — смятение, почти катастрофа. Но все устраивается. Петра Петровича любят и ценят, недостающие деньги тут же собирают сотрудники. Провинившегося — тем более что он безупречный работник — прощают. Его странный поступок стараются не заметить, забыть. Но что-то остается. Это *что-то* — загадочность проступка, его очевидная бесцельность, его пугающая необъяснимость. Никто не верит, что Петр Петрович взял деньги «просто так», даже его жена и дети. Случайность, которой могло и не быть,— все-таки не случайна. Она опасна, несмотря на всю свою ничтожность. Сама эта ничтожность знаменательна, как знаменательна кража новой шинели Акакия Акакиевича, вырастающая до общечеловеческого нравственного потрясения.

Хотя действие происходит в послереволюционные годы, отсталый, заброшенный городок как бы вынесен за пределы реальности, «алгебраичен». Между людьми и целью их жизни существуют «обстоятельства», и люди начинают видеть в них смысл своего существования. Человек превращается в собственную должность, забывая (подчас до своих предсмертных минут), что он — человек. Мало кому удается увидеть себя в повторяемости дня, бегущего на смену новому дню, в монотонности, машинальности существования. Именно это происходит с Петром Петровичем, который глубоко оскорблен, когда оказывается, что ему не верят, то есть что его, в сущности, считают обыкновенным (к счастью, своевременно раскаявшимся) вором.

Формулы мещанского бытия «так не делается», «так не бывает» незаметно, исподволь выстраиваются против человека, сделавшего бесцельный, необъяснимый шаг. Начинается борьба, и не только между Петром Петровичем и идиотизмом машинального существования. Борьба — и это основное — начинается в нем самом, потому что он сам является выразителем и даже как бы представителем этого прочно установившегося мещанского психологического строя. Ничего, кажется, не произошло. Странный поступок забыт, о нем стараются не вспоминать, в своей дружной семье Петр Петрович окружен особенной заботой.

Но произошло самое главное: появилась мысль. Впрочем, сначала это даже не мысль. Это смутная догадка, что «так жить нельзя», человек не должен, не имеет права удовлетворяться повторением прожитого дня.

Впервые в жизни Петр Петрович начинает задумываться, вспоминать, сопоставлять. Очень медленно, с перепадами, с попытками уверить себя, что все, в конце концов, обстоит благополучно, в романе развивается то, что можно назвать самооткрытием. Оно уходит в тень — и возвращается. Оно как бы персонифицируется в лице актера Черкаса, который пытается жить «не как все» — и в конечном счете ничем не отличается от ничтожных, мещански-самодовольных сослуживцев Петра Петровича. Оно скрывается за притворной игрой, в которой принимают участие все — и распределитель суконного треста, и семья Петра Петровича, теперь находящегося в отпуску по болезни. Для сослуживцев, для семьи, для городка Петр Петрович болен. На деле — происходит мучительное, почти непосильное душевное выздоровление. Не замечать его, не признаваться перед самим собой, что жизнь прожита бесцельно, уже невозможно.

Мысль развивается, определяется, когда Петр Петрович начинает видеть себя в других. Но другие — и даже актер Черкас с его жалкими попытками эпатажа — лишь ступени, ведущие к самораскрытию. Для того чтобы оно произошло, нужен он сам — Петр Петрович. Тогда-то и появляется двойник, «воображаемый собеседник», с которым Петр Петрович неторопливо вспоминает и обсуждает собственную жизнь.

В 1928 году, когда был напечатан этот роман, еще не знали о детекторе лжи. То, что происходит с Петром Петровичем, похоже на нравственную модель этого аппарата. Теперь Петр Петрович и правда — одно, и это дает ему возможность мгновенно отличать ложь от правды в других. Теперь он знает, что деньги, в которых он не нуждается, он «украл» не случайно. «...Все — с той минуты, как он взял деньги... до решения сказать всем правду в лицо, было, в сущности, только попыткой бороться со смертью. Он взял деньги потому, что думал, что они вызовут силу жизни... Но это никому еще не удавалось, ибо он не мог уйти от законов жизни...» И дальше: «Он попробовал выдумать иной мир». Но уже слышны шаги за спиной, «хотя идти решительно некому». И снова слышны «не приближающиеся и не удаляющиеся, словно кто-то шел под окнами... никуда не уходя, только переставляя ноги».

Это еще не смерть, это биение собственного сердца. Но смерть не за горами. Петр Петрович умирает от нравственного выздоровления, которое не понять даже тем, кто глубоко и искренне привязан к нему, которое не понято — и не может быть понято — тупым и благополучным миром.

Роман Савича «Воображаемый собеседник» проникнут искренним удивлением человека перед скрытой силой его души. Это тоска по несбывшемуся блеску перемен, по разнообразию жизни, по высокой цели, без которой жизнь пуста и ничтожна. Это тоска по чуду,— недаром, умирая, Петр Петрович при свете ясного дня видит звездное небо.

Можно ли поставить знак равенства между автором «Воображаемого себеседника» и главным его героем? Конечно, нет! Не себя изобразил молодой писатель в Петре Петровиче, напоминающем деревянную скульптуру, в которой неведомо как и почему зародилась жизнь. Однако не случайно эта драма самораскрытия освещена изнутри фантастическим светом, недаром ожившую статую окружают видения.

4

Мы знаем Савича как известного переводчика испанской, чилийской, кубинской, мексиканской, колумбийской поэзии, исследователя-испаниста, учителя и неутомимого советчика молодых переводчиков. Но Савич до 1937 года не знал по-испански ни слова.

В начале тридцатых годов он был корреспондентом «Комсомольской правды» в Париже. Он продолжал писать прозу, но работа не шла — и, может быть, поэтому главное место в жизни снова заняли книги. Его корреспонденции написаны человеком общительным, живым, расположенным к дружеской близости, наблюдательным. Но все-таки книги открывались легче, чем люди, они не врывались в жизнь, они стояли на полках и терпеливо ждали.

В начале февраля 1937 года Эренбург увез Савича в Испанию не без тайной надежды (это чувствуется в известной книге «Люди, годы, жизнь») переломить эту книжную жизнь. «Я легко уговорил его посмотреть хотя бы одним глазом Испанию. Сможешь написать для «Комсомолки» десять очерков».

Эренбург знал Савича в течение пятнадцати лет, но никогда прежде не видел его в минуты смертельной опасности. «Я видел его во время жестоких бомбежек, он поражал меня своей невозмутимостью,— и я понял, что он боится не смерти, а житейских неприятностей: полицейских, таможенников, консулов».

О спокойной храбрости Савича писали многие. Не буду повторять, скажу только, что понятие храбрости в испанской войне было нормой поведения. «Стыдно мужчинам лежать в канаве»,— сказал Савичу огорченный шофер после того, как фашистский «фиат» дважды обстрелял корреспондентскую машину (Савич О. Два года в Испании. С. 54).

Все писавшие о Савиче говорят о его выдающемся мужестве — это значит многое в устах участников испанской войны.

Известно, что, покинув Барселону с арьергардными патрулями, он узнал, что советский флаг над домом полпредства и герб на дверях «были оставлены, чтобы не подчеркивать безнадежности». Он вернулся в город, фактически уже занятый фашистами, снял флаг и герб и каким-то чудом благополучно вернулся.

Читая «Два года в Испании», я вспомнил Пьера Безухова на Бородинском поле. Детское удивление штатского заметно почти на каждой странице. К удивлению примешивается восхищение: недаром Эренбург пишет, что Савич «наслаждался жизнью: то место, о котором он тщетно мечтал в мирном Париже, оказалось в полуразрушенном, голодном Мадриде». Однако очень скоро выяснилось, что, восхищаясь и удивляясь, нельзя забывать о деле: «Ежедневные сводки испанского командования он сам переводил и сам передавал по телефону в Москву... Заткнув одно ухо пальцем, задыхаясь от валенсийской жары и надрывая голос, он часами проталкивал в телефонную трубку слово за словом, а каждое географическое название по буквам. Кроме сводок, он посылал в «Комсомольскую правду» (а в отсутствие Эренбурга в «Известия») еще статьи и заметки, материал для которых добывал не с чужих слов, а обязательно на месте, уточняя каждый факт в беседе с участниками или очевидцами» (Эйснер А. Камарада Савич// Журналист. 1968. № 7).

Так в «Известиях» появился новый корреспондент, подписывавшийся испанским именем — Хосе Гарсиа.

Потом Испанию покинули корреспонденты ТАСС Гельфанд и Мирова, и Савич стал представителем ТАСС. Это был ответственный политический пост, и недаром главка о русских советниках при республиканском правительстве написана с таким знанием дела («Два года в Испании»). В конце войны он остался единственным полномочным представителем советской прессы в Испании.

Столетие со дня смерти Пушкина отмечалось в республиканской Испании с опозданием. Но отмечалось. Двадцать восьмого февраля 1938 года в Барселоне Савич выступил с докладом о Пушкине.

Когда удалось ему найти время, чтобы вместе с известным поэтом Маноло Альтолагирре перевести на испанский «Пир во время чумы» и «Каменного гостя»? Книга вышла в 1938 году в Барселоне.

После того как война была проиграна и Барселона занята франкистами, он телеграфировал в Москву — просил ТАСС разрешить ему вернуться в Мадрид, который продержался еще несколько дней.

5

В истории человечества не было другой войны, в которой участвовало бы так много писателей, командующих полками, дивизиями и даже фронтами.

Об этом говорил Хемингуэй на Втором конгрессе американских писателей (в июне 1937 года). «Когда человек едет на фронт искать правду, он может найти вместо нее смерть. Но если едут двенадцать, а возвращаются только двое, правда, которую они привезут, будет действительно полной правдой, а не искаженными слухами, которые мы выдаем за историю».

Савич спросил Людвига Ренна, писателя-коммуниста, начальника штаба Одиннадцатой интернациональной бригады,— правда ли, что в одном из первых боев он повел батальон, указывая направление самопишущей ручкой. Ренн спокойно ответил, что это легенда. «Если она нужна в тылу, я не возражаю. Но я теперь не писатель, а солдат».

«Два года в Испании» — записки военного корреспондента. В книге немало глубоких страниц, посвященных испанской поэзии, испанскому характеру, в котором Савич находил сходство с русским,— размах, отзывчивость, незлопамятность, парадоксальность. В превосходной сцене отъезда русского советника легко угадываются эти черты. Советник последними словами ругает испанцев за бестолковость, лень, беспорядок, а потом, чертыхаясь, садится в машину и плачет: «Душу я, понимаешь, оставляю. А, черт!»

Среди наблюдений, размышлений, хроники — несколько рассказов. Это, в сущности, не рассказы, а портреты, которые даны в движении, в необычайных обстоятельствах испанской войны. Среди них «Венский вальс», посвященный знаменитому писателю дону Рамону. Имя вымышленное, и хотя «Венский вальс», как пишет Савич, родился из встреч с Хосе Бергамином, «его герой вовсе не Бергамин, ни по внешности, ни по образу жизни, ни по мыслям. Он родился как аргумент в споре двух близких, но отнюдь не совпадающих точек зрения..» («Два года в Испании»).

Когда начинается война, дон Рамон присоединяется к республиканцам и просит отправить его на фронт. Но в бою он беспомощен, неопытен, слаб. Он поражен бессмысленностью боя, напрасными жертвами, и потом... «этот подлый, унизительный страх». Решение принято — он отдаст республике свое перо. И он начинает писать воззвания, обращения, послания. Он пишет «Очерки по истории Испании». Он выступает перед солдатами, и они встречают его овацией. Правительство отмечает его заслуги.

Его называют совестью Испании, коммунисты не забывают поставить его имя во главе списка самых выдающихся республиканцев... «Что же смущало его, когда он внимательно разглядывал голубые жилки на своей тонкой руке, так и не державшей винтовки?»

Перед большой аудиторией он произносит речь о том, что душу народа формировали не только годы расцвета, но и столетия горя... «Когда враг подходил к Мадриду, я отправился защищать мой родной город. Судьбе было угодно, чтобы на мою долю не оказалось винтовки... Я понял свою беспомощность как солдата... Но я утверждаю, что имею право разделить со всеми бедный кусок военного хлеба».

После выступления к нему подходит комиссар, отправивший его на фронт, с отрядом валенсийцев. «У вас не оказалось винтовки? Почему вы не подняли винтовку убитого? Какое право имеете вы требовать от пулеметчика, чтобы он стрелял, пока вы будете размышлять о вечности?»

В ту же ночь война врывается в кабинет дона Рамона, где он пишет свой исторический труд. Он принимает участие в спасении людей, погребенных под обломками рухнувшего дома. В чужой квартире он слышит радио — убежавшие хозяева не выключили приемник. Оркестр играет венский вальс. «Молчат мертвые, стонут раненые, сражаются солдаты, а кому-то в этом мире нужен венский вальс. Кому-то в мире нужен и дон Рамон. Как венский вальс?» («Два года в Испании»).

Савич искал в испанской войне полноту нравственного самоиспытания — и для автора «Воображаемого собеседника» это глубоко характерно. Он был свидетелем и участником мирового потрясения, охватившего всех, кто хоть раз в жизни подумал о судьбах человечества, а не только о собственной судьбе.

Все это Савич пережил как художник, сумевший в бешеном круговороте событий остановиться, оглядеться и глубоко задуматься над тем, что он увидел.

Он был счастлив, но счастье было неполным. Неутомимая работа журналиста — он относился к ней с оттенком сожаления. Этот комнатный, книжный человек, который рассказал о себе, что он в последний раз имел дело с оружием, когда восьмилетним мальчиком разбивал каблуком пистоны, хотел сражаться, как Лукач, Ренн, Эрнандес. «Венский вальс» написан о себе...

Опыт Испании пригодился Савичу в годы Великой Отечественной войны. Сперва он работал в ЦК комсомола, потом в Информбюро. Работа военного корреспондента — безымянная, почти безликая — окрашивалась в руках Савича превосходным знанием европейской жизни.

6

Эренбург написал, что Савич боялся житейских неприятностей. Но был в его жизни еще один большой страх — тайное опасение, что он работает не в полную силу.

Человек мягкий, уступчивый, деликатный, он был беспощаден к себе, и это чувство стало играть в его жизни важную, особенную роль, когда в конце сороковых годов он вернулся к Испании. Не в Испанию — это было невозможно,— а к Испании, в которой и он, как многие, «оставил душу». Он перевел множество испанских и испано-американских поэтов, от Хорхе Манрике, современника француза Вийона (и первого печатного станка), до нашего современника, Пабло Неруды. Он стал учителем молодых переводчиков-испанистов.

Было ли это профессией, новой для пятидесятилетнего человека? Да, но не только профессией и далеко не новой: призванием, долгом, единственной разумной возможностью существования. «О несчастье неразделенной любви. Я хотел уйти от тебя, искусство, и ты, казалось, отпускало меня. Как женщина, взамен любви ты предлагало мне необязательную дружбу. Не желая, я отдал тебе жизнь и не могу получить ее обратно...» (из записных книжек).

В жизни Савича было три полосы счастья — «Воображаемый собеседник», защита Испании и переводы. Возможна ли третья без первых двух? Нет. Все пригодилось для того, чтобы перевести Габриелу Мистраль, Неруду, Гильена так, как он их перевел. Пригодились его собственные стихи, которые он писал всю жизнь. Пригодились книги, с которыми он никогда не расставался. Пригодилась скитальческая жизнь. Пригодилась Испания, в которую он навсегда, безоглядно влюбился. И, уж конечно, пригодилась небоязнь ответственности и беспощадность к себе. Он сам написал об этом:

«...Помни, ты не фотограф, а человекоописатель, твой закон — не факт, а правдоподобие, не статистика, а типичность, не правда, а истина. Ангел литературы похож на Азраила, он испепеляет. Если вечно искать сирень с небывалым количеством лепестков, то будет казаться, что меньше четырех не бывает... что пять — совсем немного и т. д. — такая должна быть требовательность и в том числе к слову... Вскакивай ночью и записывай, раз в месяц запишешь нужное...» (из записных книжек).

Все, что принято говорить о первоклассных переводчиках — способность к перевоплощению, естественность языка, отсутствие стилизации, умение сделать чужестранное произведение фактом русской литературы,— было сказано о Савиче, и не раз. Добавлю лишь, что он относился к самому языку как к искусству. Для него язык — не бесчисленный ряд смысловых слагаемых, а поэтическое устройство. Тонкостями этого устройства он пользовался бережно и неутомимо. Он умел не показывать себя, как бы «смириться» перед подлинником, но смириться, не теряя достоинства. Подчас он чувствовал, что в силах и потягаться с подлинником. В одном стихотворении Гильена нищий нарисован «с краюшкой хлеба и бутылкой вина за спиной». В глазах русского читателя бутылка вина мешала образу нищего, выглядела более подлинной, чем этого требовала поэзия. Упорно работая, Савич добился истинной близости к подлиннику:

По далекой дороге
Я пошел наугад,
А краюшка и кружка
За плечами стучат.

Каждой новой работе неизменно предшествовало глубокое изучение жизни и творчества переводимого поэта. Предисловия, которые Савич писал к произведениям Мистраль, Манрике, Эрнандеса, Неруды, ко многим другим,— это дельные, содержательные эссе. Они нужны, даже необходимы,— ведь еще недавно советский читатель мало знал об испанской и латиноамериканской литературе! Но я представил себе, что этих предисловий нет. Я как бы закрыл рукой подпись под портретом — и что же? Психологическая галерея переведенных Савичем поэтов все равно возникает передо мной. Они поразительно непохожи — и не только потому, что Хорхе Манрике жил в XV веке и был сыном магистра ордена Сант-Яго, а пастух Хосе Эрнандес был комиссаром Пятого полка в революционной Испании. Савич разглядел и сумел передать в своих переводах не только их поэзию, но самую жизнь. Биография художника — его холсты, это верно и для литературы. Годами переводя Шекспира, Пастернак по опискам, повторениям, по самому словарю не только доказал подлинность его авторства, но нарисовал реальный убедительный портрет.

Хочется сказать еще об одном: об атмосфере работы. Когда вскоре после конца войны Савичу предложили переводить Габриелу Мистраль и он отказался — его замучили страшные угрызения совести... «Совесть одолела меня. И тут... начинается трудный рассказ о том, как забилось для меня сердце великой женщины, живое, истекающее кровью от огромной, почти немыслимой любви. Как ее глаза стали моими, и я увидел долину Эльки, где каждая девушка уверена, что она станет королевой».

Это выглядит парадоксальным, но переводы Савича хороши не только потому, что он всю жизнь писал стихи и прозу, тщательно готовился к работе и был человеком редкого благородства. Он переводил хорошо потому, что ему было стыдно переводить плохо. Стыдно перед Испанией, стыдно перед самим собой, перед русской литературой.

Совесть, острота ответственности, сказавшаяся в суровом отборе поэтов, отдельных стихотворений, каждого слова,— вот характерная для Савича рабочая атмосфера. «Он (переводчик) вынужден защищать не только свой труд, но и самое право на него... Он неизбежно должен говорить и от лица переводимого поэта, не объясняя, не хваля и не порицая... как будто он сам написал то, что он перевел. Соперничество превращается в непрерывный союз, за который отвечает, разумеется, лишь одна сторона — переводчик» («Горе и награда переводчика»).

Теперь, когда я снова прочел его книги, когда я мысленно снова встретился с ним в рассказах и письмах его друзей, я горько пожалел о том, что за долгие годы знакомства не вгляделся в него, не оценил его душевной щедрости, его благородства.

Как сердцу высказать себя?
Другому как понять тебя?

Поймет ли он, чем ты живешь?
Мысль изреченная есть ложь.

(Тютчев)

Все, чем занимался Савич, в сущности, направлено против этих роковых сомнений. Нет, надо дать волю сердцу, надо вглядываться в себя, чтобы понять других!

1970

СТАРЫЙ ДРУГ

1

Мои довоенные письма к Павлу Григорьевичу погибли, лишь немногие из его писем ко мне сохранились. Война унесла те вещественные доказательства наших на редкость близких отношений, с которых мне бы хотелось начать мой рассказ. В особенности грустно, что погибли письма двадцатых годов, когда я пытался с мальчишеской дерзостью нащупать свой путь в литературе, свою позицию в жизни, и Антокольский с присущей ему добротой и энергией отзывался на эти попытки.

Нас познакомил агент уголовного розыска и талантливый поэт Евгений Кумминг. Я упомянул о нем в «Освещенных окнах». У Кумминга были черты, предвещавшие делового человека, способного функционера в уголовных делах и будущего миллионера: он умел восхищаться. И Антокольским он был восхищен настолько, что вопреки усилиям обрести в поэзии полную самостоятельность он с не меньшей полнотой подражал ему.

Увидев Антокольского и услышав его стихи, я впервые смутно догадался, что никогда не буду поэтом. Он читал стихи с молитвенной яростью, с неопровержимой уверенностью, что в мире нет ничего важнее поэзии. Истина заключалась уже в том, что она выражена в стихах. Казалось, что до так называемого здравого смысла ему не было никакого дела. Впоследствии мне стало ясно, что это совсем не так. Но тогда, слушая его стихи, я понял: передо мной был поэт, который мысленно слышит слово, прежде чем занести его на бумагу. Нетрудно было догадаться, что я, со смешной задачей сочинять стихи каждый день (хотелось мне этого или не хотелось), не имею ничего общего с поэзией, которую можно изучить, но которой нельзя научиться. Казалось бы, что в результате этого открытия я должен был потерять всякую надежду стать поэтом. Ничуть не бывало! Антокольский поддержал мои беспомощные, взятые с потолка стихи, как будто они были продиктованы не мальчишеским честолюбием, а прожитой жизнью. Я продолжал трудиться как невольник, пока Осип Мандельштам не произнес суровый приговор, положивший конец моим детским попыткам,— впрочем, я уже где-то упоминал об этом. Отмечу, что лишь через много лет я понял ту драгоценную черту Павла Григорьевича, исключив которую представить его невозможно. С распростертыми руками он шел навстречу любой поэзии, даже если она была еще далека от искусства. Искренность — вот что обнадеживало его прежде всего. Вот почему, заметив лишь искорку дарования, едва мерцающую в чужом, далеком от него душевном мире, он делал все, что было в его силах, чтобы заставить искорку разгореться и сделать неизвестный для него мир начинающего поэта просторнее и богаче. И никогда не смущался он тем, что это заставляло его отдавать «молодым» добрую половину своего творческого внимания. Но мне, конечно, и в голову не пришло, что наша короткая первая встреча превратится в многолетнюю дружбу.

О литературной Москве двадцатых — тридцатых годов многие писали, и своим потрясающим своеобразием она действительно не могла не запомниться многим. В своих воспоминаниях писал о ней и я, но до сих пор мне не случалось даже приблизительно, на глаз прикинуть, какое же расстояние было в ту пору между Антокольским и мною? Теперь с высоты своих лет я могу назвать его: бесконечностью. Он был поэтом, актером, режиссером. Он учился в драматической студии, руководимой Вахтанговым. Стихи его лились, писались легко, с вдохновением, а я бился над своими, с трудом подбирая оригинальную рифму. В Кафе поэтов, в издательствах, на литературных вечерах — везде его имя произносилось с уважением, а я был одним из бесчисленных маленьких поэтиков, которые шептали на ухо свои стихи друг другу, сидя на подоконниках Дома искусств. И если бы не Евгений Кумминг, я бы увидел Антокольского не в старомодной квартире его отца, а на эстраде, подле знаменитых имажинистов, с которыми он держался «на равных». Да, Е. Кумминг был мостом между нами, и для тех, кто намерен серьезно заняться творчеством Антокольского, это имя должно получить еще далеко не оцененное место. Он хладнокровно, на первый взгляд убедительно отрицал, что подражает Антокольскому, хотя теперь совершенно ясно, что эти доказательства никого не могли убедить.

2

Никто еще, кажется, по дарственным надписям на авторских книгах не пытался воспроизвести истории отношений. Это не очень скромно, но, кажется, ново. Первую книгу «Запад» (1923) он надписал: «Дорогому Вениамину Каверину...» Вторую не прислал. На третьей, называя меня «милым», крепко обнимает и поздравляет с Новым годом (1927). На четвертой: «Веньямину Каверину, дорогому и близкому, с верой в то, что будущее — наше» (1929). На пятой: «Вениамину Александровичу с приветом вообще и в театре Вахтангова в частности» (1930). На шестой, называя меня по имени и на «ты», он пишет, что ждет моего приезда в Москву (1932). Седьмая еще яснее говорит о нашем сближении: «Дорогому родному другу с нежностью, с уважением, желанием всегда быть вместе и рядом» (1938). В 1945-м — девятая со стихотворной надписью, говорящей о том, что он переходит на прозу. Не буду приводить других, все более и более сердечных. Он присылал мне каждую новую книгу, и я неизменно отвечал ему строгим, как и полагается между друзьями, разбором. Однако приведу две последние надписи: «Милому навсегда, до конца, горячо любимому писателю, другу — нет! — брату во Аполлоне, если не во Христе — с новым «Великим Неизвестным» 1964 годом». И на Собрании сочинений: «Милый мой славный и добрый друг! На этой странице не хватит места, чтобы внятно выразить слишком многое, связавшее две наших разных, а все-таки в главном похожих дороги... да и жизни тоже. Как же определить это главное? Почти немыслимо. Ведь мы встречались совсем не часто, но именно эти встречи и определяли наше единство на белом свете, на красном столе литературы, на черном поле, усеянном костями ушедших навсегда... Твой навсегда».

3

Пылкость была его характерной чертой. Недаром он, по моему мнению, лучше всех переводил Гюго. Пылкость и любовь к ни на кого не похожим людям, к острым, впервые совершившимся событиям. Событиям как сиюминутным, так и историческим,— они были для него почти равны.

В доме Николая Тихонова был «уголок Антокольского». Поэты в молодости были очень близки, хотя спутать их произведения невозможно. И Тихонов, и я в особенности любили превосходный цикл Антокольского «Обручение во сне». Однако, высоко оценивая его поэзию, Тихонов так же, как и я, сетовал на ее многословность, на однообразие высоких интонаций, на недостаточную строгость отбора. Пословица говорит: «На частую дружбу — часом раздружье». Редкие случаи раздружья в наших отношениях объяснялись именно этой нестрогостью отбора, которая охватывала не только круг поэзии, но и круг профессионального существования.

4

Каждый день его жизни был зримо или незримо связан с понятием «зрелище», с влюбленностью в театр. Гимназист 8-го класса, он поступает в Мансуровскую студию, где занимается под руководством Евгения Вахтангова. Он пишет пьесу в стихах «Кукла инфанты», которая репетируется в студии. Вскоре он пишет новую пьесу «Кот в сапогах, или Обручение во сне». Вместе с Ю. Завадским он несколько лет ведет кочевую жизнь, выезжая с актерами молодой труппы на фронты гражданской войны. Он пишет песенку для «Принцессы Турандот», и после смерти Вахтангова продолжает работать в его театре. Он инсценирует роман Уэллса «Когда спящий проснется», работает вместе с Р. Симоновым над «Марион Делорм» Гюго и «На крови» Мстиславского. Впоследствии он участвует в постановке знаменитого «Булычова». Он ставит «Коварство и любовь» Шиллера, задумав закончить этот спектакль внезапной смертью отца Луизы во время исполнения его оркестром финала 9-й симфонии Бетховена. Его дерзкие режиссерские замыслы, в которых фантастика остро смешивалась с реальностью, к сожалению, почти не осуществились, но зато с какой остротой они были разыграны в его воображении. Не сомневаюсь, что эта знакомая лишь самым близким друзьям работа оплодотворила его лучшие стихи. В 1932—1933 годах он ставит в Витебске «Женитьбу Фигаро», а потом с азартом, увлечением посвящает себя работе в колхозном театре Горьковской области. В этом театре он ставит Рахманова, Катаева, Симонова, Светлова. Благодаря его поддержке театр получает постоянную площадку на Горьковском автозаводе. С началом Отечественной войны театр, которому присвоено имя В. Чкалова, становится фронтовым.

«Но театр, театр, театр! — пишет он Л. Левину.— Всю жизнь я буду считать, что часы, ночи, дни, проведенные за режиссерским столиком, в любых, самых трудных условиях,— это самые наполненные (творчески) времена моей жизни»[1].

5

Меньше всего мне хотелось бы превращать эти беглые воспоминания в историко-литературную статью. Но трудно пройти мимо поэмы «Франсуа Вийон». Он был не только любимым поэтом Антокольского, но одной из самых значительных фигур в истории мировой поэзии. В предисловии к поэме он называет его «ранней ласточкой Возрождения».

У Рабле в «Гаргантюа и Пантагрюэле» Вийон уже на склоне лет, удалившись в монастырь, остается шутником, всегда готовым на рискованные проделки. В рассказе Р.-Л. Стивенсона «Ночлег Франсуа Вийона» он — бродяга и вор, который ищет и находит случайные монеты в чулке замерзшей проститутки. Свидетель убийства, он прячется от ночной стражи, обходящей оцепеневший от лютого мороза Париж. Он просится хоть переночевать у каноника, который его воспитал, и получает отказ. Замерзший и голодный, он стучится в первый попавшийся дом и ведет длинный разговор с одним из достойнейших людей Франции, разговор бесстыдный и циничный, который кончается тем, что его выгоняют. Он вор до мозга костей, а что касается поэзии, то ей

[1] Левин Л. Четыре жизни Павла Антокольского. М., 1969.

Стивенсон уделяет только несколько строк — Вийон сочиняет стихотворение, и ему не дается рифма. Но, оставив за границами рассказа все, что известно о Вийоне,— все легенды и факты о том, что он грабил церкви, убил в драке священника, сбежал из Парижа, участвовал в ограблениях, не раз сидел в тюрьме, был приговорен к повешению и участвовал в состязаниях поэтов при дворе Карла Орлеанского,— Стивенсон пишет портрет истинного поэта, который не боится смерти и смеется над ней. Я люблю перечитывать этот рассказ, потому что он для меня — образец выразительности, неразрывно связанной с лаконизмом.

Без сомнения, Антокольский, глубокий знаток западноевропейской культуры, широко использовал все многочисленные материалы, относящиеся к загадочной жизни Вийона. Но мне кажется, что в своей поэме (предназначавшейся для Театра поэтов, о котором он мечтал всю жизнь) Антокольский не мог пройти мимо гениального рассказа Стивенсона. Однако он поставил перед собой более сложную задачу. Драматическая поэма, да еще в трех действиях, нуждалась в сюжете. И он придумал этот сюжет, смело развивающийся вначале, но заблудившийся, к сожалению, между нищими, калеками, тюремщиками и бесноватыми в конце. Многие стихотворные диалоги блестящи. Неожиданное превращение беспечного школяра Корбо в строгого проповедника и безжалостного судью придумано и воплощено превосходно. Вийон нарисован с первых лет жизни до виселицы. Более того, с тонким сарказмом изображена путаница, которая много лет сбивала с толку исследователей деятельности бессмертного поэта. Нельзя сказать, что в поэме чувствуется итог. О Вийоне еще будут писать. Но Антокольский первый собрал и факты, и легенды, соединив их в попытке не только рассказать жизнь Вийона, но и предсказать его будущее. В одной из последних сцен Франсуа мчится сквозь века, как бы предсказывая, что его никогда не забудут. Он — в XVIII веке:

Слышишь гул железных бивней.
Пенье ткацких веретен?
Видишь пятна желтых зарев,
Непонятных ламп шары?

Он — в наших днях:

Что за город, разбазарив
Столько яркой мишуры,
Рвется вверх в огне и дыме,
От кровавых ссадин рыж?

Там мы были молодыми,
Этот город твой Париж.

6

Всю жизнь он был окружен толпой друзей, которые души в нем не чаяли. Так было в Мансуровской студии, в Горьковском театре автозавода, который он создал, в Театре Вахтангова, в бесчисленных поездках по стране с писательскими бригадами.

«В годы войны квартира Антокольского,— пишет его биограф Л. Левин,— на улице Щукина превратилась в нечто среднее между литературным штабом и гостиницей для фронтовиков. Здесь кое-как поддерживалось тепло. Гостей угощали кружкой черного кофе без сахара и куском черного хлеба с солью. Сюда приезжали прямо с фронта, чтобы немного обогреться, повидать друзей, прочитать свои новые стихи.

Здесь бывали, наезжая с фронта, Е. Долматовский, К. Симонов, М. Матусовский, В. Гольцев, здесь останавливались М. Бажан, С. Голованивский, Л. Первомайский, здесь рассказывали о буднях блокадного Ленинграда Н. Тихонов и Н. Браун, здесь находили приют и оказавшиеся бездомными москвичи,— например, А. Фадеев».

7

Приехав с Северного флота, я прежде всего позвонил Павлу Григорьевичу: узнать, что у него нового, что нового у наших общих друзей — Л. Первомайского, Софьи Григорьевны Долматовской, у которой давно не было известий от мужа и о которой Симонов думал, принимаясь за стихотворение «Жди меня». Зоя подошла к телефону, и по тому, с какой безнадежностью прозвучал ее голос, я понял, что случилась беда.

— Как, вы ничего не знаете? Вова убит. Где вы? Когда можете к нам приехать? Я не знаю, что делать с Павликом. Он никого не хочет видеть. Но вы приезжайте, именно вы.

Она встретила меня в квартире на улице Щукина бледная, с измученным лицом, как будто приказавшая себе не плакать. Павла я нашел неузнаваемо постаревшим, с почти равнодушным окаменевшим лицом — и именно это меня напугало. Он был занят — рисовал сына — и уже не в первый, а, может быть, в двадцатый раз. Рисунки красивого юноши в офицерской форме лежали на окне, на столе, на бюро, виднелись за стеклами книжного шкафа. И мой приход не оторвал его от этого занятия. Мы обнялись, а потом он снова сел за стол и взял карандаш в руки. Что я мог сказать ему? Молчание длилось долго, не меньше получаса. Он рисовал, а я смотрел на него. Зоя приоткрыла и тотчас захлопнула дверь. Потом, после бессвязного разговора, который он начал почти бесстрастным голосом: откуда я приехал, как дела на фронте, как мне живется в новом, тогда еще непривычном кругу,— я вдруг сказал: «Павлик, ты не должен рисовать Володю. Ты должен написать его. Расскажи, каким он был в школе, что его интересовало, с кем он был дружен, как провел ночь после окончания школы, в кого был влюблен».

Он спросил: «Ты думаешь?» Так он всегда спрашивал, советуясь со мной о новом замысле, и наша беседа, в которой бились, не находя выхода, обморочные, невысказанные слова, вдруг ожила, очнулась. Это была минута, когда он отложил в сторону картон с незаконченным портретом сына. Кстати отмечу, что Павел Григорьевич был прекрасным рисовальщиком, и портреты Володи были не только похожи, но оттушеваны с тщательностью, в которой было что-то испугавшее меня, близкое к безумию.

Больше мы не говорили о его будущей поэме «Сын», отозвавшейся в сердцах тысяч и тысяч людей и принесшей ему, и без того уже известному поэту, всесоюзную славу. Это была заслуженная слава. Поэма написана с еще небывалой для Антокольского силой. Но, без сомнения, он написал бы поэму, и если бы не было нашего разговора.

Теперь вспоминая о том, как мы впервые заговорили

о ней, окруженные портретами Володи,— я вспоминаю некоторые, поразившие меня пронзительной поэтической ясностью строки:

Восстанет день, когда ты будешь
С чужою женщиной вдвоем.
Ты, может быть, не позабудешь
Меня на празднике своем.
Забудь! Я ничего не значил,
Я — перечеркнутый чертеж,
Который ты переиначил,
Письмо, что ты не перечтешь[1].

8

В двадцатые годы Антокольский написал известное стихотворение «Санкюлот», и талантливый пародист А. Архангельский отозвался на него меткой пародией:

Мать моя меня рожала туго.
Дождь скулил, и град полосовал.
Гром гремел. Справляла шабаш вьюга.
Жуть была, что надо. Завывал
Хор мегер, горгон, эриний, фурий,
Всех стихий полночный персимфанс,
Лысых ведьм контрданс на партитуре.
И, водой со всех сторон подмочен,
Был я зол и очень озабочен
И с проклятьем прекратил сеанс.

В этой пародии талантливо схвачен «интерьер» поэзии Антокольского. Мегеры, горгоны, эринии, фурии, химеры — «всех стихий полночный персимфанс». Эта черта, в молодости сблизившая нас, была связана с истоками поэзии Антокольского — ведь, в сущности, мы оба пришли из литературы. Не раз я писал о нелегкой плодотворности подобного начала. Нелегкой, потому что она неизменно сопровождает тех, кто с трудом выбирается из необозримого книжного мира, не теряя при этом неоценимых преимуществ. В моей работе эта разлука происходила то медленно, то неожиданными, удивлявшими моих друзей и учителей рывками. В жизни Антокольского она сопровождалась событием, перевернувшим всю его жизнь. Перечитайте поэму «Сын», и вы

[1] Они вошли в позднее стихотворение «Мой сын».

будете поражены классической стройностью, которой она проникнута от первого до последнего слова. Она проста, глубока и радует той полнотой подробностей, в которой нет ничего лишнего, идущего от воображения. Сквозь историю трагической гибели восемнадцатилетнего юноши с необыкновенной отчетливостью проступает вся его несложная, но трогательная биография.

Антокольскому всегда был близок жанр портрета — можно смело сказать, что это его любимый жанр. Он написал портреты друзей: Тициана Табидзе, Николая Тихонова, Марины Цветаевой, Ольги Берггольц. У него десятки исторических портретов, среди них Иероним Босх, Бальзак, Шекспир, Эдмонд Кин, Робеспьер, Эсхил, Нико Пиросманишвили. И мы проходим эту блестящую галерею при свете сверкающих люстр, под звон старинных колоколов, вдоль искусно раскрашенных декораций.

Ни этих декораций, ни яркого света люстр нет в поэме «Сын». О ней можно сказать, что она написана при свете скромной свечи в щемящем одиночестве ночи. Вы не найдете в ней затейливых метафор, неожиданных поворотов, шумной бестолочи исторических картин, написанных со знанием дела. Весь этот «стихотворный театр» заменяют простые подробности, от которых вздрагивает сердце. «Макеты сцен, не игранных в театре, модели шхун, не плывших никуда», детские и юношеские письма, готовальня, неоконченные рисунки, плоский ящик с палитрой, велосипед со стертыми шинами, на котором Вова с друзьями гонял по Москве,— мелочи обыденной жизни поднимаются со дна памяти и являются в новом, глубоком значении.

Что он любил еще?

«Пестрота беспечности» не только рассказана, она вырезана со всей ясностью прозы, не упускающей ни одной подробности, властно уводящей читателя в глубину непрожитой жизни.

Л. Левин в книге «Четыре жизни» рассказывает о том, что все эти рисунки, тюбики с краской, готовальни были сложены в кованый ларец, и долго, в течение пяти лет, ларец оставался закрытым. Отец не хотел растравлять душевную рану, возвращаясь к трагедии, переломившей жизнь, но его поэзия то и дело невольно возвращалась к ней. Я говорю не о том, что стихи Антокольского, написанные после смерти сына, поставили его в ряд самых значительных наших поэтов, а о том, что поэтические открытия, как бы сами по себе сказавшиеся в этой поэме, не только не были забыты, но здесь и там сверкают в стихах, созданных в течение сорока лет его послевоенной жизни. Его театральность не исчезла, но высокие понятия «История», «Судьба», «Время», потеряли свои заглавные буквы, отступив в глубину. Подобно добротной ткани они получили вещественную основу, и этой основой оказалось то, что воочию видели глаза, не торопившиеся обогнать воображение. Сверкающие осколки поэмы рассыпались по новым страницам, и я убежден, что ни «Леди Гамильтон», фильм, который бойцы смотрят в Брянском лесу, ни «Невольничий рынок» не были бы написаны с такой меткостью простоты, если бы Антокольский не пришел к этой меткости, работая над «Сыном». Там у него не было места для прописных букв. Там время и пространство были воплощены в тюбики с краской, в готовальни, в детский театр — в подлинную биографию, в дни и минуты вечной разлуки. И недаром осиротевшие матери Австралии возложили венок в память Володи в Сиднее в июле 1942 года, а Тихонов назвал поэму «песней скальда над могилой сына, павшего за Родину». С мишурой театра, с колдовством зрелища, быть может, унаследованным еще от «Балаганчика» Блока, Антокольский расстался. Или если не расстался навсегда, то начал писать, «отвергая торжественность», как он приказал себе в книге «Конец века»:

> Пиши, отвергая торжественность,
> Ты знаешь, про что и о чем...

После этой поэмы, всматриваясь в черты своей музы, он ищет и находит все более простые слова, подсказывающие рискованную мысль о сложном маршруте, который был проделан Антокольским — от Блока к Твардовскому. В его послевоенных произведениях она приводит его к композиции, которую можно назвать классической: ее основа угадывается в творчестве таких далеких от Антокольского поэтах, как Тургенев («Наташа»), Я. Полонский. Сложная задача сплавить два самых существенных компонента прозы: характер и сюжет — стоит перед ним, и он пытается решить ее в поэзии, хотя для него это очень трудная задача.

Поэзия с театром навсегда
Обвенчаны — не в церкви, в чистом поле,—

пишет он поэту и актеру Владимиру Рецептеру. Но поставьте любую из послевоенных книг рядом с театральными поэмами Антокольского, и вы убедитесь в том, что точно и зримо рассказанная биография сына вещественно отразилась на всей его дальнейшей работе.

9

Внук Антокольского, Андрей Тоом, разрешил мне познакомиться с дневником, который Павел Григорьевич вел в шестидесятых — семидесятых годах, и обо многом подумал я, читая и перечитывая эти страницы. О том, что, хотя после войны мы оба жили в Москве и могли встречаться хоть каждый день,— встречались 2—3 раза в год. О том, что со мною он мог поделиться раздумьями, которые доверял лишь своему дневнику. О том, что, прекрасно зная его, я все же не представлял требовательности, с которой он к себе относился. Как корил себя! Как терзался мыслью о том, что все труднее становится ему служить нашей поэзии так, как он служил ей в молодые годы. Как строго судил себя, размышляя о своей нравственной позиции в литературе. Как был неуверен в себе! Как нуждался в поддержке!

Но многое и подтвердилось. Не только то, что я знал, но и то, что чувствовал, читая его поэзию и прозу. Подтвердилась, например, догадка, что между писанием и существованием он с юности поставил знак равенства — и это было не решением, даже не привычкой, а железным условием существования. Я сам пишу почти каждый день, но в это «почти» входит обдумывание замысла, когда я по месяцам не беру пера в руки. У Антокольского не было этого «почти». Он писал всегда. И в дневнике откровенно признается в этом. Но признается с оговоркой: «Ясная концепция самой вещи, связанность кусков всегда приходит ко мне в последнюю очередь,—

пишет он в марте 1965 года.— Я вижу прежде, чем оцениваю». Поэма «Коммуна 71 года» так и осталась в отрывках, потому что они были написаны прежде, чем определилось их композиционное значение. Причина та же: невозможность удержать руку, которая стремится воплотить еще туманную, лишь промелькнувшую мысль, и надежда, что «стройность» сама придет, когда работа будет уже в разгаре. А вот еще одно характерное признание: «Если разгон и разбег этого года взят, выдержать ритм и темп — и *шагать куда глаза глядят*. Только в этом мое спасение, только в труде, будь он трижды проклят и семижды благословен».

И действительно, внутренняя связь, естественность перехода от строки к строке, от главы к главе подчас приходит в разгаре работы. Чудо совершается. «Книга начинает сама писать себя»,— как некогда сказал Виктор Шкловский. Но в подавляющем большинстве случаев этого не происходит, и, как это ни странно, именно потому, что книге мешает «непрерывность работы». Это парадоксально, но я убежден, что, если бы Антокольский неторопливо и долго обдумывал свои замыслы, он не пришел бы к горькому признанию в преклонных годах:

Я не мыслитель. Стих мой неглубок[1].

Он поднялся бы на более высокую ступень в нашей поэзии. Но что же делать, если ежедневно, ежечасно «руки тянутся к перу, перо к бумаге»? «Болезнь вдохновения» подчас подтачивала силы гениальных писателей.

И о другом подумал я, читая дневники Антокольского. Распространено мнение, что в мемуарах нет и не может быть героя или героини, в том смысле, в котором пользуются этим понятием, говоря о повести или романе. Трудно возразить! И у Антокольского основная черта — хроника, течение событий. Но в эту хронику сама жизнь врезала историю героини. Павел Григорьевич посвятил много стихотворений своей жене Зое Константиновне Бажановой. Лучшие из них когда-то читались и почитались в тихоновском «уголке Антокольского», о котором я упоминал. После кончины Зои Константиновны он завершил этот цикл поэмой «Зоя Бажанова», в которой рассказал ее биографию. Рассказал искренне, прав-

[1] Антокольский П. Г. Конец века. М., 1977. С. 27.

диво, подробно, с трогательным восхищением. Но рядом с дневником, который пронизан присутствием Зои Константиновны, ее беспрестанным настоятельным участием в его поэзии и жизни, эта поэма кажется мне слишком изящной, похожей на прозрачную тень. «Лучшему из существ белокурых»,— как назвал ее в молодости Антокольский,— приходилось трудно, как подсказывает мне мой долголетний жизненный опыт. Антокольский остро нуждался в поддержке. Жизнь и работа его складывались, только когда в их сочетании участвовала Зоя. Вот что пишет он о чтении своей только что законченной сказки о Шекспире: «Сказать правду, Зои как слушательницы я боялся больше всех. Она, моя голубка, тоже наговорила много невеселых вещей, но на этот раз с меньшей остротой и проницательностью, чем всегда. Главное у нее в том, что во всей вещи нет моей сверхзадачи, неизвестно, зачем и ради чего закручена вся эта канитель».

Зое Константиновне было нелегко не только потому, что она была женой поэта, а потому, что он был человеком бешеного темперамента, бесконечно вспыльчивый, непостоянный, трудолюбивый и одновременно беспечный. Человек, в котором крайности скрещивались, который легко подпадал под чужое влияние, внушавшее ему подчас ложные, никуда не идущие соображения. Я однажды слышал его речь, направленную против книг вообще, упрекающую всех в мире авторов за то, что они их написали. Он утверждал это не наедине с собой, но в кругу писателей, и естественно, что некоторые из них не поняли, как этот страстный книжник, всю жизнь собиравший книги и отдавший свою жизнь, чтобы написать новые книги, мог отречься и от тех, и от других. Причем он искренне удивлялся, когда я весьма сурово отнесся к его выступлению. Это не помешало ему вскоре признаться, что он был «просто глуп, безумно, непоправимо глуп». Эта эскапада повторялась, причем в гораздо более серьезных случаях, когда он был вынужден отрекаться от своих соображений в печати. В сущности, мир, в котором он жил, была поэзия, и только поэзия, а то, что происходило вне ее, казалось ему не стоящим серьезного внимания. Он жил поступками. Равномерное течение жизни, ее последовательность для него существовали только в прошлом, а в настоящем не имели особого значения. По правде говоря, подчас он производил впечатление человека, выходящего за естественные нормы человеческого существования. «Сумасшедшее сердце» — как и называл его с любовью один из друзей. И в мемуарах его, охватывающих лишь очень короткую часть его жизни, видна эта беспорядочность, это бросание от своих книг к другим, эта бешеная борьба с давно покойными мыслителями, эти споры, которые он затевал ни много ни мало с целым столетием. Вот рядом с таким-то человеком жила стройная, белокурая, маленькая женщина с большим сердцем и с железной волей. Она была не просто нужна ему, без нее мгновенно рассыпалось все его бытовое и поэтическое существование.

Для человека, который и сам не знал, в какой мере, когда и где он может настаивать на своей нравственной позиции, было *более чем существенно важно,* что «Зоя непрестанно заботилась о том, чтобы я во всем деле, решительно во всем не терял, так сказать, головы... Сказать, что с ее стороны это мудро, еще ничего не сказать. Прежде всего это честно».

Мало сказать, что она была радушна и гостеприимна, она была безмерно гостеприимна. 24 февраля 1966 года Антокольских посетили молодые поэты. «Конечно, моя Зоя накормила чем бог послал всех тридцать этих запыхавшихся юношей. Зоя на этот счет придерживается совершенно безотказно железных правил, она считает немыслимым отпустить из нашего дома кого бы то ни было голодным».

И Антокольский глубоко понимал талантливую в своей мудрости и умении безотказно делать добро жену. Можно смело сказать, что никого он никогда так не понимал и так не любил, как своего верного, на всю жизнь преданного друга. Только ей одной он позволял держать его в ежовых рукавицах. «Зоя держит меня в ежовых рукавицах по-прежнему. И я безропотно выношу это главным образом из любви, уважения, благодарности к ней, а не потому, что убежден в необходимости такого режима» (4 апреля). Но в этих отношениях мало было любить и жалеть. Надо было еще понимать, и глубоко понимать. «Между Зоей и мной разница та, что я все, что угодно, переношу легко, а она все, что угодно, даже хорошее — трудно» (23 июня).

Особо нужно отметить, что З. К. Бажанова была талантливым скульптором по дереву. Выставка ее фигур

(Макбета, Дон-Кихота и других героев мировой литературы) имела в Доме литераторов огромный успех. Я уже не говорю о том, что на ней, «на ее слабых плечах» лежала вся тяжесть домашних дел, хозяйственные хлопоты (уборка дома, закупки) — словом, весь круг условий так называемого человеческого существования. Вот почему в мемуарах — Антокольский вернулся к ним через два года после смерти Зои Константиновны — каждая страница украшена ее именем, подчас повторенным по 10 раз («Зоя, Зоя... Зоя! Зоя!»). «Тонкие березки стоят голые, и в них — душа Зои. Ее душа во всей этой черной земле, в последних островках снега, в кристальном воздухе, в комнате, которая единственная осталась ее прибежищем, где тесно собраны ее скульптуры». Что бы ни случилось (а в его жизни случалось очень многое после того, как ему исполнилось 70 лет), ничего не проходило без пронизывающего вопроса, как отнеслась бы к этому Зоя. Она похоронена на Ваганьковском кладбище. На ее могиле — бюст. Мысленно советуясь с ней, он целует ее в бронзовые губы.

Я не сказал и десятой доли того, что мог бы сказать об Антокольском. Я даже не попытался нарисовать его поэтическую личность. Я не рассказал о том, почему мне больше всего нравилось то, за что Антокольского больше всего упрекали. Ведь он показал, что любовь к театру может быть могучим орудием поэзии. За театральной маской он сумел разглядеть подлинных «действующих лиц». Определение, которое привычно звучит в устах многих поэтов, оценивающих его дарование: «театральный поэт»,— ничего не значит. Потому что в его лучших произведениях поэтический голос звучал полновесно и гордо, как звучали со сцены голоса Остужева и Ермоловой, Михаила Чехова и Коонен. И это больше, чем театр. Это властное вмешательство в жизнь.

Можно было больше сказать о необычайном отсутствии замкнутости в характере этого большого поэта. Его готовность поделиться самым заветным, готовность, которая недаром привлекала к нему молодые сердца. Отдавать другим жар души без остатка со всей энергией зрелости — это не только доброта, хотя и доброта —

не мало. Это непрерывная, час за часом, год за годом забота о нашей литературе. Антокольский понимал, что нужно заботиться о поэзии, чтобы она не потускнела, не обеднела, не лишилась любви читателя, не стала плоским пересказом передовиц, не оборвалась, когда начинает казаться, что она никому не нужна. Что нужно думать о ней, как думал о законе всемирного тяготения Ньютон, прежде чем открыть его. Ничто не приходит само собой ни в науке, ни в искусстве. Все решает труд, «трижды проклятый и семижды благословенный».

1981

СТРАНА НАИРИ

Марк Твен предпослал своей знаменитой книге «Приключения Гекельберри Финна» эпиграф, в котором предупреждал, что тот, кто узнает себя в героях этой книги или примет на свой счет описанные в ней деяния, будет расстрелян на месте или, по меньшей мере, выслан за пределы САСШ. Это шутливое предупреждение было вызвано тем, что «Приключения Тома Сойера», вышедшие двумя-тремя годами раньше, были приняты как личное оскорбление теми, кто узнал себя в героях этой книги, и Марк Твен получил десятки писем, в которых оскорбленные джентльмены упрекали его за низведение высокого литературного искусства до пасквиля или памфлета.

Я не знаю, получает ли подобные письма Егише Чаренц, но легко представить, что ироническое предисловие ко второму изданию его книги, в котором он благодарит читателей за указания и поправки, относящиеся к биографии его героев, вызвано именно этим незаконным вмешательством жизни в литературу.

Но точно ли незаконно это вмешательство? Не является ли «Страна Наири» одним из тех литературных явлений, при рассмотрении которых нет возможности провести границу между реальностью и искусством? Не является ли эта черта, столь характерная для подлинного искусства, тем признаком бесспорного социального значения этой книги, который объясняет, почему появление ее стало такой знаменательной датой для армянской литературы?

Именно эти вопросы прежде всего приходят в голову при чтении книги Чаренца.

Несколько дней назад мне пришлось присутствовать при разговоре некоторых писателей о «Стране Наири». Оценки расходились, но одно обстоятельство признавалось всеми единодушно: влияние на Чаренца Гоголя. Об этом же пишет в предисловии Мариэтта Шагинян. «Что сделал Чаренц своим романом «Страна Наири»?— пишет она.— Роман жестокий, вполне сатирический (сатира еще сильнее подчеркивается мнимым пафосом речи): армяне в нем оборачиваются незабываемо карикатурными типами, своего рода Собакевичами, Маниловыми и Чичиковыми бывшей Карской области».

Разумеется, указание на это сходство далеко не случайно. Карс Чаренца чем-то напоминает описанный Гоголем «мертвый город». Но черты различия интереснее и важнее в этом сопоставлении, чем признаки сходства. Классические герои Гоголя неподвижны в той гениальной выразительности, которая придана им при первом же их появлении. Образ каждого из них не изменяется с первой до последней страницы. «Мертвый город» мертв с начала и до конца, и это только подчеркивается той суматохой, которую вносит в него приезд Чичикова и дело о мертвых душах. Ничего похожего нет в книге Чаренца. Влияние на него Гоголя сказалось в других чертах, поверхностных и случайных. Социальный смысл «Страны Наири» не столько в попытке создания законченных «национально-бытовых фигур», до сих пор известных всякому читателю-армянину в быту и неизвестных в литературе, сколько в столкновении этих типичных образов с историческими событиями, сметающими с лица земли и «мертвый город» и его обитателей. Вот почему в книге Чаренца, написанной с тем кажущимся спокойствием летописца, которое позволяет ему с равной легкостью говорить о ничтожных и об очень важных вещах, так много места уделено приходу войны и революции в «Страну Наири». Именно здесь следует искать узловой пункт этой сложной многопланной книги. Социальная обреченность ее героев, в первой части искусно затушеванная, здесь вскрывается с полной отчетливостью. Тонкая и даже едва ли понятная русскому читателю ирония этой первой части, рисующей патриархально-неподвижный Карс довоенного времени, здесь достигает наибольшей зрелости и глубины. Эта ирония получает, наконец, в страницах, посвященных вторжению в «Страну Наири» событий мировой истории, свое прямое назначение: становится ясно, что она должна снять с дашнакской идеи о «Стране Наири» романтический покров и представить ее в реальном виде.

Нет никаких сомнений в том, что эта задача вполне

удалась Чаренцу. Трудно представить себе более жестокое разоблачение подлинного социального смысла своих героев, чем то, которое сделал он в «Стране Наири». Мазут-Амо, вождь местных дашнаков, Databaseродян, учитель приходской школы, и врач Сергей Каспарыч написаны с хладнокровной беспощадностью подлинного сатирика. Талант Чаренца сказался именно в том, что ироническая позиция автора сначала кажется весьма добродушной, но, уже окончив книгу и перелистывая ее снова, находишь очень тонко отделанные переходы, ведущие читателя от этого добродушия к истинной оценке людей и к истинному политическому смыслу их отношений.

Естественно было бы ожидать, что при том жанре, который избрал в своей книге Чаренц, позиция автора-летописца заслонит от читателя реальные очертания героев. Но именно потому, что Чаренц опирался не столько на индивидуальные, сколько на типовые черты, получилось, что ни один из героев его книги ничего не утратил. Образы их медленно входят в сознание, но запоминаются надолго.

Итак, роман Чаренца реален. Но он не только реален и не только роман. «Страна Наири» при всей своей иронии — книга лирическая, и это следует отметить как одно из безусловных ее достоинств. Самая тема ее — воображаемая, пока еще фантастическая страна — дана одновременно в двух преломлениях. И если одно из них, «Страна Наири» дашнака Мазута-Амо, дано в тонах беспощадной иронии, другое дано Чаренцем с той глубокой лиричностью, которая напоминает читателю, что книга написана талантливым армянским поэтом.

В незаметных переходах от одной к другой трактовке этой темы сказалось с особенной ясностью дарование Чаренца. Очень постепенно, с неторопливостью летописца он открывает перед читателем подлинный смысл дашнакской «болезни сердца». И лишь в послесловии, замыкающем книгу и перекликающемся с первыми ее страницами, даны окончательные итоги: «Пусть мне простят врачи, если они найдут, что нельзя удалить бред из людских голов, бред и болезнь сердца с помощью клещей и ланцетов. Мы не врачи, читатель, и, к сожалению, нет в живых не раз упоминавшегося в нашем романе «дохтура Аршака», чтобы обратиться к нему за советом. Но каково бы ни было мнение «дохтура Аршака», оно для нас ясно: с давних пор история, этот более гениальный врач, чем «дохтур Аршак», в практике применяет указанное выше средство, и, как нам кажется, ее опыты не прошли даром. Правда, крови потеряно много, однако оставшиеся в живых, свободные от мозгового бреда и сердечной болезни, сегодня приступили к строительству своей страны».

Книга Чаренца принадлежит к числу тех произведений, значение которых выходит за пределы интересов армянской литературы. Ее следует рассматривать как произведение советского писателя, к какой бы национальности он ни принадлежал. В нашей литературе ей по праву принадлежит видное место.

1934

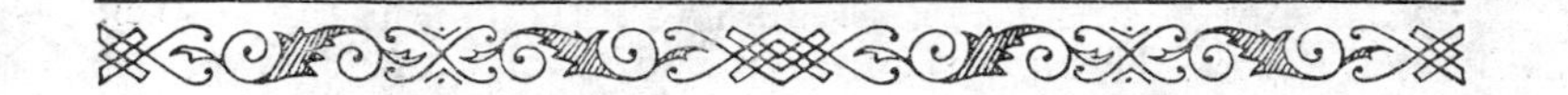

СЧАСТЬЕ ТАЛАНТА

I

Встречи с писателями в Институте истории искусств происходили обычно в Красной гостиной. За длинным овальным столом сидели гости, докладчики, профессора, а все прочие — где придется. На каждом кресле помещались по меньшей мере три студента, а на диване, покрытом красным штофом, с красными же, немного бледнее, цветами — едва ли не все мои слушатели. Я вел тогда в институте семинар по современной прозе.

Это было, должно быть, в 1927 году. На встречу пришли «обериуты» — Н. Заболоцкий, А. Введенский и Д. Хармс — три молодых человека, которых, судя по внешности, можно было объединить только на основе неопределенных взглядов, изложенных в их «Манифесте». Заболоцкий был в длинной солдатской шинели, которую он так и не снял, читая стихи. Хармс — в актерском пиджаке, застегнутом у самого подбородка, под которым был аккуратно расправлен детский шелковый бант. Введенский, напротив, щеголял обыкновенностью прекрасно сшитого костюма, с платочком в наружном кармане. Но и особливость и обыкновенность сразу же забывались, когда поэты стали читать стихи. Возможно, что память изменяет мне, но, кажется, именно в этот вечер Заболоцкий прочитал «Поприщина», которого он впоследствии не включил в основное собрание.

Безумие Гоголя и Поприщина сопоставлено в этом стихотворении. Просвистанный метелью Петербург рождает не жалкого чиновника с «престранной фамилией», который в кабинете директора департамента чинит гусиные перья, а воинствующего мечтателя, недаром вообразившего себя королем Фердинандом. Вопреки воле департаментского Рока, торжествующая Севилья встречает своего короля. Ветер, опрокидывающий кареты, покорно ложится к его ногам. И он не сдается, не жалуется, не просит матушку «спасти своего бедного сына». «Испанский король» выбирает смерть.

...в последней отваге
Встречая слепой ураган,—
Качается в белой рубахе
И с мертвым лицом —
Фердинанд.

2

Я знал Николая Алексеевича Заболоцкого в течение многих лет. Мы были друзьями. Это не была полная, окончательная откровенность, та близость, при которой между друзьями нет и не может быть никаких тайн. Между нами была известная сдержанность,— может быть, потому, что я инстинктивно чувствовал в нем эту черту. Он был человеком глубокой мысли и глубокого чувства, но выражение мысли и чувства было не так-то легко для него. Все выражалось в слове. А слово было для него не только элементом речи, но как бы орудием какого-то действа, свершения. Думая о нем, невольно вспоминается библейское: «Вначале было слово».

Я не сразу понял, по молодости лет, ту главную черту, которая кажется мне для него необычайно характерной: что происходило с ним, вокруг него, при его участии или независимо от него — всегда и неизменно было связано для него с сознанием того, что он был поэтом.

Это вовсе было не ощущением учительства, стремлением поставить себя выше других. Это было чертой, которая морально, этически поверяла все, о чем он думал и что он делал. Ощущение высокого призвания было для него эталоном в жизни. Он был честен, потому что он был поэтом. Он никогда не лгал, потому что он был поэтом. Он никогда не предавал друзей, потому что он был поэтом. Все нормы его существования, его поведения, его отношения к людям определялись тем, что, будучи поэтом, он не мог быть одновременно обманщиком, предателем, льстецом, карьеристом. Прекрасно понимая, что ложь и поэзия «две вещи несовместные», он не мог писать то, чего не думал.

3

Когда я познакомился с ним, это был розовощекий мальчик, только что вернувшийся из армии, мальчик, которому, как это часто бывает с молодыми поэтами, казалось, что он все начинает сначала. Я помню, как однажды он встретился у меня с Антокольским, поэтом совсем другого направления, и как Антокольский, выслушав его стихи, сказал, что они похожи на стихи капитана Лебядкина. Заболоцкий не обиделся. Подумав, он сказал, что ценит Лебядкина выше многих современных поэтов.

В том, что писали «обериуты», было много «нового во что бы то ни стало», которое казалось им важным для нашей поэзии только потому, что оно было новым. С этим направлением боролись. Поэтов упрекали в семи смертных грехах.

Но для меня, тогда еще совсем молодого писателя, за этим мнимо новым чудилась подлинная новизна, обязывающая задуматься над собственной работой. Это осталось навсегда. Стихи Заболоцкого всегда возвращали меня к мысли об ответственности в собственной работе.

Даже для самых слепых или, по меньшей мере, близоруких уже и тогда в стихах Заболоцкого был виден не только острый и оригинальный талант, но талант социально направленный — вот что крайне важно отметить. Лучшие стихи тех лет, вошедшие в последнее, составленное им самим незадолго до смерти собрание,— это стихи против пошлости, против косности в быту и сознании.

Странно, что они не были поняты нашей критикой. Странно хотя бы потому, что в стихотворениях «Новый быт», «Свадьба», «Ивановы» почти впрямую (что редко для Заболоцкого) дано его тогдашнее кредо.

Ужели там найти мне место,
Где ждет меня моя невеста,
Где стулья выстроились в ряд,
Где горка — словно Арарат —
Имеет вид отменно важный;
Где стол стоит и трехэтажный
В железных латах самовар
Шумит домашним генералом?

О мир, свернись одним кварталом,
Одной разбитой мостовой,
Одним проплеванным амбаром,
Одной мышиною норой,

Но будь к оружию готов:
Целует девку — Иванов!

В картине мещанского праздника («Свадьба»), написанной с бешенством и отвращением, это «оружие» названо с определенностью, не оставляющей и тени сомнения:

А там — молчанья грозный сон,
Седые полчища заводов,
И над становьями народов —
Труда и творчества закон.

Одновременно возникает вторая, крайне важная для Заболоцкого, тема природы. Я не знаю в нашей поэзии другого поэта, который с такой проникновенной задумчивостью остановился бы перед самым понятием природы, перед ее бесконечно многообразным воплощением, перед теми сложными, подчас поразительными отношениями, которые возникают год за годом между нею и человеком. «Школа жуков», «Торжество земледелия», «Прогулка», «Меркнут знаки Зодиака» — я думаю, что по меньшей мере треть всего, что написал Заболоцкий, связана с размышлениями о природе, с картинами природы, с преображением природы.

Поэма «Торжество земледелия» сыграла особенно важную роль во всей его дальнейшей работе. Он был поражен идеей преображения природы, которое только что начиналась в нашей стране. Странно представить себе, что это высокопоэтическое произведение было понято как попытка исказить в нашем представлении это чудо преображения. Может быть, здесь была виновата необычная форма поэмы? Но положите рядом «Фауста» Гете и «Торжество земледелия» — и сразу станет видно, откуда идет это стремление взглянуть на мир глазами батрака, коня, предков, кулака, сохи, животных, солдата, тракториста. Духовный и материальный мир природы глубоко задет духом преображения, спором человека с природой, стремлением человека преобразить и подчинить ее.

Человек с его надеждами, стремлениями, несчастьями, любовью поздно появился в стихах Заболоцкого. Этой теме научила его сама жизнь. «Я умирал не раз. О, сколько мертвых тел я отделил от собственного тела...» Появилось «я» Заболоцкого, и тогда оказалось, что пригодилось все — и ирония, и ненависть к пошлости, и вера в светлое будущее, без которых он не мог бы жить и работать.

4

Заболоцкий провел несколько лет вне литературы, вне поэзии, вне той жизни, которой были полны его друзья по делу литературы. Это были трудные для него годы, о которых он не рассказывал ничего или почти ничего. Это были годы, когда, работая землекопом, дорожным рабочим, чертежником, он совершил подвиг — не могу иначе назвать его перевод «Слова о полку Игореве», который является, как мне кажется, одной из вершин его мастерства. Можно смело сказать, что каков бы ни был суд потомков над нашей, во многом виноватой и ни в чем не повинной, поэзией, перевод «Слова о полку Игореве» займет в ней высокое место.

Многие ли из нас читали «Слово...» в подлиннике? Это очень трудно. Гениальный памятник древнерусской литературы, в сущности говоря, никогда не читался. Его изучали любители, студенты-филологи (в том числе и я, когда это было нужно к экзаменам по истории древней литературы). Но до появления перевода Заболоцкого «Слово о полку Игореве» никогда не было «чтением». Более того — увлекательным чтением.

Здесь дело не только в том, что Заболоцкому удалось передать с исчерпывающей точностью смысл каждого слова — в этом легко убедиться, положив рядом оригинал и перевод. И не в том, что ему удалось передать трагедию Руси, потерпевшей одно из тяжких своих поражений, и даже не в том, что он понял «Слово...» как интересное чтение и сумел передать читателю это ощущение. Заболоцкий сделал то, что до него не удавалось другим переводчикам, среди которых были великие поэты. Он перевел «Слово...» на язык современной поэзии.

Это могло быть сделано только в наше время, хотя бы потому, что внутренне перевод «Слова...» связан не только с поэтической деятельностью самого Заболоцкого. Он входит как неотъемлемое целое в ту работу, которой лучшие наши поэты отдали годы.

И подумать только, что, когда появился перевод «Слова о полку Игореве», нигде — ни в газетах, ни в журналах —

не появилось ни строки! Можно было, пожалуй, вообразить, что в нашей поэзии подвиги совершаются едва ли не ежедневно!

5

Все, что перевел Заболоцкий, стало фактом русской поэзии, как это в свое время произошло с переводами Лермонтова, Жуковского. С удивительной силой он видит и чувствует личность другого поэта, в себе самом находит его черты и передает их так же сильно, как они выражены в оригинале.

Время, народ требуют лица поэта, его поэтического характера, его позиции в жизни и литературе, той позиции, которую нельзя подменить решительно ничем и которая должна быть такой же сильной и своеобразной, как самый поэтический голос. Вот почему при чтении подлинного, глубокого поэта всегда возникает ощущение его личности, его поэтической биографии. Стоит только представить себе, насколько образ, возникающий при чтении Лермонтова, отличается от наших представлений, когда мы читаем Некрасова, чтобы оценить все значение личности поэта,— не позы, а именно личности.

Размышляющие глаза Заболоцкого видны за его стихами, читая их, вы неизменно встречаете этот почти в упор направленный взгляд. Поэзия его поучительна, потому что она построена на требованиях высокого разума, и в этой поучительности отчетливо видны классические традиции русской поэзии, ведущие нас от Жуковского (его влияние подчас скользит в стихах Заболоцкого) — к Мандельштаму, которого, быть может, следует назвать одним из его учителей.

Близка ему и грузинская поэзия, в которой всегда были сильны мотивы рыцарской морали. Он переводил разных, непохожих друг на друга поэтов — Гурамишвили, Орбелиани, Важа Пшавела. Каждый раз нужно было открыть новый потайной ход к чужой душе, разгадать новую тайну. Для Гурамишвили нужно было обладать тем желанием добра, той поучительностью, о которой я говорил выше. Для Важа Пшавела нужно было иметь размышляющее направление ума, нужно было уметь думать о поэзии. Орбелиани нельзя было хорошо перевести, не обладая изяществом, светлой легкостью чувства. И во всех этих случаях нужно было прежде всего быть мастером русской поэзии.

Я перешел к переводам непреднамеренно, хотя, может быть, и не случайно. В сороковых годах и пятидесятых Заболоцкий отдавал очень много времени переводам. Но работа над оригинальными стихами продолжалась, развивалась, была полна новых поисков и новых открытий.

Он пишет ряд психологических портретов — «Жена», «Неудачник», «Некрасивая девочка», «Старая актриса» — и как бы подводит итог этим опытам в стихотворении «О красоте человеческих лиц».

Есть лица, подобные пышным порталам,
Где всюду великое чудится в малом.
Есть лица — подобия жалких лачуг,
Где варится печень и мокнет сычуг.
Иные холодные, мертвые лица
Закрыты решетками, словно темница.
Другие — как башни, в которых давно
Никто не живет и не смотрит в окно.
Но малую хижинку знал я когда-то,
Была неказиста она, небогата,
Зато из окошка ее на меня
Струилось дыханье весеннего дня.
Поистине мир и велик и чудесен!
Есть лица — подобья ликующих песен.
Из этих как солнце сияющих нот
Составлена песня небесных высот.

Это — не только об «архитектуре» человеческой души, но о собственном опыте — жизненном и поэтическом, которые переплелись теперь неразрывно.

Жизнь поэта со всеми ее тревогами, сомнениями, разочарованиями в конечном счете направлена к тому, чтобы стать самим собой, выразить себя с наибольшей полнотой. Среди немногих счастливцев, которым это удалось, одно из первых мест принадлежит Заболоцкому.

Однажды мы говорили о нем с Евгением Шварцем, нашим общим и близким другом. Это было в трудную для Заболоцкого пору, когда его поэзия была объявлена «уродливой» и даже умные, казалось бы, критики нанесли ему нерасчетливо-беспощадные удары.

— Нет, он счастлив,— упрямо сказал Шварц,— никто не может отнять у него счастья таланта.

Он был прав, потому что самые горшие из несчастий превращаются в поэзию силой таланта и счастье поэта — поэзия, как бы ни сложилась жизнь.

6

В конце жизни он написал цикл «Последняя любовь», десять стихотворений, объединенных одной темой — и неожиданных, потому что прежде он не писал о любви. К его поэзии размышлений не шла «обыкновенность», казалось бы, давно исчерпанной темы. Но в этом цикле вдруг открылась такая глубина нежности, которую трудно было прежде разглядеть за поэтической неторопливостью Заболоцкого, за торжественностью его стихового строя.

Я увидел во сне можжевеловый куст,
Я услышал вдали металлический хруст,
Аметистовых ягод услышал я звон,
И во сне, в тишине мне понравился он.

Я почуял сквозь сон легкий запах смолы,
Отогнув невысокие эти стволы,
Я заметил во мраке древесных ветвей
Чуть живое подобье улыбки твоей.

Можжевеловый куст, можжевеловый куст,
Остывающий лепет изменчивых уст,
Легкий лепет, едва отдающий смолой,
Проколовший меня смертоносной иглой!

В золотых небесах за окошком моим
Облака проплывают одно за другим,
Облетевший мой садик безжизнен и пуст...
Да простит тебя бог, можжевеловый куст!

Изящество, которое Заболоцкий передал в переводах грузинской лирики, точность, которой он достиг в стихах о природе, жадное, неукротимое стремление к правде, озарившее весь его поэтический путь,— все соединилось в цикле «Последняя любовь». Почти каждое стихотворение — открытие в поэзии Заболоцкого, а такие, как «Чертополох» и «Можжевеловый куст»,— в русской поэзии XX века.

7

В 1931 году в издательстве «Academia» вышел сборник «Мнимая поэзия», составленный из произведений пародической поэзии XVIII—XIX веков. Название, взятое из одного старинного сборника, метко определяет «вторичность» пародийной поэзии, ее утилитарную цель.

О Заболоцком в последнее время пишут заслуженно

много. В интересных «Рассказах по памяти» И. Рахтанов отметил заслугу С. Я. Маршака, «привлекшего Д. Хармса, А. Введенского и других «обериутов» к детской поэзии». Верно и то, что он рассказывает о талантливой энергии С. Маршака в истории создания журналов «Еж» и «Чиж», несомненно представляющих собой совершенно особенное явление в мировой детской литературе. Однако вопрос о связи творчества Заболоцкого с детской поэзией сложнее, чем кажется на первый взгляд, и не исчерпывается понятием примитивизма или, еще в меньше степени, инфантилизма, который является, как известно, признаком сохранившейся в зрелом возрасте отсталости развития. Между тем его исследователи, забывая о «мнимой поэзии», часто упоминают именно об инфантилизме. Он отдал должное «мнимой поэзии», сохранившейся в немногих списках, по-видимому, против его воли.

Судя по восстановленным по памяти или случайно записанным стихам, «мнимая поэзия» заняла в его творчестве свое место. Достаточно упомянуть «Записки аптекаря», написанные от имени неторопливо-рассудительного, гордого своими познаниями, идиотически-серьезного человека:

«Бессмертны мы!» — вскричал мудрец Агриппа,
Но обмишурился и умер он от гриппа.

Как странно: у Ильи гомеопата,
Как и у нас, по рупь пятнадцать вата.

Возможно, что в соленом огурце
Довольно много витамина «С».

И т. д.

«Мнимая» поэзия лежала рядом с детской — в обоих случаях сложное, ассоциативное слово отвергалось. На смену ему приходила разговорность, подчеркнутые прозаизмы, прямота обыкновенного языка. Детские стихи Заболоцкого нельзя сравнить ни с острой поэзией Д. Хармса, как бы с размаху швыряющего детей в неожиданную словесную игру, ни с манерой А. Введенского, у которого классический русский стих слегка сдвинут, что (в соединении с забавной степенностью) производит комически-успокоительное впечатление.

Заболоцкий писал стихи для детей нехотя. Между тем он был очень близок к детской поэзии. Более того — я думаю, что этот факт имеет некоторое значение для понимания его творчества в целом. Мне всегда казалось, что инсценировки классических произведений редко удаются потому, что театр в его неспецифическом, но тем не менее вполне законченном выражении входит в эти произведения как органическое начало. Спектакль в них уже сыгран — и с бо́льшей полнотой, чем это могут сделать актеры во плоти вместе с режиссером, театральными рабочими и директором театра. И все же искусственные роды происходят, да еще подчас с наложением щипцов.

Так нельзя «вынуть» детскую поэзию из стихов Заболоцкого. Итальянский перевод его стихов вышел в переплете, на котором воспроизведен холст Пиросманишвили. Заболоцкий любил знаменитого французского примитивиста Анри Руссо. Самодельное (и самое подлинное) издание «Столбцов» украшено копией его картины (на фронтисписе). Но мне кажется, что для понимания творчества Заболоцкого в целом важен не примитивизм (с такой силой изображенный им в стихотворении «Движение»), а детское зрение, которое создает «до-живопись», и часто исчезает, когда начинаются годы учения. Сравнение с примитивизмом кажется мне, в свою очередь, примитивным, потому что оно говорит лишь о внешнем сходстве, а не о тех «выходах» в иное поэтическое сознание, которые были связаны у Заболоцкого с его детским зрением. Без зоркости детского зрения, сопровождавшего его всю жизнь, они и не могли бы состояться. Знаменитое стихотворение «Меркнут знаки зодиака» построено на детском отношении к простейшим существам и предметам:

Меркнут знаки Зодиака
Над просторами полей.
Спит животное Собака,
Дремлет птица Воробей.

Это — колыбельная, в которой за голосом, укачивающим ребенка, чувствуется уходящее в сон детское сознание.

Меркнут знаки Зодиака
Над постройками села.
Спит животное Собака,
Дремлет рыба Камбала.
Колотушка тук-тук-тук,
Спит животное Паук,
Спит Корова, Муха спит,
Над землей луна висит.

Но самоуспокоение только чудится, и детская колыбельная вдруг превращается в нравственный самоотчет:

Высока земли обитель.
Поздно, поздно. Спать пора!
Разум, бедный мой воитель,
Ты заснул бы до утра.
Что сомненья, что тревоги?
День прошел, и мы с тобой —
Полузвери, полубоги —
Засыпаем на пороге
Новой жизни молодой.

Таких «выходов» из детской поэзии — много в творчестве Заболоцкого. Таковы «Лебедь в Зоопарке», «Полдень», «Осенние пейзажи», «Оттепель», «Журавли».

Лексический строй в этих стихотворениях, очень близких к детской поэзии, интонационно углублен, предполагая совсем не детский разговор с неведомым читателем или с самим собой.

Так, в «Отдыхе» — веселая, мирная, немного сонная, по-детски разноцветная картина маслодельни вдруг озаряется драматическим светом:

Все спокойно. Вечер с нами!
Лишь на улице глухой
Слышу: бьется под ногами
Заглушенный голос мой...

8

Рукописное собрание стихотворений Николая Заболоцкого лежит передо мной на столе — сто семьдесят стихотворений и четыре поэмы. Принято считать, что Тютчев написал мало. Но он написал много. Это в полной мере относится и к Заболоцкому.

На последней странице — примечание: «Эта рукопись включает в себя полное собрание моих стихотворений и поэм, установленное мной в 1958 году. Все другие стихотворения, когда-либо написанные и напечатанные, я считаю или случайными, или неудачными. Включать их в мою книгу не нужно...»

Неудачными или случайными он считал, без сомнения, и свои шуточные стихи и поэмы. Он был сдержан, молчалив, все, что он делал, было проникнуто глубоким достоинством поэта. Вместе с тем он был человеком оригинального юмора, душевного веселья. Редкая встреча у него или у его друзей обходилась без шуточных эпиграмм, экспромтов, стихотворных посланий.

Незадолго до смерти он сжег все эти стихи, среди которых многие были настоящими шедеврами по тонкости, выдумке, блеску. Он не хотел шутить ни с поэзией, ни со своей жизнью, которая, может быть, предстала бы в этих стихах совсем другой, чем она была на деле. Разумеется, бесконечно жаль, что эти стихи погибли. Но, размышляя о светлой и трагической жизни поэта, начинаешь понимать, что он не мог поступить иначе. «Есть литература на глубине,— писал Юрий Тынянов о Хлебникове.— Есть жестокая борьба за новое зрение, с бесплодными удачами, с нужными, сознательными ошибками, с восстаниями решительными, с переговорами, сражениями и смертями. И смерти при этом бывают подлинные, не метафорические. Смерти людей и поколений».

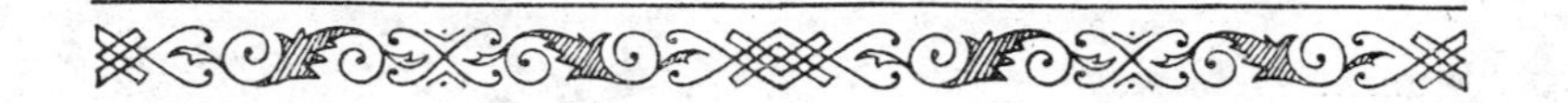

БЕЛЫЕ ПЯТНА

Вспоминая свои университетские годы, я вижу черты поразительного несходства между системами образования студента-филолога двадцатых и семидесятых годов. Мы сами выбирали тему и направление работы, и никто не досаждал нам опекой; на лекции мы могли ходить или не ходить. Это давало неоценимые преимущества в сравнении с положением современного студента. Неудобно было манкировать семинарами, которыми руководили любимые профессора. Но если семинарами руководили нелюбимые, то есть бездарные, профессора, мы не ходили и на семинары. Много времени мы проводили в архивах и библиотеках, работали над рефератами, с которыми выступали часто, независимо от того, входили ли они в курсовую программу. Программа была нужна главным образом для того, чтобы «спохватиться» — да ведь я же еще не сдал римскую литературу! Римскую или другую литературу можно было сдавать независимо от сессии, то есть тогда, когда студент был готов к испытаниям. Конечно, этот свободный выбор был ограничен границами года: нельзя было экзамены второго курса сдавать на третьем. Но зато мы могли серьезно заниматься не всеми предметами на свете — понадобятся они нам потом или нет,— а только теми, которые действительно отвечали нашим интересам. В двадцать лет мы были взрослыми людьми, которые должны были выбрать свой путь в науке и в жизни. Вот почему самая мысль о том, что я обязан пойти на лекцию, которую не желаю слушать, в ту пору показалась бы мне вздором.

Мешало ли нам отсутствие внешней, ограниченной рамками программы занятий? Нет, помогало. Распоряжаясь своим временем как угодно, я учился в двух вузах одновременно и своевременно окончил тот и другой.

Многие мои товарищи, ныне видные ученые, выступили со своими работами задолго до окончания университета. Ощущение свободы в вузе подготовило нас к самостоятельной жизни.

Мы были тесно связаны с литературой своего времени, и многочисленные диспуты, дискуссии, доклады в литературных и философских обществах были для нас тем же университетом, той же школой ответственной любви к литературе,— школой, в которую нас никто не заставлял ходить и которая принесла всему поколению неоценимую пользу. Вот почему почти каждая встреча со студентом-филологом, даже аспирантом, даже кандидатом так поражает меня в наши дни. За любым словом мне чудится связанность, неуверенность, неопределенность.

Перелистайте многие диссертации, статьи и книги, написанные в сороковых и пятидесятых годах. Догматизм, холодная поучительность, вульгарность мешали тогда правильному развитию литературной науки. На карте истории советской литературы остались белые пятна, и стереть их — лучше поздно, чем никогда — необходимо.

Таким белым пятном остались, например, «Серапионовы братья». Об этом маленьком литературном обществе знают мало. Зато как много вокруг него нагромождено всяких домыслов и легкомысленных предположений! Право, иной раз начинаешь сомневаться: да существовали ли эти пресловутые «братья»? Не листаю ли я страницы фантастического романа, на последней странице которого появляется автор и сообщает читателям, где правда и где ложь?

Откроем Большую Советскую Энциклопедию: «Серапионовы братья» — литературная группа, возникшая в Петрограде в 1921 году и существовавшая до середины 20-х гг. Название получила от одноименного цикла рассказов немецкого писателя-романтика Э. Т. А. Гофмана. Идейно порочные установки группы проявились в идеалистических взглядах на искусство, в отрицании общественного значения литературы, проповеди безыдейного, аполитичного искусства. Теоретиком группы был писатель Л. Лунц. Вредное влияние взглядов «Серапионовых братьев» особенно отразилось на творчестве М. Зощенко... Для некоторых писателей, входивших в группу «Серапионовы братья» (Вс. Иванов, Н. Тихонов, К. Федин, В. Каверин, М. Слонимский, Н. Никитин и другие), влияние ее взглядов было непродолжительным; преодолев его, эти писатели создали значительные произведения в духе социалистического реализма» (см.: Серапионовы братья//БСЭ. Т. 23. С. 276).

Характерно это «и другие». Стало быть, «братьев» было много?

Прежде всего — маленькая, состоящая из десяти человек группа молодых писателей никогда не проповедовала аполитичного искусства и не отрицала общественного значения литературы. Группа эта возникла в феврале двадцать первого года. Но это не произошло в один день, мы сами остановились на этой дате.

Вспомните эти годы: только что последние суда, переполненные эмигрантами, отчалили от берегов Крыма. Еще шла борьба с бандами зеленых. Гражданская война, едва отзвеневшая на полях и в лесах, еще продолжалась — без свиста пуль и грохота снарядов — в учреждениях, научных институтах, в вузах, на каждой улице, едва ли не в каждом доме. Процесс перехода интеллигенции на сторону Советской власти был противоречив и остер.

Он был тем болезненнее, что внутренняя эмиграция, которая в ту пору была страшнее внешней, действовала — и не без успеха.

Вставьте в эту историческую рамку самый факт появления десяти молодых людей, решивших посвятить свою жизнь новой, советской литературе, и вы увидите, что создание группы «Серапионовых братьев» было одним из ударов по этой внутренней эмиграции — и сильным ударом. Вот почему 27 февраля 1922 года ЦК РКП(б) признал необходимым поддержать «Серапионовых братьев». Вот откуда взялся успех «Серапионовых братьев», о которых один остроумный критик заметил, что их перевели на испанский язык прежде, чем они написали что-либо по-русски. Вот почему после пятой годовщины нашего «ордена» Горький написал Федину: «Сомнительно, конечно, что это история литературы»,— пишете Вы.— У меня этого сомнения — нет. Да, вы «Серапионы» — история литературы».

Еще более ложно распространенное мнение, что Лев Лунц был теоретиком «Серапионовых братьев». Он был общим любимцем, смелым спорщиком, юношей редкого прямодушия и честности, и на протяжении сорока лет, прошедших со дня его смерти, друзья не переставали сожалеть о том, что в трудах и горестях, в заботах и радостях он не идет вместе с ними. Он прожил очень короткую жизнь. В русской литературе известны ранние смерти. Веневитинов умер двадцати двух лет, и, как справедливо заметил Юрий Тынянов, о нем с тех пор помнили только одно: что он умер двадцати двух лет. Лунцу повезло. Правда, все давно забыли его талантливые пьесы, о которых с высокой похвалой отзывался Горький. Зато все помнят его статью «На Запад», которую он написал, будучи студентом второго курса, и которая с некоторых пор стала считаться декларацией «Серапионовых братьев». Так ли это?

«Я на днях прочел у «Серапионов» большую статью «На Запад»,— писал Горькому Лунц 16 декабря 1922 года.— Пря произошла потрясающая, едва не побили меня. Это было без сомнения самое интересное наше заседание. Меня здорово облаяли, особенно за западничество».

Должен заметить, что у меня нет никаких оснований претендовать на первенство в этом вопросе. Еще Федин в книге «Горький среди нас» подробно рассказал о спорах, происходивших в кругу «Серапионовых братьев». Он впервые и совершенно справедливо заметил, что статьи Лунца, воспринимавшиеся как «серапионовские» декларации, «никогда ими не были». К этому можно прибавить только одно: не только «не были», но и не могли ими быть.

В 1922 году редакция маленького журнала «Литературные записки», выходившего при Доме литераторов в Петрограде, предложила «серапионовым братьям» напечатать свои автобиографии. Лунц отнесся к этому предложению с иронией: «Глупо писать автобиографию, не напечатав своих произведений. А лирических жизнеописаний с претензией на остроумие — я не люблю».

В самом деле: кроме Федина, который начал печататься до революции, мы работали меньше года. Но недаром Зощенко в своей автобиографии упоминает о том, что он был «арестован —6 раз, к смерти приговорен —1 раз, ранен —3 раза, самоубийством кончал —2 раза» (Литературные записки. 1922. № 3). Недаром Федин писал впоследствии, что «большинство из нас прошло необыкновенные испытания, и никогда в иное время семь — восемь молодых людей не могли бы испробовать столько профессий, испытать столько жизненных положений, сколько выпало на нашу долю. Восемь человек олицетворяли собою санитара, наборщика, офицера, сапожника, врача, факира, конторщика, солдата, актера, учителя, кавалериста, певца, им пришлось занимать десятки самых пестрых должностей, они дрались на фронтах мировой войны, участвовали в гражданской войне, их нельзя было удивить ни голодом, ни болезнью,— они слишком долго и слишком часто видели в глаза смерть».

Мы — Лунц, Владимир Познер, впоследствии известный французский писатель, и я — были самыми молодыми из «братьев», и, вероятно, о нас Федин написал как о людях «с опытом, который дается родительским домом, университетом и кинематографом». Едва ли он прав. «Юности, еще не искушенной жизнью... нет в современной России»,— писал Горький в статье, посвященной памяти Лунца. Были биографии и у нас, но мы были слишком молоды, чтобы догадаться об этом. Поэтому я отделался шуткой, а Лунц воспользовался предложением «Литературных записок», чтобы изложить свои взгляды.

Вот что писал о них Федин: «Он ожесточенно раскачивал «правую фракцию» Серапионовых братьев, где еще сильны традиции статичного русского рассказа. Он вечно шел на приступ против «стоячей прозы», он бил по ней веселой шрапнелью авантюрного, бульварного романа, напускал на нее... пиратов Стивенсона... Он пылко верил, что русской литературе пристало время научиться у Запада, как нужно писать романы, чтобы они двигались, а не лежали... Он знал непобедимую силу романа приключений и секрет этой силы — движенье... Как ни одиноки две трагедии Лунца («Бертран де Борн» и «Вне закона».— *В. К.*), как ни выпадают они из театрального шаблона современности,— они более современны духу и вкусам нашей эпохи, чем цирковые станки и трапеции. В этих мелодрамах тлеют и горят подлинные героические страсти, и пафос революций отметил их своим благоволеньем больше, чем им отмечены бесчисленные драмы современности. Театр еще приметит Лунца и остановится на его трагедиях. Пока же судьба их странна и жестока, как его смерть: обе трагедии напечатаны, что почти никому не нужно, и обе трагедии не поставлены на сцене, что нужно почти всем. Во всяком случае — тем, кто смотрит на театр, как на искусство» (Жизнь искусства. 1924. № 2).

Наша литература ничего не проиграет, если в библиотеках и книжных магазинах появится книга Лунца — маленькая, потому что он работал только два года. Все, что он написал, не могло возникнуть до революции, он был «биологически» связан с ней, как и другие «серапионовы братья». Но никогда он не был теоретиком этого общества! В своих убеждениях и вкусах он был одинок. Ближе всех других к нему был я, и не могу сказать, что эта близость помешала мне учиться и работать. Но и я, как другие, не думал, что «искусство реально, как сама жизнь. И, как сама жизнь, оно без цели и без смысла» существует, потому что не может не существовать» (Литературные записки. 1922. № 3). Вот почему мне кажется, что нужно было сознательно закрыть глаза на все написанное Ивановым, Фединым, Тихоновым, Зощенко, Никитиным, Полонской, Слонимским, чтобы не заметить, что эти романы, рассказы, стихи и статьи не имеют ничего общего с литературными взглядами Лунца.

Трудно сказать, какое место занял бы он в нашей литературе. Горький возлагал на него большие надежды.

«...Я уверенно ожидал, что Лев Лунц разовьется в большого, оригинального художника — он обладал талантом драматурга. Живи он, работай, и, наверное,— думалось мне,— русская сцена обогатилась бы пьесами, каких не имеет до сей поры. В его лице погиб юноша, одаренный очень богато,— он был талантлив, умен, был исключительно — для человека его возраста — образован. В нем чувствовалась редкая независимость и смелость мысли: это качество не являлось только признаком юности, еще не искушенной жизнью,— такой юности нет в современной России,— независимость была основным природным качеством его хорошей, честной души, тем огнем, который гаснет лишь тогда, когда сжигает всего человека.

В кружке «Серапионовых братьев» Лев Лунц был общим любимцем. Остроумный, дерзкий на словах, он являлся чудесным товарищем, он умел любить. Трудные 19-й и 20-й годы, когда «Серапионовы братья» — как все в блокированной России — голодали и некоторые из них целыми днями старались неподвижно лежать, чтобы хоть этим приглушить сжигающую боль голода. Лев Лунц был одним из тех, кто думал о друге своем больше, чем о себе. Тяжело писать об этой горестной утрате, о безвременной гибели талантливого человека».

Нет ничего проще, как доказать, опубликовав живые до сих пор произведения Лунца, что не пафос аполитичности водил пером молодого писателя, а любовь к энергичной, полной движения и страсти литературе, образцы которой он видел на Западе. И не было ничего преступного в том, что он звал нас вглядеться в эти классические образцы.

Трагическая история Михаила Зощенко неизвестна широким читательским кругам. Книги его не издавались много лет. Сборники, вышедшие в 1959 и 1962 годах, составлены главным образом из произведений, написанных в последнее десятилетие его жизни. По этим книгам невозможно судить о нем. Читая их, нельзя представить себе, что с ним в советскую литературу пришел тонкий, оригинальный юмор, что, встречаясь с трагикомическими нелепостями жизни, люди говорят: «Это для Зощенко».

В те годы, когда Федин вышел из партии, а мы еще колебались, печататься ли нам в «Ленинградской правде», он напечатал свою автобиографию: «...По общему размаху мне ближе всего большевики. И большевичить с ними я согласен... Я не мистик. Старух не люблю. Кровного родства не признаю. Россию люблю мужицкую. И в этом мне с большевиками по пути». Он не был похож ни на кого. Его манеру называли тогда «сказом», сравнивали его с Лесковым. Но он не был похож и на Лескова. Все было ново — позиция рассказчика, разговорный, удивительно «нелитературный» язык, тема, сам герой — мелкий человек, мещанин, искренне удивлявшийся тому, что мешает его благополучному существованию.

«Серапионовы братья» жили, работали, ссорились и мирились в атмосфере зощенковского юмора, под раскаты хохота, неизменно звучавшие, когда с серьезным, почти грустным лицом он читал нам свои рассказы. Да, это была настоящая творческая среда, тесно связанная с жизнью литературы — жизнью молодой, полной надежд и не боявшейся смеха. Мы смеялись над собой иногда беспощадно, мы смеялись над многозначительностью символистов, над их неоправданно высоким (так нам казалось) отношением к жизни. На смену этому отношению пришли простота, домашность и добродушная зощенковская ирония.

Самая трудная для художника сторона жизни — ежедневное, обыденное, ускользающее от внимания — всегда была для Зощенко главной заботой. Белинский утверждал, что факты личной жизни имеют такое же значение, какое историки придают явлениям жизни народов. Зощенко смело писал о самом ничтожном. Он понимал, что в ничтожном подчас отражается вся огромность интересов общества, все значение перемен, происходящих в нашем сознании.

Он имел огромный читательский успех, его слова и выражения вошли в разговорный язык, он получал тысячи писем. Одновременно росло непонимание. Зощенко был первым и, может быть, самым сильным бойцом против мещанства в жизни и в искусстве. Именно он начал эту линию в нашей литературе задолго до «Бани» и «Клопа» Маяковского, до «Двенадцати стульев» Ильфа и Петрова. Нашлись критики, поставившие знак равенства между Зощенко и его героем — мещанином, которого он беспощадно высмеивал. Для этого нужно было только одно — не чувствовать юмора. Впрочем, чтобы не почувствовать зощенковского юмора, нужна полная глухота — такие люди едва ли могут отличить музыку от уличного шума!

Это было бессознательное непонимание. Но было и сознательное. Волей-неволей каждой своей строкой Зощенко высмеивал торжественную атмосферу, установившуюся тогда в литературе. Его смех странно звучал среди неумеренных восхвалений. Он был не ко двору в мнимом благополучии, за которым стояло мужество народа, продолжавшего трудиться и верить. Верил, трудился и он.

Ища выхода, он обратился к «несмешным» жанрам, написав (1936—1939) историю падения Керенского, жизнь Тараса Шевченко, жизнь работницы Касьяновой («Возмездие»), ответившей (когда Зощенко попросил разрешения написать о ней): «Если это получится как забава, то не надо. Мне было бы неприятно, если б вы посмеялись над моей жизнью». Разумеется, Зощенко исполнил эту просьбу.

Он написал «Черного принца» — историю английского парохода, потонувшего в 1954 году с грузом золота в Балаклавской бухте. Все эти произведения лишены той музыки юмора, того изящества, которые звучат в его творчестве двадцатых годов. К счастью, работая над ними, Зощенко не лишился своего необычайного дара. Все начинало звенеть, когда он становился самим собой. В 1949 году, когда его уже не печатали, он перевел книгу Лассила «За спичками»,— и что это получилась за тонкая, живая, полная подлинного народного юмора книга!

Так или иначе, несмотря на пошатнувшееся положение, Зощенко оставался одним из уважаемых представителей старшего поколения. И вдруг произошло то, о чем необходимо в конце концов рассказать, потому что едва ли найдется столь же поразительная и поучительная история.

В один далеко не прекрасный день этот широко известный писатель оказался в положении изгнанника, в полном одиночестве. От него отвернулись даже те, кого он считал своими друзьями. Его исключили из Союза писателей и перестали печатать. В газетах и журналах, в тысячах статей, речей, резолюций его, врага всякой пошлости, стали называть пошляком, хулиганом, подонком. Когда в сорок восьмом году я приехал в Ленинград и предложил ему пройтись по Невскому проспекту, он был поражен — чем, как вы думаете?— моей смелостью. Рядом с ним на улицах не показывались. Это считалось не только неудобным — опасным. Он был вынужден продать все, что у него было, вплоть до писем Горького, полных таких безоговорочных признаний, которые одни должны были бы остановить все это разраставшееся заблуждение.

Это началось после известного выступления Жданова, опиравшегося на постановление ЦК о литературе, которое вот уже добрых сорок лет как устарело, но не отменено* Хотя Ахматова, сопоставленная в нем с Зощенко (к изумлению всех литераторов) и названная «блудницей», давным-давно признана великим мастером поэзии не только в СССР, но во всем мире. Хотя Зощенко не только издается и переиздается, но признан таким же смелым открывателем в прозе, как Н. Заболоцкий в поэзии.

Преследование Зощенко продолжалось долго, очень долго, почти десять лет! И все эти страшные десять лет Зощенко работал. Как настоящий художник, он понимал, что его единственное спасение — работа. Он работал каждый день, одинокий в пустыне трехмиллионного города, где мало кто не знал его имени. Он писал пьесы, которые ему приходилось переделывать по одиннадцати раз — я не преувеличиваю. Он писал фельетоны, которые не печатались, пьесы, которые запрещались на генеральных репетициях, рассказы, которые возвращались автору с вежливыми или невежливыми отказами. Он писал письма Сталину, в которых, отказываясь признать себя подонком и хулиганом, требовал справедливости. Писал, но не получал ответа.

Нельзя сказать, что не было попыток помочь ему. Но точно какая-то стена была возведена вокруг него невидимыми руками, и все усилия разбивались об эту заколдованную стену.

---

* Постановление отменено в 1988 г.

За что же на М. Зощенко обрушились эти беды? А вот за что: в 1945 году он напечатал в детском журнале «Мурзилка» маленький рассказ «Приключения обезьянки». Никто не обратил внимания на эту довольно забавную историю о мартышке, которая, не желая стоять в очереди, скачет по головам и т. д. Но в 1946 году редактору «Звезды» приходит в голову несчастная мысль перепечатать этот рассказ в разделе «Новинки детской литературы», и начинается то, что теперь, в наши дни, понять уже трудно, почти невозможно! Маленький безобидный детский рассказ рассматривается как свидетельство реакционных убеждений, за ничего не значащей шуткой пытаются разглядеть злобную сатиру на советское общество, глубоко запрятанную клевету, философскую концепцию, политическую программу! Старые грехи припоминаются автору «Приключений обезьянки». Он принадлежал к реакционной группе «Серапионовых братьев» (из которой вышли, как известно, выдающиеся писатели и общественные деятели Тихонов и Федин.— *В. К.)*. Он находился под тлетворным влиянием Льва Лунца. Он настаивал на аполитичности искусства. Он написал пошлую книгу «Перед восходом солнца». Во время ленинградской блокады он сбежал в Алма-Ату и т. д. и т. п.

Вам уже известна вся глубина «реакционности» «Серапионовых братьев». Вам ясно, что влияние Лунца, с которым, кстати сказать, Зощенко никогда не соглашался, не могло продолжаться с 1924 года (когда умер Лунц) до 1946 года, когда М. Зощенко давным-давно был известным беллетристом, написавшим десятки книг и пользовавшимся глубоким уважением. В автобиографии, напечатанной в 1922 году, он действительно заявил, что у него нет «точной идеологии». Но там же, как я упоминал, он откровенно признался, что «по общему размаху мне ближе всего большевики. И большевичить я с ними согласен». Книга «Перед восходом солнца» была напечатана только наполовину, и судить о ней или — как это было сделано — осуждать ее невозможно.

Откуда взялась низкая сплетня о мнимом бегстве М. Зощенко в Алма-Ату из осажденного Ленинграда? Он был одним из самых смелых людей, которых я встречал в своей жизни. Офицер русской, а потом Красной Армии, он был трижды ранен и неоднократно награжден. Его личное мужество неоспоримо, а гражданское, после всего, что он пережил, можно смело назвать железным. Видели бы вы, с каким спокойствием, с каким достоинством переносил он незаслуженные лишения, горечь одиночества! С каким благородным спокойствием! Без страха, без озлобления! Не думая о себе, оправдывая слабых друзей. Добиваясь только одного — возможности работать.

В Алма-Ату из Ленинграда он уехал после неоднократных настояний горкома партии, боявшегося за его жизнь.

Что же все-таки послужило причиной этих необоснованных обвинений, этих решений? Почему именно Зощенко был обвинен в безыдейности, пошлости, хулиганстве? Почему выбор пал на него? С точки зрения здравого смысла объяснить это невозможно.

Ясно одно: как бы ни был чужд Зощенко торжественной атмосфере восхваления, он не сделал ничего, что могло бы вызвать эти преследования. Напрасно он гадал и прикидывал, обдумывая эти таинственные причины, напрасно его друзья прикидывали и гадали...

Широко известно, что наше правительство, на плечи которого упала тяжкая ноша, покончило с произволом и что тысячи честных людей, восстановленные во всех правах, вернулись к работе и к жизни. В сущности говоря, судьба М. Зощенко мало чем отличается от этих бесчисленных судеб. Когда в 1952 году он приехал в Москву и остановился в одном из общих номеров гостиницы «Москва», соседи, случайно узнавшие его фамилию, долго не хотели верить, что перед ними тот самый М. Зощенко, самый прах которого — они в этом не сомневались — давно развеян по ветру. Разумеется, это были люди, далекие от литературного круга. Необычайность его истории заключается в том, что она совершалась открыто, на виду, как бы под стеклом, подобно тому, как под стеклом экспериментального улья совершается на виду у всех жизнь пчелы, которая трудится, выполняя неведомое ей самой предназначение, и погибает, не зная, что чужой внимательный взгляд следит за каждым ее движением.

Все это позади. И быть может, не следует перебирать в памяти слишком горькие воспоминания. Но они не принадлежат ни мне, ни вам. Ведь больше нет нужды притворяться, что у нас такая уж короткая память! Русская литература, так поразительно не похожая ни на какую другую в мире, не может жить и развиваться без правды.

Самые необыкновенные из профессий, перечисленных Фединым в книге «Горький среди нас», принадлежали

Всеволоду Иванову — все-таки никто, кроме него, не протыкал себя булавками и не глотал огонь перед изумленной аудиторией. Впоследствии он рассказывал мне, что это не так уж и сложно.

Но сразу вспыхнувший интерес к нему вовсе не был связан с необычностью его биографии. Напротив, каждый его рассказ — а он приходил по меньшей мере раз в месяц на «серапионовы чтения» с новым рассказом — поражал своей «обыкновенностью», которая потому и была его силой, что представляла собой первую живую запись того, что происходило в стране. Тогда я не понимал, что это — мнимая обыкновенность. Девятнадцатилетний студент, увлеченный возможностью устроить в литературе свой мир, а в этом мире свой беспорядок, я не понимал тогда, что «бытовизм» Иванова бесконечно далек от сознательного самоограничения натуралиста, от раскрашенной фотографии в литературе.

Он как раз не боялся раскрашивать, но что это были за фантастические, смелые, рискованные цвета! В книге, которая недаром так и называется «Цветные ветра», эта смелость достигает размаха, который подлинным «бытовикам» показался бы кощунством.

Без сомнения, уже тогда Иванова больше всего интересовала та неожиданная, явившаяся как бы непроизвольно, фантастическая сторона революции и гражданской войны, которая никем еще тогда не ощущалась в литературе. Он раньше Бабеля написал эту фантастичность в революции, как нечто обыкновенное, ежедневное. Именно эта черта и сделала его «Партизанские рассказы» литературным фактом принципиального значения. На фоне необычайности того, что происходило в стране, история, рассказанная в «Дитё», кажется естественной, хотя она глубоко противоречит представлениям устоявшегося дореволюционного мира. Вот почему, когда в 1922 году я спросил Иванова, кто, по его мнению, пишет сейчас лучше всех, он ответил: «Разумеется, Бабель».

Это показалось мне шуткой. Имя Бабеля я услышал впервые. Иванов был человеком, редко удивлявшимся, почти не принимавшим участия в спорах, но умевшим слушать — за его тогдашней молчаливостью скрывалась огромная, вскоре сказавшаяся жажда познания. Можно сказать, что в этом смысле все мы — в разной степени — продолжали. Он начинал — и начинал широко, с размахом.

В те дни, когда он писал на оборотной стороне географических карт, вырванных из Британской энциклопедии,— впоследствии он рассказал об этом в своей автобиографии,— ему казалось, что он может работать в любом жанре, не только в прозе. Однажды он явился к нам с поэмой и от души удивился, когда мы в один голос сказали, что она никуда не годится. Как известно, Л. Н. Толстой дважды начинал своих «Казаков» стихами. Эти стихи относятся к гениальной прозе «Казаков» примерно так же, как поэма Иванова, которую мы добродушно, но беспощадно раскритиковали, к его «Партизанским рассказам», которые были встречены нами с восторгом.

Я упомянул, что он писал на оборотной стороне географических карт, но, без сомнения, среди его ранних рукописей найдутся и толстые разлинованные листы бухгалтерских книг. Мы все писали тогда на конторской бумаге. На Большой Морской, очень близко от Дома искусств, где мы собирались, был банк, в котором никто не работал — саботаж — и куда мог зайти любой прохожий через распахнутые настежь огромные двери. Это было навсегда запоминавшееся зрелище неизвестной, сложной, остановившейся на полном ходу, полной самоуважения жизни. Темный сумеречный свет стоял в высоких залах с тяжелыми люстрами, с высокими пыльными лакированными барьерами. Отодвинутые кресла еще хранили, казалось, движение быстро, в испуге или негодовании, вскочивших людей. И везде на столах лежали толстые, как Библия, гроссбухи — бумага, бумага, прочная, линованная, довоенная, дореволюционная, забытая, как забыт был тогда вкус белого хлеба.

Мы писали на ней долго, годами. Помнится, зайдя к Тихонову в 1928 году, я удивился, увидев, что его новые стихи написаны на этой бумаге. Не сомневаюсь, что Александр Грин был — и не однажды — в залах этого огромного опустевшего банка. Его лучший рассказ «Крысолов» пронизан ощущением ужаса перед фантомом огромной заброшенной канцелярии, в которой господствуют крысы, ставящие себя бесконечно выше людей с их мнительностью и жалкой любовью. Грин, так же как Лунц, Шкловский, Слонимский, жил в Доме искусств.

Мне кажется, что Иванов как писатель сложился в те молодые годы. Уже тогда его героями были глубоко задумавшиеся люди, правдолюбцы, пытающиеся найти единственную в мире, выкованную в муках справедливость.

Уже тогда они искали ее, путаясь в снежной пыли, как путается и не может уйти от заколдованного селезня Богдан в рассказе «Полынья».

В книге «Тайное тайных», составившейся из рассказов первой половины двадцатых годов, талант Иванова высказался с определенностью и силой. Дело было не только в том, что Иванов первый в советской литературе соединил опыт гражданской войны с глубоким знанием сибирской деревни. И это немало. Но главное все-таки заключалось в том, что этот опыт был окрашен любовью к необычайному, глубоко свойственной русскому характеру и русской литературе. Быт интересовал Иванова не сам по себе, а как путь к тайному тайных, к глубоко запрятанной сущности человеческих отношений, загадочно и остро раскрывшихся в годы исторического перелома. Иногда это — широкий путь, по которому, сидя в автомобиле с женой, неподвижно, как перед фотоаппаратом истории, ведет своих партизан Вершинин. Иногда — извилистая, теряющаяся в песках Тууб-Коя тропинка Омехина, выбирающего между совестью, долгом и острой жаждой любви.

В новой прозе, которую пытался уже в те годы построить Иванов, намерения героев расходятся с их поступками, а цель — не только не оправдывает средства, а кажется решением другой, никем не заданной цели. Впоследствии в романе «У» он развил и упрочил это направление. Нарушение традиционных представлений возникло в его творчестве как отражение тех неожиданностей, которые пришли с революцией. Жизнь предстала перед ним как галерея неограниченных возможностей — о них он и стал писать, вдохновленный Горьким, который понимал и поддерживал его дарование.

Вот откуда взялся его интерес к русской фантастике, к Владимиру Одоевскому, к Вельтману, произведения которых он собирал годами. Он искал и находил любимую традицию в прошлом русской литературы.

На месте будущего историка я попытался бы проследить развитие этой традиции, начиная с загадки гениального «Носа», через трагическую иронию драматургии Сухово-Кобылина и сказок Салтыкова-Щедрина — к Михаилу Булгакову, показавшему в «Дьяволиаде» и «Роковых яйцах» образцы гротеска, твердо стоящего на бытовой основе. Тогда нетрудно было бы доказать, что искусство Чаплина, парадоксально смешавшего бесконечно далекие жанры, во многом предсказано русской литературой.

Частые встречи с Ивановым оборвались, когда в середине двадцатых годов он переехал в Москву, но дружеские отношения остались, и не на год или два, а на всю жизнь. Чистота, озарявшая наши молодые споры, была порукой этих отношений. Юность шла за нами по пятам, напоминая о том, что надо беречь достоинство писателя, как это ни было подчас тяжело. Наши отношения, лишенные малейшей предвзятости, всегда были проникнуты интересом и вниманием друг к другу. Главной чертой его характера была прямота, сливающаяся с глубоким интересом к людям.

Я не помню, чтобы какие бы то ни было обстоятельства заставили его назвать черное белым. Но он вовсе не был холоден, равнодушен. Напротив: однажды я был свидетелем его смелого выступления, когда в короткой и сильной речи он горько упрекнул в равнодушии тех, кто из осторожности или трусости стремился обойти события, взволновавшие всю страну.

Что сказать о его трудной писательской судьбе? В недавно опубликованном рассказе «Сизиф, сын Эола» солдату Полиандру не очень повезло в жизни, потому что он служил царю Кассандру, «соединившему в себе рядом с беспощадной вспыльчивостью еще более беспощадное честолюбие». Он хотел, чтобы Кассандр думал о нем хорошо, но «Кассандр не верил солдату Полиандру, всем солдатам — он боялся его щита, его широкой красной шеи, его огромного голоса, к раскатам которого любили прислушиваться другие солдаты». И вот нищий, израненный, но еще полный надежд солдат отправляется на родину. В горах он встречает Сизифа, который некогда правил Коринфом и который — как в знаменитом мифе — должен вечно вкатывать в гору обломок скалы.

В рассказе Иванова древнегреческий миф приобретает странные, смутно знакомые очертания. За фигурой могучего и прямодушного солдата, которого боятся именно потому, что он прямодушен, чудятся нелицемерные черты старого друга, идущего вперед «при любых обстоятельствах и при любых силах, ибо добродетель — главная и всеединая цель человеческого существования». Но и сам Сизиф — этот друг, уже немолодой, в старости, когда его лицо «наполнено тем победным избытком дней, который... указывает на необыкновенную силу и умелое и терпеливое расходование этой силы». Солдат встречается с Сизифом в последний день его бессмысленной, неустанной работы. Зевс простил его за послушание. Завтра он будет свободен. И начинается разговор между солдатом и сыном бога.

С мечом в руках солдат прошел Персию, Индию, Египет. Он видел сатиров с пурпуровыми рогами, убивал сирен и центавров. Сизиф не знает и не видел ничего, разучился говорить в одиночестве, события мира прошли мимо него в бесшумной дали. «Камень был тяжелый,— говорит он изумленному солдату,— и мне было трудно оглядываться». Наступает ночь, они ложатся спать, условившись вместе отправиться в Коринф, чтобы убить Кассандра и покорить Грецию. Но утром солдат видит, как Сизиф снова катит вверх в гору огромный базальтовый черный шар.

«...— Ты ли это, о Сизиф? Разве мудрый Зевс не простил тебя? И разве ты не дал мне согласия идти вместе со мною в Коринф и далее, куда поведет нас судьба?

И тогда ответил Сизиф, толкая камень плечом:

— Бедра, голени и ступни мои — стары. Молодое поколение греков идет слишком быстро. Я могу отстать и тогда зачахну где-нибудь на востоке, в жарком песке пустыни... А здесь. Здесь я привык. У меня имеются бобы, капкан для диких коз, вино изредка и к нему сыр. Что мне еще надо? Я привык. Иди, путник, в свой Коринф, а я пойду в свою гору».

Писательская судьба Иванова была трудна не только потому, что на ней сказались тяжелые времена сталинского произвола. Некоторые его романы и повести, долго пролежавшие в письменном столе и лишь теперь появляющиеся в свет,— нелегкое чтение. Не для того он отдал годы труда, чтобы читатель нашел в этих книгах развлечение или забаву. Они связаны с судьбой страны, с ее историей — трагически и неразрывно. Путь солдата Полиандра, мечтавшего о легкой жизни, о том, чтобы «спать на пуху, под песнопения красавиц», не прельщал автора «Сизифа».

Вот почему, входя в его дом, я неизменно чувствовал дыхание всей страны с ее радостями и горестями, надеждами и трудами. За большим столом Всеволода Иванова собирались люди, значение которых неоспоримо в истории нашей культуры. Русские ходоки в далекие чужие земли вспоминались, когда он рассказывал о своих путешествиях,— а путешествовал он всю жизнь — верхом, пешком, на плотах, на лодках, по воде и по суше. С молодых лет он отправился в «Индию литературы», и путешествие, полное загадок, опасностей и открытий, продолжалось ни много ни мало — до самой смерти.

Ходоком, искателем нового, пытливо всматривающимся в неведомую жизнь, в непостижимые ее взлеты и беспощадные приговоры, он был — и останется — в нашей литературе.

Всегда полезно оглянуться назад, тем более что время, как известно, заставляет переоценивать многое. Случается, что книги, которые кажутся написанными на много лет вперед, быстро стареют, а другие, занимая при выходе в свет весьма скромное место, впоследствии определяют основные линии развития нашей литературы. Но как быть с теми книгами, которые против воли автора появляются дважды, в двух редакциях, противоречащих друг другу?

О чем, о ком писал Фадеев в первой редакции «Молодой гвардии»? О советских юношах и девушках, о комсомольцах, которые остались одни за мертвой стеной фашистского нашествия и которые в трагических, почти безнадежных обстоятельствах показали высокую силу души.

Десятки очерков начинаются с того, что журналист, прослышав о прославленном экскаваторщике или строителе ГЭС, приезжает к нему и изумляется, убеждаясь в том, что знаменитому человеку едва исполнилось двадцать два года. Эти юноши в подавляющем большинстве — дети русского рабочего класса. Унаследованное от отцов и дедов трудолюбие, умелые руки, которые знают, как взяться за дело,— вот что это такое.

О таких-то мальчиках и девочках написал Фадеев. И вся сила, все значение его книги состояли именно в том, что, оставшись в одиночестве, без поддержки, предоставленные самим себе, они не только не потеряли уверенности в победе, но нашли свое место в общей, народной борьбе и не пожалели для этого ни сил, ни самой жизни.

Весь пафос этой книги — так поняли ее миллионы читателей — заключался именно в том, что семнадцатилетние девочки и мальчики остались одни и все-таки совершили то, что совершили бы на их месте сложившиеся, зрелые люди. Так в настоящем прозревалось будущее, за которое они отдали жизнь.

В первой редакции «Молодой гвардии» было много недостатков. Роман был написан, так сказать, по горячим следам. Он встал в ряд книг, созданных участниками войны, которые рассказывали главным образом о том, что им пришлось пережить.

Этот характер послевоенной прозы отразился, мне кажется, на первой редакции «Молодой гвардии». Отразился в свежести непосредственных впечатлений, в той почти физиологической силе ненависти, с которой написаны поработители-немцы, в торопливой хроникальности второй половины романа. И тем не менее главная мысль — чисто фадеевская, как бы идущая за ним по пятам,— была выражена в «Молодой гвардии» с впечатляющей силой.

Теперь перед нами произведение взвешенное, обдуманное, написанное не по горячим следам. Теперь мальчики и девочки, которым никто не подсказывал, как нужно действовать в необычайных обстоятельствах, обступивших их со всех сторон, советуются со старшими и действуют хотя столь же мужественно, но еще и логически целесообразно. Но мысль, которая озаряла каждую строчку «Молодой гвардии», которая была зажжена где-то в глубине романа,— эта мысль погасла.

Было бы напрасной задачей представить себе тот сложный путь, который прошел Фадеев, работая над второй редакцией своего романа. Как пришел он к убеждению в том, что эта мучительная работа действительно необходима для советского общества и литературы? Ведь без этой уверенности, без этой борьбы с самим собой, в которой он должен был оказаться победителем, он не мог подвергнуть свой роман такой глубокой, коренной переделке. Но была ли это полная, окончательная победа? Не сомневался ли он в глубине души в том, что она окажется победой в литературе? Думаю, что сомневался. Более того, думаю, что эта победа была трагической, отнявшей много творческих сил, близкой к поражению. Иначе откуда бы взялась горькая насмешка над собой, которая звучит в его письме к одному из друзей: «Сижу в Переделкине и переделываю «Молодую гвардию» на старую»?

И наконец — нуждался ли читатель в том, чтобы «Молодая гвардия» превратилась в исторический роман, пусть даже написанный тщательно и умело?

В последнее время мы все чаще вспоминаем имена писателей, которых уже нет с нами, страницы недавней литературной истории, заставляющие о многом задуматься, многое переоценить. Это — не беспредметное оглядывание назад. Это — всматриванье, которое неизбежно сопутствует истинному изучению прошлого. Это — движение вперед, а чтобы двигаться вперед, нужна верная карта. Без белых пятен. Без искажений — намеренных или невольных.

1965—1987

УМ И СЕРДЦЕ

Последнее время писатели мало говорят о литературе. Это не усталость. Это упадок интереса к профессиональной стороне работы. Направлений нет. Самое слово это, без которого нельзя вообразить литературу XIX века, стерлось и потеряло прежнюю определяющую силу. В начале XX (двадцатые годы) М. Зощенко должен был объяснить, почему он пишет так, а не иначе, а я осмеливался возражать Горькому, утверждавшему, что фантастика должна строиться на бытовой основе.

Короче говоря, вопрос об «искусстве литературы», так глубоко занимавший критиков от Белинского до Воровского, не изучается с необходимой глубиной. Это грозный признак, в особенности если вспомнить, какую активную и даже, можно сказать, решающую роль аналогичные вопросы играют в музыке, живописи и скульптуре.

Это краткое предисловие понадобилось мне только для того, чтобы рассказать о том, что мы с Александром Кроном сравнительно редко говорили о внешнем положении нашей литературы, о том, что административное положение позволяет некоторым писателям превратиться в неприкосновенных, о гипертрофии редактуры, о сомнительной пользе поощрений разного рода и т. д. В этом отношении мы были единомышленниками, и поддакивать или возмущаться было скучно и для него и для меня.

Мы говорили о том, как трудно избрать жанр. О том, как сделать незаметной ту мучительную, длительную, утомительную работу, которая происходит прежде, чем берешься за перо. О том, как спрятать ее от читателя. Как выразить в художественном слове то, что без малейших затруднений выговаривается в разговорном. Как построить сюжет. Как наблюденное, увиденное, пережитое выразить в характере тех, кто двигает роман или повесть и в конце концов берет дело в свои руки? Как образумить отступление, которое всегда стремится перейти положенную ему скромную границу? Как кончить книгу — ведь это бесконечно труднее, чем начать? Почему Толстой не мог или не захотел кончить «Войну и мир»? Почему «Анна Каренина» без особенных потерь могла остаться романом не в восьми, а в семи частях? Мог ли Достоевский дописать «Братьев Карамазовых»? Не мог или не захотел?

Я мало знал Крона до войны, и хотя лето и осень 1941 года мы оба были в Ленинграде, но почти не встречались. Не помню, в каком году, должно быть в 1944, мы случайно оказались за одним столом в ресторане Дома литераторов в Москве, и хотя встреча была короткой, десятиминутной, но запомнилась. Должно быть, мы уже тогда с симпатией относились друг к другу.

Но настоящая дружба началась много позже, когда, еще не имея квартиры в Москве, я купил финский домик и переехал с семьей в Переделкино. Мы оказались соседями, правда, дальними. Я стал бывать у него, и началась наша дружба — как ни странно, не с литературных разговоров, а с музыки.

Я всю жизнь люблю музыку, но Крон не только любил, но и глубоко понимал ее. У него был прекрасный набор пластинок. Слушая Бетховена или Баха, подчас я, занятый посторонней мыслью, забывал о музыке. Этого никогда не случалось с Кроном. Музыка была для него наслаждением, но наслаждением требовательным, не позволяющим забывать о себе.

Я помню, как однажды в Ленинградской филармонии на концерте Хиндемита Ю. Н. Тынянов прислал мне записку: «Кто притворяется, тот не спит». Подобная записка не могла быть послана Крону. Музыка была для него частью природы. Причем ее лучшей частью, дивно слаженной, божественной, стройной. Он был писателем, литератором, но эта связь, я уверен, незримо участвовала во всем, что он говорил и писал.

А написал он сравнительно мало: несколько пьес, два романа и повесть (которая оказалась, мне кажется, лучше всего, что он написал).

Это объясняется просто: я не знал другого писателя, который готовился бы к работе так долго и тщательно, как он. Мой зять, физиолог, рассказал мне, что Крон три года провел в его институте, прежде чем взяться за роман

«Бессонница». Мне могут возразить, что известная пьеса Крона «Офицер флота» была написана в один месяц. Но ее написал моряк, выполнявший приказ, а приказы подлежат исполнению. Впрочем, пьеса удалась, но в манере работать она ничего не изменила.

Он написал не только «Офицер флота», но и шесть других пьес. Он много лет был профессиональным драматургом, и его пьесы, прекрасно слаженные и неизменно связанные с реальным восприятием современной жизни, были показаны и показываются на сотнях сцен в Советском Союзе.

В последние годы он перешел на прозу. Эта статья как раз и посвящена его прозе. Точнее, лишь двум его произведениям в прозе: романам «Бессонница» и «Капитан дальнего плавания».

Я перечитал роман «Бессонница». В нем Крон не стремится рассказать происшествие, более или менее возможное. Это роман размышлений. Потому автор-рассказчик занимает в нем, может быть, слишком много места. Но это не те отступления, которые необходимы для движения книги вперед. Это отступления-эссе, жанр, почти не использованный или, по меньшей мере, не исследованный у нас, в то время как без него трудно вообразить мировую литературу.

Вольтер, Монтень, Франс, Гейне, Честертон были непревзойденными мастерами того жанра. Чехов высоко ценил Торо, а Толстой — Эмерсона.

Это удивительный по своей свободе и самостоятельности жанр, располагающий большей близостью к читателю, чем повесть, рассказ или роман. Это и попытка передать и личные впечатления и чувства, которые они вызывают. Это — подчеркнутая, ни к чему не обязывающая субъективность. И разговорность, и философский взгляд на явление (которое нуждается в доказательстве, убеждающем, что оно является не случайностью, а именно явлением). И необходимая образность и афористичность. И стремление решить строго научную или научно-популярную задачу. И стремление ничего не доказать, а просто заставить читателя вообразить не будущее, а прошлое: скажем, комету Галлея, которую человек видит впервые в 1986, потом в 1910 году, потом «проникая сквозь древесину времени», в нагорных укреплениях неолита, еще — через два наступления льдов, когда мертвых оставляли непогребенными, когда у людей еще не было огня и они почти ничем не отличались от животных. На подобном замысле построено эссе, которое называется «Только раз в жизни» и принадлежит современному писателю Лорену Айзли.

Для романа Крона характерны совсем другие эссе. Но без понимания этого жанра оценить роман — нелегкая задача.

Почему во второй главе подробно и вдумчиво рассказывается история гардеробщика Антоневича? Потому что в ней незаметно для читателя отражается образ института. Почему роман можно назвать трактатом о любви, причем о несовершившейся любви, в то время как ничто не мешает ей совершиться? Не потому, что Крону было важно показать несостоявшуюся любовь, а потому что он хотел убедить читателя, что она не могла состояться. Прежде чем сесть за письменный стол после четырех лет подготовительной работы, он посоветовался со мной — писать ли роман от первого или от третьего лица, «лично» или «объективно». Я, не задумываясь, посоветовал первое лицо, потому что в этой его книге отчетливее, чем в других, он мог подвести итог своим многолетним наблюдениям. И еще потому, что эта книга по своему жанру должна была напоминать концерт, а не симфонию.

И это удалось. В известной мере все произведения Крона напоминают концерт для одного инструмента с аккомпанементом, кроме, может быть, самых ранних («Винтовка № 492116»). Он, не колеблясь, вкладывает в главного героя свои размышления. Впоследствии эти размышления нашли выход в публицистическом жанре (Заметки писателя//Литературная Москва. 1956).

Эта статья надолго останется в истории нашей литературы. Она предсказала многое, обсуждавшееся на VIII съезде писателей. В ней говорилось, что существует порядок, который состоит в том, что рассказы и романы пишутся зачастую людьми знающими, талантливыми и добросовестными, а менее знающие и менее талантливые имеют полную возможность оценивать их. В ней утверждается, что искусство знает только одну иерархию — иерархию таланта, и что ее устанавливают время и народ. Что лишенные вкуса критики дезорганизуют читателей, канонизируя фальшивки и ставя их на одну доску с подлинными произведениями искусства, а иногда и выше. Что тема художественного произведения не является авторским изобретением и тематика «также не может поддаться планированию сверху как промышленный ассортимент».

К роману «Бессонница» приступал человек, глубоко и верно взвешивающий все достоинства и недостатки нашей литературы.

Характерно, что при этом вещественном присутствии автора в каждой фразе он как бы оставляет себя в стороне. Все действующие лица «Бессонницы» нарисованы тщательно, неторопливо, с психологическим анализом, с отступлениями в прошлое, с биографическими подробностями. Но характер автора — в тени. Он слишком занят другими, чтобы говорить о себе. Он слишком много размышляет. То, что я назвал в его книгах «эссе», дано едва ли не во всех разнородностях этой эластичной формы. Иногда оно заключается в нескольких строках, а иногда занимает целые главы. Вот эссе-размышление о смерти: «Когда в нашу повседневную жизнь вторгается смерть, мы не перестаем замечать мелочи. Наоборот. Много раз, участвуя в похоронах людей, в том числе людей мне близких, я замечал, что мое зрение обостряется, а память удерживает множество деталей. Это объяснимо, изменяется не поле зрения, а его освещенность, одни мелочи приобретают неожиданную значительность, а другие, до сих пор неоправданно раздуваемые, осознаются в своих подлинных масштабах, то есть именно как мелочи»[1].

Другие размышления-эссе — то еще короче, то значительно длиннее. Эти последние посвящены докладу автора-рассказчика на международной конференции в Париже.

Причины преждевременного старения, природа испуга, вопрос о связи внешности с характером, объективность как способ изучения жизни, толпа как явление — вот темы этой конференции. Последняя тема напомнила мне гениальный рассказ Эдгара По «Человек толпы» — и надо заметить, что Крону удалось написать эти строки с внушительной силой.

Особое место в романе занимает доклад автора-рассказчика. И не потому, что он связан с Парижем, увиденным свежими, умными глазами, а потому что он внутренне связан с центральным сюжетным узлом романа. Главный герой «Бессонницы» знаменитый ученый-физиолог Успенский, умерший, по заключению врача,

---

[1] Крон А. Бессонница. М.: Сов. писатель, 1979. С. 79.

от сердечного приступа, на самом деле покончил самоубийством. Причин много. Их, по меньшей мере, три. Они полностью не раскрыты, но о них легко догадывается читатель. Это, во-первых, возвращение из ссылки и тюрьмы людей, которых Успенский мог и не осмелился спасти от бесчестья, от незаслуженного унижения, от преждевременной смерти. Вторая причина — приближение неизбежной старости. Постепенное угасание душевных и физических сил. Сомнение в том, что это угасание замечает только он. Инерция мышления, с которой все труднее бороться. И, наконец, третья — молодая жена, умная и талантливая женщина, от которой нельзя скрыть эти необратимые перемены.

Об этом ничего не говорится в романе, но доклад рассказчика на конгрессе в Париже — это теоретическое объяснение того состояния, в котором находится его ближайший единомышленник и друг. При этом роман написан в таком ключе, что об этой трагедии трудно или даже почти невозможно догадаться. Я бы сказал, что найти этот ключ впору не обычному читателю, а опытному литератору, который по собственной работе знает, как пишутся романы. Тем более что читатель прежде всего займется историей любви рассказчика к жене покойного друга — любви верной, нежной, многолетней, соблазнительно-сложной, неразделенной, но одновременно все-таки разделенной, разумеется, не в физическом, а в духовном смысле.

Я слишком увлекся разбором романа «Бессонница», и читатель может подумать, что роман кажется мне лучшим произведением А. Крона. Это не так. Его лучшая — и к нашему общему горю — последняя книга называется «Капитан дальнего плавания». Она опубликована перед самой кончиной писателя — он умер, держа ее в руках.

Широко известно, как трудно написать новый характер. Подчеркиваю — новый, потому что старый, повторявшийся тысячу раз, тоже написать нелегко, но все-таки легче, чем новый. Л. Толстой написал капитана Тушина как бы между прочим и тем не менее навсегда «врезал» его в русскую литературу. Впрочем, даже о Тушине можно сказать, что у него был предшественник — лермонтовский Максим Максимович.

Выразительность, с какой написан Тушин, не требует объяснений. Он прост, и в этой простоте — его сила.

Напротив, герой Крона капитан Маринеско сложен, и весь роман, в сущности, посвящен размышлениям о его личности. Характер не показан в действии, хотя действие, и весьма внушительное, имело место. Капитан третьего ранга Маринеско, ранее служивший на «Малютке» (подводной лодке, в полной мере оправдывающей свое название), перейдя на другую лодку, С-13, потопил гигантский фашистский лайнер «Вильгельм Густлов» водоизмещением 25 484 тонны, на борту которого находилось свыше семи тысяч солдат, офицеров и высоко поставленных представителей фашистской элиты. В том же походе Маринеско торпедировал большой военный транспорт «Генерал Штойбен», на котором переправлялись из Кенигсберга 3600 солдат и офицеров. «За один этот боевой поход Маринеско по существу отправил на дно целую дивизию»,— пишет кандидат военно-исторических наук В. А. Полещук в своей работе «Боевая деятельность подводных лодок КБФ в 1944—1945 гг.»

Но в чем заключаются действия командира подводной лодки? В поисках врага, в неустанной готовности его встретить, в рассчитанной сдержанности, которую должен чувствовать экипаж, и, наконец, когда цель обнаружена — в коротком приказе. И, разумеется, в умелом уходе от неизбежного преследования. Сравните эти действия с поведением толстовского Тушина: в воображении этого маленького, со слабыми, неловкими движениями артиллерийского капитана возникает в пылу сражения целый фантастический мир, «который составлял его наслаждение». Не выпуская изо рта своей трубочки, он бегает от одного орудия к другому, то прицеливаясь, то считая снаряды, то распоряжаясь переменой и перепряжкой убитых и раненых лошадей. Французы около своих орудий представляются ему муравьями. Сражаясь, он живет энергичной, вдохновенной жизнью. «Сам он представлялся себе огромного роста, мощным мужчиной, который обеими руками швыряет французам ядра».

У Крона не было возможности воспользоваться картиной боя для того, чтобы показать ту сторону характера, которая, в сущности, представляет личность героя, ее незаменимый психологический материал. Он вынужден был идти совсем другим путем. Это путь изучения биографии человека, который никогда не считал себя героем. Это путь размышлений о самой проблеме героизма. Это —

история загадочной личности и поиска ключа, который решает загадку. Это — дружеский разговор с читателем о том, как была написана эта книга. Это последовательное соединение мелочей, которые, складываясь как частицы мозаики, рисуют неизвестную до сих пор историческую картину. Это взвешенная и обдуманная художественная проза, незаметно переходящая в историческое исследование.

Не каждую книгу можно назвать поступком. Но «Капитан дальнего плавания» именно поступок, и совершить его должен был именно Крон. До этой книги Маринеско в сознании широкого читателя просто не существовал. А в морских кругах был человеком, потопившим вражеские суда общим водоизмещением 52 884 тонны, выдающимся подводником, но сомнительной личностью, склонной к неожиданным «выходам» из рамок естественной, обычной дисциплины. Таких «выходов» было много: в Кронштадте в 1944 году, когда командир С-13, который не сегодня завтра должен выйти в море для выполнения важного задания, вдруг исчезает вопреки приказу: никаких увольнений. И не на один, два часа, а по меньшей мере на сутки. В городском парке его задерживает помощник коменданта. Случайно это видит троица мотористов с его лодки. Завязывается драка, матросов отправляют на гауптвахту.

Все это было так, как рассказал Крону Маринеско, но все-таки, без сомнения, не совсем так, потому что командир С-13 был человеком независимым и дерзким. Это было время, когда репутация его уже сильно пошатнулась и он неоднократно сидел на гауптвахте за «выходы», то есть загулы. Вот почему эта история, случившаяся в Кронштадте, как бы отстранила все его прежние проступки и навсегда запала в память тех, кто отмечал наградами боевые успехи. За потопление целой дивизии и 70 подготовленных командиров подводных лодок (кстати, Гитлер объявил Маринеско своим личным врагом) «капитан дальнего плавания» был награжден... (вы, без сомнения, уверены) званием Героя Советского Союза? Нет, он получил лишь орден Боевого Красного Знамени. Ему никак не могли простить загула в Кронштадте. Он никому не жаловался. Даже когда он признавал свою вину, нельзя было увидеть на его лице ни тени страха или подобострастия. Но очень скоро он снова сорвался. «Маринеско уже не владел собой,— пишет Крон,— в течение нескольких месяцев он ухитрился совершить больше серьезных проступков, чем за всю свою многолетнюю службу. Последняя его пьяная выходка исчерпала терпение начальства: «Маринеско явился на базу после самовольной отлучки в какой-то случайной компании, спьяна нагрубил исполнявшему обязанности комдива офицеру и отказался извиниться... Решение: снизить в звании до старшего лейтенанта и направить на должность помощника на другую лодку».

Он был глубоко оскорблен и после разговора с наркомом Военно-Морского Флота Н. Г. Кузнецовым решил демобилизоваться.

И началась новая жизнь — сперва он плавал на нескольких судах торгового пароходства, потом ему предложили пойти в Институт переливания крови заместителем директора по хозяйственной части. Не поладив с директором, он оказался жертвой провокации. Добрый человек, он, заручившись разрешением директора, развез по домам низкооплачиваемых сотрудников списанные за ненадобностью торфяные брикеты в виде праздничного подарка. Директор отрекся от разрешения, и Маринеско попал под суд. Приговор — три года и ссылка на Колыму.

С проницательностью опытного следователя Крон изучил дело. Он говорил о нем с Маринеско: «Посадили меня вместе с ворьем и полицаями,— рассказывал Александр Иванович.— Остригли, обрили... Сразу же обокрали, кто — неизвестно: рюкзак, что собрала мне в дорогу жена, оказался пуст. Жена продала все шмотки, купленные нами в заграничных плаваниях, нанимала защитников, обегала весь город. Ничего не помогло...»

О своих боевых заслугах Маринеско на суде не только умолчал, но запретил говорить и своему защитнику.

И на заводе, где он прослужил несколько лет после тюрьмы и ссылки, от него никто не услышал ни одного слова о том, что он сделал в годы войны.

Это не просто скромность. Это оскорбленная гордость, это борьба с самим собой, неизменно кончавшаяся его победой. Это сознание неудавшейся жизни — ведь так и не стал капитаном дальнего плавания. Надежда на чудо, вдохновлявшая его с самого детства, так и не осуществилась.

Но недаром на мемориальной доске, висящей на здании Одесского мореходного училища, ему присвоено это звание. История пошла навстречу не той жизни, которую он прожил, а навстречу той, о которой он мечтал. И может быть, все его подвиги, все незаслуженные и заслуженные страдания и даже упрямое стремление — вопреки любым обстоятельствам остаться самим собой и «выходы», за которые он так тяжело поплатился,— все это расплата за неисполнившуюся мечту, озарившую детство.

Крон прекрасно рассказал о его беззлобности, бесстрашии, доброте, широте характера, граничащей с наивностью. Он рассказал о необыкновенном человеке, заслужившем благодарность нашей страны. «Никто не забыт, ничто не забыто» — не крылатая фраза в этом правдивом рассказе. Она — вещественна, она доказана, она неопровержима. Как Маринеско исполнил свой долг — Крон исполнил свой долг, трудный долг писателя и историка. Память расплывается, исчезает, уходит в тень, засыпает. Ее нужно будить, с ней нужно обращаться грубо и строго. Крон так и действовал по отношению к ней — как моряк и мужчина.

А между тем он был нежным человеком, не сказавшим в жизни ни одного резкого слова. У каждого из нас бывали минуты оцепенения, думанья ни о чем, о прошлогоднем снеге. У Крона таких минут не было. Когда бы я к нему ни обращался, мне неизменно казалось, что я за руку вывожу его из некой «страны задумчивости», однако вовсе не расплывчатой, а совершенно конкретной. Он интересовался всем на свете. Рисуя характер физиолога, он интересовался историей физиологии от Гиппократа до наших дней. Для «Бессонницы» понадобился Париж. Он поехал в Париж и изучил его так тщательно, что мог бы выдержать испытание на гида. Деликатность его поражала. Придя на лекцию одного профессора, он послушал его недолго и ушел, оставив ему записку: «Ухожу, потому что студенты меня испугаются: подумают, что пришел какой-то черный из деканата». Он действительно был черный, с синеватым после бритья лицом, с внушительной фигурой, с широкими черными бровями, но испугаться его мог только человек, не имеющий о нем никакого понятия. Добрее и благожелательнее, чем он, я, пожалуй, никого не знал. Желание добра чувствовалось в каждом его движении, в каждом слове. В годы войны оно превращалось в самопожертвование.

Таков был Александр Крон. Но это — не портрет, а силуэт или набросок. Я не сомневаюсь, он был бесконечно глубже, тоньше, сложнее. Более того, вопреки всей своей откровенности, мне кажется, что он никогда не открывал себя до конца.

1985

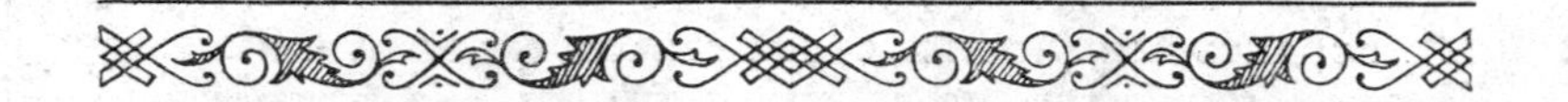

ВСТРЕЧИ С МАНДЕЛЬШТАМОМ

Девяти лет я начал писать стихи и писал их каждый день с настойчивостью, достойной лучшего применения. Некоторые из них сохранились. Когда мой брат Александр поступил в гимназию, я написал свое первое стихотворение. Для него же, когда он нахватал двоек, я сочинил экспромт:

Кафедра. Учитель. Притихший класс.
Учитель мучителем считается у нас.

Для мамы, которая устраивала бал-маскарад в Пушкинском театре «в пользу недостаточных студентов псковичей», я тоже сочинил стихи:

Темно. По улицам Дамаска
Крадется медленно таинственная маска.

Мама была в восторге.

— Так и видна эта темная улица, по которой медленно крадется черная маска.

Восемнадцати лет я попал в Москву, где часто бывал в кафе поэтов «Стойло Пегаса». Слушал Маяковского, Брюсова и даже вступил в маленькую поэтическую группу, которая называлась «Зеленая мастерская» или что-то в этом роде. Из этой группы впоследствии вышли два посредственных прозаика, один посредственный переводчик и два отличных врача — педиатр и гинеколог. Я подружился с Павлом Антокольским и старался писать стихи, не подражая ему. Это было трудно. Дружба наша длилась всю жизнь. В 1920 году я переехал в Ленинград, считая себя если не выдающимся, то, по меньшей мере, значительным поэтом. Юрий Тынянов, которому я прочел свои стихи, сказал: «В тебе что-то есть» — и посоветовал писать прозу. Над этим «что-то» я впоследствии размышлял много лет. Гордясь сложностью своих стихов, я пошел к Виктору Шкловскому. Это было в Доме искусств. Шкловский жил в бывшей спальне Елисеева, умело оборудованной гимнастическими снарядами. Крутя ногами педали неподвижного деревянного велосипеда, Шкловский выслушал мои стихи и сказал: «Это элементарно». Его жена, чтобы утешить меня, положила лишнюю крупинку сахарина в мой стакан чая.

Тогда я пошел к Мандельштаму. Это был худенький, узкоплечий, среднего роста неприветливый человек, с высоко закинутой гордой головой. Он выслушал мои стихи и сказал:

— От таких, как вы, надо защищать русскую поэзию.

Эту мысль он впоследствии развил в статье «Армия поэтов», и мне кажется, что она до сих пор не устарела.

Следя за полетом его мысли, я понял, что поэзия не существует сама по себе, если она не стремится запечатлеть внутренний мир поэта. Никому не нужен даже самый искусный набор рифмованных или белых строк.

Эта первая встреча с Мандельштамом запомнилась мне. Он принял меня как невоспитанного человека, который, не снимая шапки, осмелился войти в храм.

С тех пор я перестал писать стихи и начал в прозе передавать их своим героям.

Ю. Н. Тынянов рассказал мне, как Мандельштам, студент петербургского университета, сдавал экзамен по классической литературе. Профессор Церетели, подчеркнуто вежливый, носивший цилиндр, что было редкостью в те времена, попросил Мандельштама рассказать об Эсхиле. Подумав, Мандельштам сказал:

— Эсхил был религиозен.

И замолчал. Наступила длительная пауза, а потом профессор учтиво, без тени иронии продолжал экзаменовать.

— Вы нам сказали очень много, господин студент,— сказал он.— Эсхил был религиозен, и этот факт, в сущности говоря, не нуждается в доказательствах. Но может быть, вы будете так добры рассказать нам, что писал Эсхил, комедии или трагедии? Где он жил и какое место он занимает в античной литературе?

Снова помолчав, Мандельштам ответил:

— Он написал «Орестею».

— Прекрасно,— сказал Церетели.— Действительно,

он написал «Орестею». Но может быть, господин студент, вы будете так добры и расскажете нам, что представляет собой «Орестея». Представляет ли она собою отдельное произведение или является циклом, состоящим из нескольких трагедий?

Наступило продолжительное молчание. Гордо подняв голову, Мандельштам молча смотрел на профессора. Больше он ничего не сказал. Церетели отпустил его, и с независимым видом, глядя прямо перед собой, Мандельштам покинул аудиторию.

Ю. Н. рассказал мне этот случай, изображая то Мандельштама, то Церетели, хохоча и спрашивая не то меня, не то себя:

— Ведь даже по его стихам прекрасно видно, что он знал классическую литературу.

Разумеется, и я не сомневался в этом.

Но самая обстановка экзамена, роль студента, атмосфера, казалось бы самая обычная, была чужда Мандельштаму. Он жил в своем отдельном, ни на кого не похожем мире, который был бесконечно далек от этого экзамена, от того факта, что он должен был отвечать на вопросы, как будто стараясь уверить профессора, что он знает жизнь и произведения Эсхила. Он был уязвлен тем, что Церетели, казалось, сомневался в этом.

Конечно, жизнь показала ему, что он причастен к действительности. Хотя бы потому, что она грубо расправилась с ним. Но этот случай глубоко для него характерен.

Когда бы я ни встречался с ним, мне всегда казалось, что он не может найти своего дома. И хотя первые годы революции он пытался служить в каких-то культурно-просветительных учреждениях и даже старался быть, как все, это у него просто не получалось.

Когда я в 1924 году кончил университет, руководители института истории искусств предложили мне вести семинар по современной прозе. Одновременно со мной был приглашен Н. Тихонов — вести семинар по поэзии.

Некоторые мои слушатели были старше меня, и среди них я могу назвать будущих первоклассных историков русской литературы А. В. Федорова или Лидию Гинзбург. Впоследствии я написал о работе этого семинара книгу «В старом доме». Случалось, что мы устраивали совместные обсуждения, полезные не только для слушателей, но и для нас. Иногда Тихонов приходил на мой семинар, я, в свою очередь, часто бывал на его занятиях. Обстановка была скорее домашняя, чем академическая. На одном совместном обсуждении присутствовал Мандельштам. Почти все слушатели писали стихи или прозу, и не было ничего удивительного в том, что на одно совместное обсуждение пришел Мандельштам. И обычные занятия вдруг превратились в ожесточенный спор, запомнившийся, потому что в нем отразились характерные черты литературы двадцатых годов. Стоит назвать даже более точную дату. Спор этот происходил в 1926 году. Тихонов, недавно отказавшийся от «голой скорости баллады», был под ударами критики, утверждавшей, к сожалению, что «золотая цепь его творчества порвалась». Мы были близкими друзьями, и я помню, как в наших разговорах он часто со смехом цитировал эту фразу. С иной стороны подошел к повороту в его творчестве Мандельштам, для которого и старое и новое в поэзии Тихонова было не только чуждо, но враждебно. Гордо закинув голову, полузакрыв глаза, Мандельштам возражал против предметной поэзии, называвшей вещи своими именами. Для него творчество Тихонова было бумажной поэзией. Для него голый смысл слова легко соединялся и с новым и с прежним признаком поэзии Тихонова. Он считал, что этот смысл равен кратчайшему расстоянию между двумя точками, то есть некой прямой, которая по своему существу вообще далека от поэзии: «в то время как это расстояние — бесконечность». Это была защита права поэзии на пророчество, на разговор с вечностью.

> Я слово позабыл, что я хотел сказать,
> Слепая ласточка в чертог теней вернется...

Эти стихи требуют от читателя равенства между ласточкой и словом. Если бы это было прозой, читатель потребовал бы от автора рассказа о том, чем будет заниматься эта ласточка-слово в чертоге теней, как ее встретят прозрачные сестры, с которыми она будет играть. В поэзии Мандельштам дерзко отнимает у читателя эту скромную возможность. И действительно, слова о ласточке не могли взлететь в поэзии Тихонова, потому что он видел все вокруг ясными немигающими глазами. Жилистый, красный, худой, даже какой-то вогнутый, затянутый по-солдатски ремнем, Тихонов возражал уверенно, с глубоким знанием классической и современной поэзии.

Бывший солдат-кавалерист, он отстаивал свою позицию так же смело, как он сделал бы это на войне.

Он не отрицал колеблющегося, идущего на ощупь поэтического слова, но был уверен, что будущее принадлежит не ему. Акмеизм — достояние прошлого. Он не найдет себе места в современной поэзии, потому что исчерпал себя до революции, а революция изменила отношение к слову. Он предпочитал меткость, отчетливость, ясность, развертывающуюся мысль, которая не должна и не может нуждаться в изысканности, отгадке. Они схватились друг с другом как вожди двух армий. И это была схватка не на жизнь, а на смерть. Впрочем, студенты не находили ничего исключительного в их споре. Свидетелями подобных схваток они бывали не раз.

Мандельштам был не только одним из лучших в России лирических поэтов, он был тонким теоретиком поэзии. Самые крупные, давно ставшие классиками русские поэты Ахматова, Пастернак считали его новатором, продвинувшим русскую поэзию так далеко, что, как они думали, она может быть оценена только через много лет. Он был способен на отчаянные поступки. Как поэт, он был далек от визуальности, от вещности. Кажется, что его стихи состоят не из слов, а из оттенков слов. Его задача как поэта — создание новых смыслов. Тынянов считал, что он принес из XIX века свой музыкальный стих, и в этом смысле он близок, как мне кажется, своему единственному последователю, поэту Константину Вагинову, забытому в наше время, по такому сильному и оригинальному, что его поэзия, несомненно, будет оценена, и, может быть, очень скоро.

Мандельштам писал грустно-остроумную прозу и как прозаик, очевидно, не был уверен в себе, потому что, уже сдав в журнал «Звезда» автобиографическую повесть «Египетская марка», он трижды брал обратно рукопись, чтобы внести новые и новые исправления.

Эти произведения настолько чужды самому понятию прозы, что подчас кажется, что Мандельштам сознательно и с чувством гордости настаивает на этом неназванном жанре, как бы требуя от теории литературы другого определения — «не проза», еще не найденного никем и никогда.

Набоков со своим немного смешным стремлением к несходству того, о чем он думает,— несходству со всеми, подтверждающими обратное, утверждает в своем сочинении «Гоголь», что детство не занимает места в сознании развивающегося таланта. Одним взглядом он сметает, таким образом, многие произведения: «Детство» Л. Толстого, «Детство Никиты» А. Толстого и десятки других мемуаров, повестей и романов, созданных с помощью поразительной остроты детского зрения. К названным шедеврам можно присоединить и две книги Мандельштама «Шум времени» и «Египетская марка».

Он был тонким лирическим поэтом, но одно из его стихотворений лишено оттенков. Я уже упомянул о том, что он был человеком смелым, но это стихотворение полно безумной смелости. В тридцатых годах, когда оно было написано, его можно было смело приравнять к собственному смертному приговору.

Мы живем, под собою не чуя страны,
Наши речи за десять шагов не слышны,

А где хватит на полразговорца,—
Там припомнят кремлевского горца.

Его толстые пальцы как черви жирны,
А слова как пудовые гири верны,

Тараканьи смеются усищи,
И сияют его голенища.

А вокруг его сброд тонкошеих вождей,
Он играет услугами полулюдей.

Кто свистит, кто мяучит, кто хнычет,
Он один лишь бабачит и тычет.

Как подковы кует за указом указ,—
Кому в пах, кому в лоб, кому в бровь, кому в глаз.

Что ни казнь у него — то малина,
И широкая грудь осетина.

Мандельштам не сразу погиб, он был сослан и находился в условиях, которые не давали ни малейшей возможности для существования. Ю. Г. Оксман говорил мне, что он умер от голода, копаясь в куче отбросов...

Ю. Н. Тынянов рассказывал мне, что однажды, когда он еще мог ходить, он добрался до сквера перед Казанским собором. Он не заметил, как Ахматова подошла к нему. Она ничего не сказала, не поздоровалась, хотя любила Тынянова и была с ним в дружеских отношениях. Но — ни слова. Потом, помолчав, она сказала: «Осип умер». И ушла. Она не в силах была говорить о смерти Мандельштама с человеком, у которого, может быть, не хватило бы душевных сил, чтобы без слез перенести эту страшную для нашей поэзии весть.

Наш долг — опровергнуть тот вздор, который опубликовал Дымшиц в предисловии к единственному сборнику Мандельштама, вышедшему в «Библиотеке поэта».

Перед современностью он ничем не провинился. Он шел навстречу времени, ему ничего не было нужно, кроме возможности свободно творить. Его поэзия занимает в нашей литературе высокое, поражающее своей трагической обреченностью место. Давно пора издать собрание его сочинений, тем более что написал он очень немного. Давно пора выпустить сборник воспоминаний о нем. Мы живем в период сознания необходимости правды, необходимости честного и самоотверженного служения народу.

Долгов много, но по отношению к Мандельштаму наш долг можно и должно выполнить. Теперь это в наших силах.

1987

БОЛЬШОЙ ДЕНЬ

(Вместо заключения)

С чем мы пришли к 70-летию революции? Что сохранили из полученного нами культурного наследия, что потеряли, что создали?

Без ответа на этот вопрос нельзя увидеть преемственной связи между первыми годами социалистического строительства и сегодняшним днем. Да и существует ли эта связь?

Мы многим обязаны первым революционным годам. Тогда искусство было тесно связано с ходом нашей истории. Новаторскими стремлениями были отмечены произведения опытных и молодых писателей, художников и режиссеров.

Деятели левого направления в искусстве поняли революцию как собственную победу. Бессмертные примеры: Мейерхольд — в театре, Татлин — в живописи, Маяковский и Пастернак — в поэзии.

Могучее дыхание новизны обострило чувство долга и ответственности за судьбу народа. Русская культура рванулась на мировую магистраль.

Я был тогда юношей и не задумывался над значением связи между революцией и культурой. Я вырос в интеллигентной семье. Правда, отец, кадровый военный, всю жизнь прослуживший в царской и Красной армии, был уверен в том, что именно армия вносит в жизнь спокойствие и порядок. А мать (окончившая консерваторию) очень боялась, что детей увлечет волна революционных настроений.

Но все же под влиянием старшего брата и его друзей я лет с тринадцати начал читать Герцена, Чернышевского, Писарева. И это было лихорадочное, воспаленное чтение. Мне даже удалось организовать литературный кружок, где мои одноклассники читали и обсуждали доклады. Кружки были запрещены, но именно это нас и привлекало.

Позднее мой старший брат (впоследствии известный ученый) увез меня в Москву, а уже оттуда Ю. Н. Тынянов, работавший переводчиком во французском отделе Коминтерна, забрал меня с собой в Петроград.

О Ленинградском университете двадцатых годов стоит упомянуть особо. Это была поистине необычайная школа не только познания, но и поведения. Главное, что отличало ее, это парадоксальное соединение старого и нового. Как ни странно, именно это создавало необычайно благоприятные условия для точного, целенаправленного становления человека высоконравственного, образованного, способного творчески думать и работать.

Я жил у Тынянова, и эта жизнь была моим вторым университетом. Здесь я встретился с Б. Эйхенбаумом, В. Шкловским, Е. Поливановым — учеными, оставившими глубокий след в истории литературы и лингвистики.

Одновременно я стал членом небольшой группы «Серапионовы братья», которую энергично поддерживал Горький. В эту группу входили молодые писатели — Михаил Слонимский, Лев Лунц, Николай Тихонов, Всеволод Иванов, Николай Никитин, Михаил Зощенко, Константин Федин (в те годы один из руководителей журнала «Книга и революция»), Елизавета Полонская. Многие уже повоевали. Я был среди них самый младший. Особое место среди нас занимал М. Зощенко. В 22 года он был уже штабс-капитаном царской армии, награжденным пятью орденами. Не являясь членом большевистской партии, он глубже всех нас воспринимал идеи революции и социалистического преобразования мира. «Большевики мне нравятся,— писал он в своей первой автобиографии.— И большевичить с ними я согласен». Глубина его ума и новизна открытий в литературе еще далеко не оценены до сих пор.

Как Дарвин и Уоллес, мы были бескорыстными друзьями-соперниками. Мы искренне любили друг друга, и это не мешало, а помогало нашим беспощадно-критическим отношениям.

Помню, как однажды Вс. Иванов, которому все всегда удавалось, принес на собрание нашей группы свою поэму. Через час от нее не осталось, как говорится, камня на камне. Иванов промолчал. По дороге домой он бросил свою поэму в Неву. Можно вспомнить и другие примеры. В своих рецензиях Лунц резко критиковал того же Иванова, Никитина, меня, но это вовсе не портило наши отношения. Дружба сохранялась в течение многих лет.

Не колеблясь, скажу, что в подавляющем большинстве литераторы нашего времени не любят друг друга. И завидуют. И не желают удачи.

Правда, Блок писал:

Друг другу мы тайно враждебны,
Завистливы, глухи, чужды.
А как бы и жить, и работать,
Не зная извечной вражды!

Но он проклинал и свои книги. А вот Леонид Андреев приехал благодарить К. Чуковского, опубликовавшего статью (кажется, об «Анатэме»), в которой доказывал, что Андреев пишет не пером, а «малярной метлой». Фильм, в котором Чуковский рассказывает об отношениях писателей конца прошлого и начала этого века, кончался словами: «Мы любили друг друга».

Для «Серапионовых братьев» вопрос о том, принимать или не принимать революцию просто не возникал. Мы в полной мере сознавали, что живем в новую эпоху и участвуем в создании новой культуры. Пониманием этого мы в особенности обязаны Горькому. Любого человека, кому выпало счастье встретиться с ним, он заставлял задуматься о себе, посмотреть на себя как бы со стороны ясными глазами. Горький учил нас профессиональному отношению к делу, призывал ставить большие трудновыполнимые задачи и, работая над ними, спрашивать и допрашивать, беспристрастно и строго. Я не знаю другого примера, когда энергия одного художника была бы так щедро и бескорыстно направлена не на создание собственных произведений, а на заботу о становлении других писателей. Он был убежден, что скоро у нас будет много ярких, самобытных писателей и вместе с их появлением возникнет художественно самобытная советская литература. И он не ошибся. У нас появились Платонов, Булгаков, Тынянов, Бабель, Олеша, Заболоцкий, Тарковский, Твардовский, Зощенко, А. Толстой, Е. Шварц, я уж не говорю о множестве талантов многонациональной литературы.

Какой широтой души надо было обладать, чтобы так

ответить на вопрос К. Федина: «Стало быть, мы — это и есть история советской литературы?» — «Да,— отвечал Горький,— вы, «Серапионовы братья» — история русской советской литературы». А мы работали тогда только три года.

Уже давно, со второй половины двадцатых годов меня интересовал один вопрос, казавшийся не только мне необычайно важным: что мешает успешному развитию литературы и искусства? В 1927 году я написал на эту тему трактат и показал его Тынянову. Он одобрил и посоветовал переделать в роман. Так появился «Художник неизвестен» (книга, разгромленная РАППом) — книга о столкновении революционного и догматического мышления. Я противопоставил двух соперников — художника, отстаивающего право на свободу творчества, и догматика, безукоризненно честного человека, убежденного, что романтика бесперспективна.

К каким тяжелым, убийственным последствиям может привести догматизм, тупая позиция, упрямо отстаивающая давно стершуюся, застывшую в неподвижности мысль, мы в наше время в доказательствах не нуждаемся. Но в те годы я должен был это доказать. И, мне кажется, доказал.

В России роль литературы всегда была иная, особая по сравнению с литературой Запада. Недаром ее тысячелетняя история началась с гениального «Слова о полку Игореве», навсегда обусловившего ее нравственную направленность, ее воспитательное значение.

Сохранять верность своему профессиональному долгу, никогда не поступаться своей совестью, по мере сил помогать развитию отечественной культуры, гражданскому и моральному процветанию общества — вот наследие, которое оставила нам передовая русская литература. Это вовсе не значит, что я отказываюсь от активной общественной деятельности. Настоящий художник уже в силу своей профессии является общественным деятелем, который — хочет он того или нет — участвует в жизни народа и государства. Вот почему писатель должен обладать полной свободой, позволяющей ему углубиться в себя, обдумывать свой пройденный путь, трезво оценивать сделанное, строго судить собственные ошибки и неудачи.

Мы живем в век технического прогресса, и необходимость его не вызывает сомнений. Но без помощи искусства на разумных гуманных началах жизнь ни построить, ни улучшить нельзя. Потому что искусство обладает могучим нравственным зарядом, воздействующим на сознание.

В самом деле, многие писатели (и я в том числе) получают письма, авторы которых избрали свою профессию и, стало быть, свой жизненный путь, прочтя книгу, подсказавшую им то или другое решение. Подобного вмешательства литературы в жизнь не было в XIX веке. Или было лишь в одном отношении, я имею в виду выбор не профессии, а мировоззрения. Но практического вещественного участия в жизни не было. Едва ли какой-нибудь из рассказов или романов Тургенева подсказывал читателю решение, какому делу отдать свою жизнь. Эта черта, необычайно характерная именно для советской литературы, важна, может быть, не только для читателей. Она важна и для самого становления литературы. Иной читатель, прочитав хорошую книгу, чувствует, что она помогла ему открыть себя. Он начинает мечтать посвятить свою жизнь не медицине или авиации, не астрономии или архивному делу, а самой литературе. Словом, об этом стоит подумать.

Мы осознаем себя в непрерывной цепи движения истории, и наступает день, когда каждый из нас должен ответить на вопрос: что ты сделал для общества? Именно здесь проходит линия, по одну сторону которой — те, кто живет и работает только для себя, а по другую — те, кто трудится для блага других. Определить границу борьбы против беззакония, карьеризма, обмана, предательства, корысти, бесчестия еще никому не удалось.

Но вот наступает Большой день нашей литературы, день свободы мнений, развязанных рук, переоценки ценностей, взгляда в лицо. Вспомним Пикассо: «Надо прожить много лет, чтобы почувствовать себя молодым».

Понятие возраста в литературе неопределенно, неясно. Одни начинают в сорок лет, другие в шестьдесят впервые появляются в печати. В двадцатые годы начинали ровесники века. И все же в конечном счете советская литература сложилась из писателей, работающих в ней по тридцать и сорок лет. Они многое пережили и многое знают. Они много могут рассказать тем, кто на наших глазах, сегодня, сейчас, вступает на мучительный и соблазнительный путь смельчака, решившего отдать жизнь литературе.

Мы расскажем им, какие могучие таланты были загублены, а какие донесли свою тяжкую ношу.

Весь мир знает о поразительных переменах в нашей литературе. Десятки превосходных книг, годами как в обмороке лежавших в письменных столах, очнулись, открыли глаза и обрели голос. «Рукописи не горят»,— сказал устами Воланда Булгаков. Надо полагать, что он имел в виду такие рукописи, как «Мастер и Маргарита», а не произведения бесчисленных подхалимов, которые давным-давно сожгло время. И это был с его стороны глубоко разумный шаг. Ведь если бы они заговорили — боже мой, как много пустопорожних, высокопарных, полных явной или замаскированной лжи слов посыпалось бы на нас, как под осенним ветром мокрые, пожелтевшие, рассыпавшиеся в прах листья! Мы утонули бы в сером болоте пошлости, приторном сладком тумане незаслуженной лести, полуправды, которая хуже лжи.

Надо сказать, что настоящие литература и искусство никогда не умирали, хотя в известные периоды жили в очень сложных, драматических условиях. Мы не вспоминаем сегодня о тех литераторах, которые писали по требованию отдельных организаций или отдельных лиц. В свое время романы П. Павленко печатались огромными тиражами.

И вместе с тем, несмотря на грубое давление и замаскированную подсказку, затруднявшие развитие искусства, всегда было живо творческое наследие Мейерхольда, Таирова, Михоэлса, Шостаковича... Хотя мы хорошо знаем, как необратимо трагически сложилась судьба Всеволода Эмильевича и в какой оскорбительной форме преподносились уроки Дмитрию Дмитриевичу, когда ему объясняли, как надо писать музыку.

Кстати, мы ничего не забыли...

Одним мы богаты и с каждым годом становились богаче: опытом. Незабываемый опыт — могучее орудие, которое никогда не отказывает, если им пользоваться толково и смело.

И теперь, когда мы вступили в новую историческую полосу, он поможет нам действовать без колебаний.

Я не социолог и не политик. Я — литератор, стало быть, и то и другое. И я убежден, что смело можно поставить знак равенства между состоянием общества и литературы.

Полоса сталинских лет отражала мнимую литературу. Последнее пятилетие отражает подлинную.

Юрий Тынянов говорил: «Пыль — как время. Кажется,

что она далеко, а между тем ты уже дышишь ею».

Вправе ли мы судить тех, кто голосовал за изгнание Пастернака из Союза писателей, тех, кто перестал кланяться Зощенко, когда его на десять лет выставили на позорище в стеклянной клетке? Не знаю.

Интеллигенция всегда была чисто русским явлением — в некоторых языках даже нет этого слова. Может быть, и хорошо, что она потеряла черты особливости, растворившись в народе. Но плохо, что вместе с этими чертами она лишилась возможности передавать их из поколения в поколение. Это выразилось в конкретных фактах, имеющих историческое значение. Претерпело множество неудачных опытов гуманитарное образование, и прежде всего классическое — между тем еще гимназистом шестого класса я выступал в защиту латыни. Смялись и затуманились нормы нравственного поведения; гимназисты не крали, не ругались грязно, а учителям не приходилось скрывать от случайных знакомых свою далеко не престижную профессию. Само отношение к школе было другим: она прививала дисциплинирующее уважение к науке.

Нам нужно серьезное знание всего пройденного пути в его полноте, сложности и противоречивости. Без этого невозможно формирование исторически зрелого мышления.

Наступило время поступков, но мы не всегда готовы их совершить. Нам всем надо научиться понимать и принимать новый порядок вещей, а это непросто. Теперь мы боимся не догматического бюрократического окрика, а все еще самих себя. Этот страх в современной литературе существует, и от него надо решительно избавляться.

Я убежден, что нынешние перемены необратимы, вопреки тому, что мы не раз были свидетелями перемен обратимых. Об этом говорит множество фактов. Я член комиссии по литературному наследию Бориса Пастернака. И должен сказать, что никогда до сих пор не присутствовал на таком эмоционально насыщенном, искреннем заседании, каким было первое заседание комиссии, хотя заседал немало — ведь когда-то вместе с К. Паустовским возглавлял секцию прозы московской писательской организации. Могу с полной ответственностью утверждать, что все выступавшие на заседании говорили с позиций правды, чести и справедливости. Почему хотелось бы отметить это особо? Да потому, что Пастернак имеет прямое отношение к теме «Революция и культура». Над этим вопросом он размышлял постоянно, решая его глубже и серьезнее, чем многие из нас, и к этим его мыслям нам еще предстоит вернуться.

По-новому видятся сегодня и уроки I съезда писателей. Это был форум, когда складывающаяся литература сумела прорвать поставленные официальным мышлением преграды. Достаточно вспомнить речь того же Пастернака. Тогда мы ясно поняли, что от усилий каждого из нас зависят успехи «ломящегося в века государства» («Охранная грамота»). К сожалению, мы многое утратили из атмосферы писательской жизни тех лет. Так же постепенно, но неотвратимо теряли мы и те человеческие нравственные высоты, которые обрели во время Великой Отечественной войны.

За последние годы сделаны решающие шаги по обновлению жизни во всех сферах. Общество пришло в движение, значит, должны измениться и формы его самопознания. День сегодняшний мы должны мерить завтрашним днем: какое духовное наследие мы оставим будущим поколениям, насколько сбережем природу и памятники истории да и саму нашу землю?

Один из моих друзей сравнил опубликование романов Бека, Рыбакова, Дудинцева с вливанием свежей крови в больную литературу. Он не прав. Советская литература привыкла к лишениям, глотка свободы в двадцатых годах ей хватило надолго. Она выстояла. Она выдержала много незаслуженных унижений, но и в унижении, и в подчинении всегда была готова служить народу.

Появление давно ожидавшихся книг важно не только для воспитания совести, чувства долга, ответственности перед народом, но и для развития самой литературы. Читая книги, написанные хорошим языком, поражающие неувядающей современностью, молодые литераторы учатся чистому, свободному стилю, мелодии прозы, стройной композиции, умению нарисовать запоминающийся характер. Словом, учатся писать так, чтобы техника была незаметна, и в этом им поможет все тот же внутренний редактор. Но теперь перед ним стоит другая задача: не стремление к политической осторожности, а строгий контроль над формой. А для этого нужны образованность и вкус. Молодых писателей много, и о них давно нужно написать развернутую обоснованную статью. Это не входит в мою задачу. И все же мне хочется упомянуть об одном из них, тем более что его деятельность еще не оценена никогда и никем. Это — Виктор Ерофеев.

Вы спросите меня, почему именно о нем. Ответ простой: потому что его работа напоминает мне работу писателей двадцатых годов, когда литература и история литературы стояли рядом, оплодотворяя друг друга. Знаток истории литературы легко становился ее творцом (Тынянов), а проза легко переходила в теорию (Шкловский).

Приглядимся к тому, чем занимается Виктор Ерофеев. Он пишет прозу. Его «Трехглавое детище» (рукопись) можно смело поставить в ряд лучших произведений последних лет. За характером главного героя угадывается «явление». О таком же «явлении», циничном и опасном, об эгоизме предателя, о рассчитанном отказе от добра, благородства, чести написан рассказ Виталия Москаленко «На диком пляже» (Знамя. 1987. № 7).

Однако Ерофеев пишет не только прозу. В журнале «Октябрь» (1987. № 5) опубликована его тонкая рецензия, посвященная Ахмадулиной, в «Вопросах литературы» скоро появится его большая статья о В. Розанове, в «Иностранной литературе» (1987. № 11) опубликовано эссе о Луи Селине. Сборник баллад «Летучий корабль» недавно появился с его предисловием, в «Литературном обозрении» (1987. № 7) напечатана рецензия на книгу «Восток-Запад», для оценки которой необходимо не только знание нескольких языков, но и способность одним взглядом окинуть историю многолетних отношений русской культуры, принадлежавшей к двум мирам — Западу и Востоку. И это еще не все. От Розанова до Ахмадулиной, от Луи Селина до сборника баллад! И все это написано живо, свободно, с интонацией, близкой к прозе, с вопросами к читателю, с той свободой, в которой знание превращается в сознание. Я не знаю другого молодого писателя — а он действительно еще молод,— который бы так легко и, я бы сказал, весело чувствовал себя в мировой литературе.

Разумеется, таких литераторов еще немного, но их должно быть много.

Интерес к культуре других народов всегда отличал образованное общество России. Переводная мировая литература органически входила в духовную жизнь страны. Так обстоит дело и сегодня. Приобщение к мировой литературе, в том числе и современной, самых широких слоев — дело, значение которого трудно переоценить.

Все национальные литературы входят в единую мировую литературу. В каждой национальной культуре (в той или иной мере) отразился опыт общечеловеческий. Так же как в общемировой культуре отражен опыт самых разных народов. Процесс этот неразделим. Столь же неразделимы общечеловеческие и национальные ценности. Изоляционизм, национальная замкнутость, ограниченность, самодовольство — пагубны для искусства. Многообразие, плодотворный взаимообмен и взаимообогащение — залог его жизнеспособности. Нельзя допустить, чтобы XX век стал последним в истории человечества. И в этой благородной борьбе писатель не может оставаться сторонним наблюдателем. Его слово, обращенное к человечеству, разрушает стену предубеждения и недоверия, которую силы реакции стараются воздвигнуть между народами, а потом подновляют ее, подкрашивают, чтобы придать ей более привлекательный вид. Однако работать на этой «строительной площадке» подобным силам становится все труднее: уже многие люди на земле хотят жить по новым нравственным законам. Это вселяет надежды.

1987

СОДЕРЖАНИЕ

Каверин В.

К12 Счастье таланта: Воспоминания и встречи, портреты и размышления.— М.: Современник, 1989.— 316 с.— (Б-ка «О времени и о себе»).

ISBN 5-270-00610-3

Книга известного советского писателя Вениамина Каверина — это размышления о литературе, целая галерея литературно-критических портретов современников, личное свидетельство писателя о товарищах по перу.

Статьи прошлых лет, эссе и дневниковые записи, воспоминания о выдающихся деятелях культуры — все это воссоздает атмосферу эпохи, «шум времени» и дает представление об истории советской литературы в лицах, с момента ее зарождения до наших дней. Горький и Маяковский, Зощенко и Пастернак, Паустовский и Шварц, Чуковский и многие другие, увиденные глазами В. Каверина, предстанут перед читателем.

К $\frac{4603010102-178}{М106(03)-89}$ 207-89 ББК83.3Р7

КАВЕРИН Вениамин Александрович

СЧАСТЬЕ ТАЛАНТА

Воспоминания и встречи, портреты и размышления

Редактор **Н. А. Листикова**
Художник **Р. Р. Вейлерт**
Художественный редактор **Г. Г. Саленков**
Технический редактор **Н. В. Ганина**
Корректоры **Г. А. Голубкова, А. А. Володина**

ИБ № 5335
Сдано в набор 4.11.88. Подписано к печати 12.05.89. А11214. Формат $84\times108/_{32}$. Гарнитура литер. Печать высокая. Бумага тип. № 1. Усл. печ. л. 16,8. Усл. кр.-отт. 17,43. Уч.-изд. л. 16,56. Тираж 50 000 экз. Заказ 1369.
Цена 95 коп.

Издательство «Современник» Государственного комитета РСФСР по делам издательств, полиграфии и книжной торговли и Союза писателей РСФСР.
123007 Москва, Хорошевское шоссе, 62

Книжная фабрика № 1 Государственного комитета РСФСР по делам издательств, полиграфии и книжной торговли. 144003, г. Электросталь Московской области, ул. им. Тевосяна, 25.

В 1990 году в издательстве
«Современник»
в серии «О времени и о себе»
выйдет новая книга
М. Юхмы *«УЗОРЫ НА СУРБАНАХ»*.

Известный чувашский советский писатель Мишши Юхма один из тех, кого мы называем прорабами перестройки. Вдумчивый прозаик и поэт, публицист и критик, он в своих очерках и раздумьях, включенных в книгу, оглядываясь на пройденный человечеством многовековой путь развития, наводит читателя на глубокие размышления о корнях истории и культуры наших народов. Писатель ищет нити, связывающие историю его родной Чувашии с историей и культурой русских, украинцев, белорусов, марийцев, татар, казахов, башкир, грузин... В книге читатель откроет для себя незнакомые до самого последнего времени страницы жизни и творчества А. Пушкина, А. Кольцова, В. Маяковского, Я. Купалы, Г. Тукая, К. Хетагурова, С. Чавайна, А. Церетели, Абая и других, связанные с Чувашией.

Судьба современной чувашской культуры, душевная боль писателя за многие негативные явления жизни в годы застоя и культа личности ярко и самобытно запечатлены в очерках «Исповедь с полевыми цветами на руках», «Дорога лебедей на Сугутами», «Тяжелы вчерашние вериги», «Свято верю в обновление» и других.

В 1989 году в издательстве
«Современник»
в серии «О времени и о себе»
выйдет новая книга
Н. Е. Шундика *«ОЛЕНЬ У ПОРОГА»*.

Читателям хорошо известны романы Николая Шундика «Быстроногий олень», «Родник у березы», «Зарок». Особую популярность приобрел роман «Белый шаман», по достоинству оцененный Государственной премией РСФСР.

В новую книгу писателя вошла автобиографическая повесть «Олень у порога», в которой он размышляет о детских годах, прошедших в дальневосточном таежном селе, где еще были свежи в памяти селян подвиги красных партизан, о годах юности, совпавшей со временем Великой Отечественной войны и работой на Чукотке, где совершали свои подвиги чукчи, для общей победы добывавшие пушнину — мягкое золото, поставляемое в валютный цех страны.

Ярко отразилось время и в той части повествования, в которой говорится о событиях после XX съезда партии, происходивших на Рязанщине, где также довелось работать Н. Е. Шундику.